LA SUPER FORME
EN 14 ALIMENTS

Steven G. Pratt M.D.
(ophtalmologiste et chirurgien plasticien)
et Kathy Matthews

Recettes concoctées par Michel Stroot,
chef au Golden Door, et le personnel
du centre de balnéothérapie Rancho La Puerta

LA SUPER FORME
EN 14 ALIMENTS

14 aliments qui vont changer votre vie

•MARABOUT•

En mémoire d'Alex Szekely

Publié pour la première fois aux États-Unis en 2004 sous le titre *Superfoods Rx*
© 2004 par Steven G. Pratt & Kathy Matthews, Inc. Publié avec l'accord de
William Morrow, un département de Harpercollins Publishers Inc.

© Marabout, 2005 pour la traduction française
Traduction : Dominique Françoise
Relecture scientifique : Eric Postaire

Sommaire

Deuxième partie : Les super-aliments

Troisième partie : Les super-aliments
(idées de menus et informations nutritionnelles)

Remerciements

Je remercie les membres de ma famille – ma femme, Patty, mes enfants, Mike et son épouse Diane, Ty, Torey et Brian – pour le temps qu'ils m'ont consacré, les efforts qu'ils ont faits et la patience qu'ils ont eue alors que je me consacrais à cet ouvrage qui, sans eux, n'aurait jamais pu voir le jour. Je remercie mes associés, David Stern et Ray Sphire, qui ont cru en ce projet dès le début et qui ont contribué aux différentes étapes de la rédaction et de la publication de ce livre. Je remercie également ma patiente et amie, Nancy Stanley, pour son dynamisme et sa joie de vivre et ma collaboratrice, Michelle McHose, qui a fait un gros travail de recherche. Je remercie toutes les personnes qui travaillent avec moi, et plus particulièrement Carol Henry et Maurya Hernandez qui ont veillé à ce que l'activité du cabinet ne soit pas perturbée par mes absences répétées.

Merci à mon cher ami et confrère, le docteur Hugh Greenway, pour son objectivité, sa collaboration et son engagement. Nous continuerons à collaborer afin de convaincre les plus sceptiques que leur alimentation et leur mode de vie ont un rôle à jouer dans la protection de leur capital-santé.

Je ne remercierai jamais assez les membres du Golden Door et du Rancho La Puerta qui ont mené à bien le projet qui, sans aucun doute, aurait tenu à cœur à leur maître à tous, Alex Szekely.

Merci à Deborah Szekely, fondatrice du Rancho La Puerta et du Golden Door, qui a toujours su trouver les mots pour me motiver et m'encourager.

Je remercie chaleureusement Mary-Elizabeth Gifford, directrice de la communication à Rancho La Puerta et au Golden Door, pour son soutien inébranlable, le temps qu'elle a consacré et la compréhension dont elle a fait preuve à l'égard de tous les individus qui ont participé à ce projet. Un grand merci à Michel Stroot, chef cuisinier au Golden Door, qui a largement contribué à cet ouvrage en mettant au point de succulentes recettes à base des 14 super-aliments que vous pourrez sans problème réaliser par vous-même. Si vous avez l'occasion de séjourner en Californie, faites un détour par les centres de balnéothérapie Rancho La Puerta et Golden Door et délectez-vous avec les succulents mets concoctés par ce chef hors pair. Mes plus sincères remerciements vont à Dean Rucker, sous-chef au Golden Door, qui a toujours parfaitement secondé Michel Stroot dans son travail. Merci à Wendy Bazilian, nutritionniste et diététicienne consultante au Golden Door, qui, malgré un emploi du temps extrêmement chargé, a travaillé à l'élaboration de recettes alliant judicieusement les propriétés nutritives des différents super-aliments. Merci à Yvonne Nienstadt, en charge du service diététique au Rancho La Puerta, et à Gonzalo Mendoza, chef cuisinier, qui ont tout mis en œuvre pour que les recettes réunies dans cet ouvrage soient bénéfiques au lecteur. Merci à Mary Goodbody qui a testé chacune de ces recettes et à Lori Winterstein, diététicienne, qui a scrupuleusement analysé la teneur en nutriments de chacun des plats proposés.

Merci au docteur Gary Beecher pour ses conseils avisés et sa connaissance qu'il a bien voulu mettre au profit de cet ouvrage. Merci également au docteur Joe Vinson qui a étudié la teneur en polyphénols des différents jus et confitures mentionnés dans ce livre. Merci à Eric Van Kuijk, à son frère Bas et à Jair Haanstra qui ont analysé les différents nutriments qui font du poivron orange un super-aliment.

Merci à mon ami, le docteur Stewart Richer, qui m'a fait profiter durant ces trois dernières années des résultats des différentes études cliniques qu'il a menées. Merci aux docteurs Norman Krinsky, Max Snodderly, Billy Wooten et Billy Hammond qui ont eu la gentillesse de me livrer les résultats de leurs recherches sur les caroténoïdes.

Merci au plus merveilleux des agents littéraires du monde, à savoir Al Lowman, qui compte aujourd'hui parmi mes amis. Merci à Kathy Matthews et Harriet Bell pour le travail impressionnant qu'elles ont réalisé, leur soutien et leur amitié. Al, Kathy et Harriet forment l'équipe dont tout auteur aimerait être entouré.

Un très grand merci au personnel de HarperCollins et tout principalement à Lisa Gallagher, véritable gourou du marketing, Heather Gold, publicitaire émérite, Roberto de Vicq de Cumptich, qui a réalisé la jaquette de l'édition originale, Michael Morrison, un éditeur hors pair, et Sonia Greenbaum, qui a relu toutes les épreuves.

STEVEN G. PRATT

Pendant toute la période qu'a duré la rédaction de cet ouvrage, ma famille a fait preuve de patience, de tolérance et d'humour, acceptant de se nourrir de plats surgelés alors que je vantais les bienfaits des produits frais. Merci à mon mari, Fred, et à mes enfants, Greg et Ted, à qui je promets de concocter dès aujourd'hui de délicieux petits plats à base de super-aliments.

Steven Pratt a été un merveilleux collaborateur, toujours très attentionné et enthousiaste. Il a réalisé un travail de titan, collectant les informations scientifiques qu'il a su trier et organiser. Mille mercis à Steven et à sa femme Patty qui ont permis que ce projet soit source de bonheur. Merci à David Stern, Ray Sphire et Hugh Greenway pour leur dynamisme et leur soutien.

Al Lowman, agent et ami de longue date, a, une fois encore, prouvé qu'il était un allié hors pair comme il en existe peu.

Harriett Bell, qui compte parmi les meilleurs éditeurs, et toute l'équipe au sein de William Morrow ont été de merveilleux collaborateurs. Je ne les remercierai jamais assez pour leur soutien, leur énergie, leur travail méticuleux et leur enthousiasme.

Sans le personnel du Rancho La Puerta et du Golden Door, ce livre n'aurait jamais pu voir le jour. Je sais maintenant pourquoi les personnes qui ont séjourné dans l'un ou l'autre de ces centres de balnéothérapie y retournent régulièrement. Merci à tous pour leur hospitalité, leur gentillesse et leur professionnalisme. Je tiens à remercier tout particulièrement Mary-Elizabeth Gifford pour ses conseils et son enthousiasme, Michel Stroot, notre chef, Yvonne Nienstadt et Wendy Bazilian, des nutritionnistes averties, ainsi que Deborah Szekely, fondatrice du Rancho La Puerta et du Golden Door, qui fut la première à mettre au service de sa clientèle un lieu de détente et de bien-être où l'alimentation joue un rôle crucial.

KATHY MATTHEWS

Avant-propos

Dès les années 1960, une grande partie de la population américaine s'est tournée vers la restauration rapide et les plateaux-repas au détriment d'une alimentation saine et équilibrée à base de produits frais. Toutefois, depuis quelques années, nous notons un revirement de la situation avec un attrait de plus en plus marqué pour les fruits, les légumes et autres produits frais vendus sur les marchés de plus en plus nombreux et les aliments bio commercialisés dans la plupart des grandes surfaces. Cet ouvrage sera, je l'espère, un autre pas en avant qui vous permettra à vous, lecteur, de prendre conscience de la relation qui existe entre l'alimentation et la santé. En effet, l'objectif de ce livre est de vous faire comprendre que les aliments que nous consommons peuvent avoir sur l'organisme les mêmes effets que les bons ou les mauvais « médicaments ».

Si la majorité d'entre nous sait pertinemment que les produits que nous choisissons de consommer ont une influence sur la santé, certaines personnes ignorent encore que notre alimentation peut réellement l'*améliorer*. Cette constatation est une bonne nouvelle en soi car cela signifie qu'au lieu de nous préoccuper de savoir quels aliments nous devons absolument éviter de consommer, nous pouvons désormais choisir en toute connaissance de cause parmi tous les aliments – et notamment des super-aliments – ceux qui nous permettront de vivre longtemps en bonne santé.

Nous savons tous aujourd'hui que la maxime : « Dis-moi ce que tu manges et je te dirai qui tu es » n'est pas dénuée de sens. Plusieurs articles publiés récemment dans le *Wall Street Journal* ont mis en exergue certains aliments, y compris des produits bio que nos enfants peuvent consommer sans que leur santé soit mise en danger. Le journal a même consacré une demi-page couleurs aux fruits et légumes prônés par l'une des plus grandes chaînes agroalimentaires sous le titre « Régimes riches en fruits et en légumes susceptibles de diminuer le risque de développer un cancer ou toute autre maladie chronique » (10 juillet 2003, rapport de l'US National Cancer Institute, avalisé par la US Food and Drug Administration).

14 super-aliments est la compilation d'une multitude de résultats issus d'études en laboratoire et de recherches cliniques menées dans le monde entier par des chercheurs et des cliniciens de renom. Steven Pratt, ophtalmologiste émérite, a travaillé des mois durant sur la nutrition en tant que science et sur les effets bénéfiques ou néfastes de certains aliments sur la santé. Cet ouvrage très documenté est le fruit de tous ses efforts.

Depuis plus de vingt ans, Steven et moi-même sommes respectivement établis comme ophtalmologiste et dermatologue dans le Sud de la Californie. Simples confrères, nous sommes devenus au fil du temps des amis intimes. Bien que médecins spécialistes, nous ne nous sommes jamais limités à notre domaine de prédilection et nous avons toujours pris en compte l'état de santé de nos patients dans son ensemble. Si, pour ma part, cela tient probablement au fait que j'ai débuté ma carrière comme médecin généraliste, je tiens à souligner que Steven travaille dans la même optique, à savoir tout mettre en œuvre pour le bien-être général de ses patients. Pour ce faire, nous nous sommes vite aperçus que nous ne devions pas nous cantonner à prescrire des traitements mais à faire de la prévention notre priorité. En qualité d'ex-président de l'Institut Scripps de renommée mondiale, je puis affirmer que tous les médecins que je côtoie, et ce quelle que soit leur spécialisation, ont peu à peu pris conscience du lien existant entre la manière dont nous nous nourrissons, les aliments que nous consommons et le développement de certaines maladies. Je suis convaincu qu'en mettant en exergue les aliments susceptibles de protéger, voire améliorer la santé de chacun, cet ouvrage recevra l'accueil qu'il mérite non seulement du corps médical mais également du grand public car c'est le livre que tous attendaient.

La pyramide présentée p. 53 sera particulièrement appréciée par celles et ceux qui sont en quête d'un mode de vie sain et équilibré. Ils y trouveront non seulement des recommandations diététiques mais également des exercices pour être en meilleure condition physique, gérer leur stress, retrouver la confiance en soi, avoir un sommeil de qualité, se relaxer et de nombreux autres conseils qui les aideront à vivre longtemps, heureux et en bonne santé.

Je suis fier de travailler depuis de longues années en étroite collaboration avec le docteur Pratt dans divers domaines de la médecine. Ensemble, nous essayons de déterminer quels sont les fruits et les légumes susceptibles de protéger l'organisme et permettant aux individus de vivre mieux plus longtemps. Les yeux et la peau nous donnent moult informations sur ce qui se passe à l'intérieur du corps. C'est pourquoi nos travaux sont d'une importance capitale.

Changer son mode de vie est certes excitant mais également éprouvant. Croire que, du jour au lendemain, nous allons radicalement modifier notre alimentation est une utopie. Voici ce que je vous propose : à partir d'aujourd'hui, chaque semaine, nous essaierons d'intégrer dans notre alimentation l'un des 14 super-aliments présentés ci-après. Jouons le jeu et, au bout d'un an, faisons le point. Je suis intimement persuadé que les résultats seront probants et que nous nous sentirons tous beaucoup mieux dans notre corps mais également dans notre tête.

Steven n'a qu'un objectif : mettre à notre service ses connaissances dans le domaine de la nutrition afin que chacun d'entre nous vive mieux plus longtemps. Profitons-en ! J'espère que, grâce à cet ouvrage, vous vivrez heureux(euse) et en bonne santé encore de nombreuses années.

HUBERT (HUGH) T. GREENWAY, docteur en médecine,
président émérite de l'Institut Scripps
chirurgien dermatologique de Mohs

Introduction

BIENVENUE DANS LE MONDE DES SUPER-ALIMENTS

À chaque fois que vous vous apprêtez à prendre un repas, vous êtes pratiquement confronté(e)s à une question de vie ou de mort. Même si cela vous donne des frissons dans le dos, regardez la réalité en face, ne serait-ce que pour rester maître de la situation, d'autant qu'aujourd'hui vous avez la possibilité – ce qui n'était pas le cas il y a encore quelques années – de faire des choix qui auront une influence sur le cours de votre vie et sur votre santé. Je vous présente les faits tels qu'ils sont, sans la moindre ambiguïté : de la décision que vous prendrez la prochaine fois que vous allez vous mettre à table dépend votre avenir, et ce que vous ayez 22 ou 62 ans.

J'ai écrit ce livre pour vous obliger à réfléchir et vous aider à faire le bon choix. Imaginez que vous êtes sur une route et que vous arrivez à une bifurcation.

L'une des voies mène à une place de stationnement réservée aux handicapés devant une gigantesque pharmacie. Vous avez 68 ans. Vous descendez péniblement de votre voiture et vous essayez tant bien que mal d'atteindre le comptoir sur lequel le pharmacien a préparé vos médicaments. Ce dernier vous salue chaleureusement car vous êtes un(e) client(e) fidèle. Chaque jour, vous avalez consciencieusement vos neuf comprimés et pilules et, selon votre forme, soit vous faites le tour du pâté de maisons au bras de votre petit-fils, soit vous passez la journée assis, devant la télévision. Méticuleusement, vous rangez vos médicaments dans votre panier et vous achetez les produits vendus sans ordonnance qui vous font défaut. Lorsque le monsieur qui attend son tour derrière vous murmure d'un air compatissant : « Ce n'est pas beau de vieillir », vous hochez tristement la tête.

L'autre voie vous conduit à un marché campagnard. Vous avez 68 ans et vous venez de disputer un match de tennis contre des amis d'enfance ou de passer une heure à bêcher et désherber votre jardin. Vous faites allègrement vos emplettes et vous remplissez votre panier avec des légumes et des fruits plus appétissants les uns que les autres. Vous êtes heureux(euse) car les myrtilles ont fait leur retour aux côtés des épinards et des poivrons. Les tomates ne sont pas encore mûres mais les brocolis sont parfaits. Ce soir, des amis viennent dîner et vous vous rendez chez votre poissonnier pour acheter du saumon d'Alaska. Avant de partir, vous prenez des amandes car vous projetez d'essayer une nouvelle recette pour le dessert. Au passage, vous vous laissez tenter par les petits choux rouges qui trônent sur l'étalage. Vous souriez lorsque le vendeur vous glisse à l'oreille : « Je ne sais vraiment pas où vous trouvez toute votre énergie. »

Voilà, tout est dit. Vous avez le choix entre les bons aliments ou les médicaments.

Bien évidemment, nul ne peut affirmer que, si vous optez pour la première solution, vous n'aurez jamais recours à la seconde. Toutefois, nous avons aujourd'hui suffisamment de preuves scientifiques – parutions et conférences – pour certifier que certains aliments diminuent considérablement le risque de développer nombre de maladies. Savoir que vous pouvez désormais prendre votre avenir en main est un défi auquel, je pense, vous ne pouvez vous dérober.

LES 14 SUPER-ALIMENTS

Cet ouvrage est basé sur un concept d'une extrême simplicité : certains aliments sont meilleurs que d'autres pour la santé. Si nous devinons tous qu'il est préférable de manger une pomme plutôt qu'une assiette de frites, nous sommes perplexes lorsqu'il nous faut choisir entre deux bretzels ou quelques noix. Le choix serait immédiat si vous saviez que consommer une poignée de noix, noisettes ou autres fruits à écale plusieurs fois par semaine diminue de 15 à 51 % le risque de faire une crise cardiaque, et ce que vous fumiez, que vous ayez une surcharge pondérale ou que vous ne pratiquiez aucun sport. Ce qui prouve bien à quel point la nourriture peut avoir des répercussions sur la santé.

Dans la seconde partie de ce livre, je vous présente 14 aliments qui, grâce aux nutriments qu'ils contiennent, vous aideront à préserver votre capital-santé et augmenter votre espérance de vie. Comment résister à l'idée de vivre de nombreuses années robuste et plein(e) d'entrain ? De nombreuses études scientifiques ont prouvé que chacun des ces aliments peut diminuer, voire éliminer le risque de développer certaines pathologies liées au vieillissement – y compris les troubles cardiovasculaires, le diabète de type II, l'hypertension artérielle, différents types de cancers, la démence et autres maladies mentales.

La plupart de ces 14 super-aliments font probablement déjà partie de votre alimentation. En effet, je suppose que nombre d'entre vous consomment très régulièrement des **brocolis**, des **oranges** et des **épinards**. Si les **myrtilles** sont appréciées du plus grand nombre, il est probable que vous n'en consommiez qu'au moment de la récolte. Lorsque vous connaîtrez tous les bienfaits de ces fruits et autres baies sur la santé, vous essaierez tout comme moi d'en manger au moins une fois par jour, été comme hiver, ne serait-ce que sous la forme de confitures ou de milk-shakes à base de fruits congelés. Si vous avez tendance à bouder les **potirons** et la **dinde**, je suis sûr que vous changerez d'avis lorsque vous aurez découvert les effets positifs de ces aliments sur l'organisme.

Si le **soja** et les **yaourts** n'ont pas encore leur place sur votre table, je vous apprendrai à les intégrer peu à peu dans votre alimentation.

Contre toute attente, les **noix** comptent elles aussi parmi les super-aliments. En effet, ces fruits à coque très caloriques sont souvent mis dans la catégorie des aliments « à éviter » en dépit de leurs nombreuses propriétés nutritives. Il ne se passe pas un jour sans que je mange une poignée de fruits à écale ou de graines. *A contrario*, d'autres aliments comme le **saumon sauvage** ont le vent en poupe depuis que des études ont récemment mis en évidence leurs effets bénéfiques sur la santé. Il est difficile d'imaginer que certains irréductibles n'ont toujours pas compris qu'il est primordial de consommer régulièrement du saumon sauvage pour être en pleine forme.

Certains produits seront plus difficiles à intégrer à votre régime alimentaire que d'autres. Vous apprendrez vite à vous préparer une délicieuse tasse de **thé** que vous siroterez avec plaisir – par exemple, en achevant la lecture de ce livre – mais vous aurez peut-être plus de mal à manger des potirons (ou des poivrons orange, substituts aux propriétés similaires) et des yaourts qu'il faut, idéalement, consommer plusieurs fois par semaine, ne serait-ce qu'en petite quantité. Si vous n'êtes pas grand(e) consommateur(trice) de **haricots** et autres légumineuses, vous allez probablement le devenir lorsque vous aurez compris que les pois ou les pois chiches peuvent considérablement améliorer votre santé. En découvrant les bienfaits des **tomates** (y compris de la sauce tomate et du ketchup), vous préférerez manger une pizza plutôt qu'un hamburger.

Cet ouvrage vous livre une multitude de petits secrets qui vous aideront à modifier vos habitudes alimentaires, à vous montrer plus vigilant(e) dans la lecture des étiquettes lorsque vous faites vos emplettes et à vous débarrasser des idées fausses. Prenons un exemple concret. Nous mangeons pratiquement tous du pain à chaque repas. Nous sommes convaincus que le pain est un aliment sain car à base de **céréales complètes** – ce qui, la plupart du temps, est une grossière erreur. Saviez-vous que, si le pain que vous achetez habituellement contenait ne serait-ce que trois grammes de fibres en plus, votre sandwich pourrait tout à fait figurer dans l'un des menus cités dans cet ouvrage ?

Nous avons tous du mal à changer nos habitudes. Nous mangeons pratiquement toujours la même chose et, pour accepter de varier notre alimentation, nous devons nous persuader que le jeu en vaut la chandelle et que cela ne nous demandera aucun effort. Après avoir lu les chapitres dédiés à chacun des super-aliments, vous réaliserez que, si vous ne les consommez pas, vous mettez votre santé, voire votre vie en danger. Pour vous aider à les incorporer dans votre alimentation, je vous donne des conseils – notamment pour les choisir et ne pas être déçu par la qualité – et je vous livre mes recettes préférées – la plupart mises au point par ma femme, Patty. J'ai également demandé à Michel Stroot, chef cuisinier au Golden Door, un centre de balnéothérapie californien très réputé, de donner libre cours à son imagination et de vous concocter de succulents mets à base de chacun des super-aliments. Certaines recettes sont faciles et rapides à réaliser, d'autres sont plus élaborées mais toutes ont un point commun : ce sont probablement les recettes les plus saines et les plus équilibrées qui soient.

SE SENTIR EN SUPER-FORME

Le but de cet ouvrage n'est pas uniquement de vous aider à échapper à certaines pathologies. En effet, seules quelques rares personnes se projettent dans l'avenir et sont prêtes à modifier leur mode de vie avec l'espoir d'échapper à la maladie dans les décennies à venir. Or, avoir une mauvaise alimentation n'a pas que des conséquences sur le dernier tiers ou le dernier quart de l'existence mais sur chaque jour qui s'écoule. Après vingt ans, votre « horloge biologique » égrène inlassablement le temps qui passe et des petits maux commencent à se faire sentir. En fin de journée, vous êtes fatigué(e). Faire une promenade à bicyclette ou pratiquer toute autre activité sportive vous demande des efforts surhumains. Votre peau perd de son éclat. Tous ces changements mineurs auxquels vous ne prêtez que peu d'attention sont autant de petits signes annonciateurs qui, demain, pourront donner lieu à des maladies chroniques.

Je dis souvent à mes patients que j'aimerais qu'ils se sentent aussi bien que moi. Je ne leur dis pas cela pour me vanter mais pour les pousser à modifier leurs habitudes alimentaires parce que je sais que, dès qu'ils se sentiront mieux, ils ne feront plus marche arrière.

La plupart d'entre eux n'arrivent pas à imaginer qu'un jour ou l'autre, ils seront peut-être frappés par la maladie car ils se sentent en pleine forme et ont le sentiment d'avoir une bonne hygiène de vie. Malheureusement, nul n'est à l'abri. Pour en être convaincu, il suffit de considérer toutes ces maladies chroniques et handicapantes dont on parle aujourd'hui.

Faites un test rapide. Prenez un miroir – de préférence une glace grossissante – et examinez vos yeux. Regardez le blanc de chaque œil, notamment les zones à gauche et à droite de l'iris (l'iris étant le disque coloré). Remarquez-vous des petites zones en relief de coloration jaunâtre appelées « pinguécula » ? Ces petites saillies sur la conjonctive, membrane tapissant le devant de l'œil, sont constituées de cellules qui se développent lorsque les tissus sont exposés à des agents polluants et à la lumière ultraviolette. Si vous voyez également un cercle jaune autour de la partie périphérique de la cornée (partie antérieure transparente du globe oculaire), il se peut que votre taux de cholestérol soit trop élevé. Je vous recommande de faire rapidement une analyse de sang. Ces signes sont la preuve tangible que votre système immunitaire, voire votre santé sont affectés par votre alimentation et/ou l'environnement dans lequel vous vivez.

Les aliments – et plus précisément les bons aliments – peuvent modifier les différentes réactions chimiques de votre organisme. Ils peuvent protéger vos cellules qui, lorsqu'elles sont endommagées, donnent lieu à une maladie. Le but de cet ouvrage est également de vous aider à stopper les réactions dans votre organisme susceptibles de favoriser le développement d'une maladie et/ou d'un dysfonctionnement. Si cela vous demande des efforts, sachez que vous serez vite récompensé(e). De jour en jour, vous vous sentirez mieux, vous aurez plus d'énergie, vous paraîtrez en meilleure forme et vous pourrez profiter pleinement de la vie qui s'offre à vous.

COMMENT TOUT A COMMENCÉ

C'est ma mère qui m'a appris à me nourrir correctement. En fait, elle ne m'a jamais vraiment laissé le choix. Je ne devais manger que la croûte du pain (on sait aujourd'hui que c'est la partie la plus nourrissante). Tous les jours, elle nous préparait une salade composée. Dans le réfrigérateur, un saladier rempli de germe de blé était à notre disposition et, lorsque j'épluchais une orange, je ne devais pas enlever la partie blanche de la peau particulièrement riche en nutriments.

Ma mère fut l'une des premières personnes à mettre en pratique les recommandations de nutritionnistes qui, comme Adele Davis, allaient s'illustrer dans le domaine de la diététique. Si j'ai tenté de lui tenir tête durant mon enfance, lorsque j'ai commencé à pratiquer du sport à haut niveau et à faire mes études de médecine, j'ai compris qu'elle avait entièrement raison.

Comment les super-aliments sont entrés dans ma vie

J'ai toujours veillé à avoir l'alimentation saine et équilibrée que je préconise dans cet ouvrage, alimentation que j'ai peu à peu modifiée en fonction des informations que je collectais au fil des années et de l'avancée des recherches dans le domaine de la nutrition. En règle générale, les nutritionnistes modifient leur mode de vie en fonction de ce qu'ils apprennent. Par exemple, les scientifiques qui, à ma demande, ont analysé différentes variétés de jus de fruits m'ont confié qu'après avoir découvert la forte concentration d'antioxydants dans certaines de ces boissons, ils s'astreignent à en consommer régulièrement. Ci-dessous, vous trouverez ce que j'ai, entre autres, modifié dans mon alimentation au fur et à mesure des recherches que j'ai entreprises pour rédiger ce livre :

• J'ai toujours dans mon réfrigérateur des boîtes en plastique contenant des graines de tournesol et des cacahouètes grillées, des amandes, des noix, des pistaches et des graines de citrouille. Chaque jour, je mange au moins deux poignées de fruits à écale ou de graines différentes.

• Tous les jours, je bois un jus de fruits riche en vitamine C, non pas en une seule fois mais par petites gorgées, afin que le taux de vitamine C dans le sang soit suffisamment élevé et reste stable.

• Sur mes toasts, je mets de la confiture de mûres de Boysen (hybride obtenu par le croisement entre la mûre et la framboise) ou de myrtilles bio. Mes enfants se sont souvent moqués de moi car j'étale toujours une couche très épaisse mais j'ai maintenant la preuve scientifique que ces produits sont bons pour la santé.

• Je bois quantité de thé noir et de thé vert. Lorsque je dîne à l'extérieur, ma boisson de prédilection est le thé glacé – notamment s'il s'agit de thé infusé dans les règles de l'art et non de thé lyophilisé – dans lequel je verse quelques gouttes de jus de citron.

• Lorsque je déjeune ou que je dîne à la maison, je bois du jus de raisin ou du jus de grenade avec de l'eau gazeuse.

• Pratiquement tous les jours, je déguste une tasse de baies (mûres, myrtilles, etc.).

• Je saupoudre quelques graines de lin moulues sur mes céréales.

• Il ne se passe pas un seul jour sans que je mange la salade composée présentée p. 323.

• Je vérifie toujours la teneur en sodium sur les étiquettes des aliments que j'achète.

Pratiquant le sport à haut niveau, je me suis vite aperçu que l'alimentation avait des répercussions sur les performances physiques. Il ne faisait aucun doute qu'en fonction de ce que je mangeais mes résultats étaient plus ou moins bons. Peu à peu, je me suis intéressé à la manière dont les aliments agissent sur les réactions biochimiques de l'organisme et j'ai essayé de répondre à la question suivante : qu'est-ce qui fait que certains aliments ont des effets plus bénéfiques que d'autres ?

En tant qu'ophtalmologiste et chirurgien plasticien, j'ai toujours travaillé sur les parties du corps qui permettent de détecter les premiers signes du vieillissement ou de la maladie, à savoir les yeux et la peau. S'il n'est pas possible de voir à l'œil nu que les artères se rétrécissent, on remarque facilement un cristallin qui s'opacifie, une pinguécula qui apparaît sur la conjonctive, des taches qui se développent sur différentes parties du corps ou une peau qui perd de son élasticité.

Ces symptômes sont toujours la preuve que, sur le plan physiologique, quelque chose ne va pas. Par exemple, si votre ophtalmologiste détecte une cataracte ou une dégénérescence maculaire (diminution de la vision de précision), tout laisse à penser que vous avez un facteur de risque important de développer une maladie cardiovasculaire. Il en va de même avec le cancer de la peau. Si vous êtes frappé par un cancer de la peau avant d'avoir atteint la soixantaine, vous avez 20 à 30 % de risques de mourir des suites d'un cancer à diffusion systémique tel que le cancer du côlon, du sein, de la prostate ou la leucémie.

Exerçant à l'Institut Scripps de San Diego (Californie), j'ai eu accès à nombre de dossiers qui m'ont permis d'élargir mes connaissances. La plupart des centres de recherche se battent pour avoir des patients et, en règle générale, les chercheurs ne sont pas des cliniciens. Ils ne travaillent pas avec des patients mais dans des laboratoires et ils ne voient pas les résultats de leurs travaux sur des cas concrets. J'ai la chance d'être un clinicien qui fait également de la recherche. J'étudie précisément le cas de chacun de mes patients. L'Institut Scripps jouit d'une renommée mondiale et nous autres médecins avons la chance de baser nos travaux de recherche sur des cas concrets et de travailler avec des patients très coopératifs. À l'Institut, je suis entouré de chercheurs hautement qualifiés dans leur domaine, toujours prêts à répondre à mes questions et à me donner quelque éclaircissement sur des points fort complexes, qu'il s'agisse de médecine ou de biochimie. Le fait de pouvoir m'adresser à des spécialistes hors pair, d'avoir accès à des documents scientifiques rédigés par des chercheurs du monde entier et de bénéficier des équipements de l'université de Californie en qualité de membre de la faculté a été un atout inestimable qui m'a permis d'avancer à grands pas dans mon travail et plus précisément dans le domaine de la thérapie nutritionnelle.

Il est clair que la nutrition, une bonne vision, une peau saine et la médecine préventive sont indissociables. Rapidement, je me suis aperçu, grâce à mes recherches mais également grâce à mon travail sur mes patients, des liens existant entre l'alimentation et plus précisément certains éléments nutritifs et la santé.

Je me suis également rendu compte que Monsieur-tout-le-monde était perdu face à la masse d'informations disponibles et avait de plus en plus de mal à trouver des recommandations claires et simples pouvant l'aider à trouver l'alimentation qui lui convient. Ironiquement, la soif du grand public pour être au fait des dernières découvertes dans le domaine de la nutrition est l'un des éléments essentiels du problème. Les résultats des recherches font la une des journaux. Malheureusement, les titres sont souvent trompeurs et les informations parfois contradictoires découragent les personnes les plus motivées qui, peu à peu, se disent qu'elles n'arriveront jamais à améliorer leur alimentation dans la mesure où ce qu'on leur recommande de manger aujourd'hui leur sera, pour une raison ou une autre, probablement défendu demain.

Pour vous, j'ai fait le tri parmi toutes les informations disponibles et j'ai sélectionné les 14 aliments qui, à mon sens, vous aideront à « optimiser » votre alimentation. Le but de cet ouvrage est de vous permettre, d'une part, de tirer le meilleur profit des « bons » aliments que vous consommez déjà et, d'autre part, d'intégrer dans votre alimentation quotidienne d'autres aliments susceptibles de protéger, voire améliorer votre capital-santé. J'aimerais que ce livre soit en quelque sorte le guide qui vous permettra de vivre heureux(euse) et en bonne santé de longues années.

Première partie

Les super-aliments :
les principes fondamentaux

Comment votre alimentation
peut vous tuer

Les aliments que vous consommez jour après jour, qu'il s'agisse du hamburger que vous ingurgitez sans y prêter attention ou du mets raffiné que vous savourez dans un restaurant gastronomique, n'ont pas que des répercussions sur votre ligne. En effet, ils affectent votre organisme, certains pouvant favoriser le développement d'une maladie chronique, d'autres prolonger votre espérance de vie. Nombre d'aliments préservent le capital-santé ou, tout au moins, diminuent les risques d'être frappé par une maladie : troubles de la vision, diabète, attaque cérébrale, pathologies cardiovasculaires ou toute autre maladie fatale. Ne vous méprenez pas et ne croyez pas que ce ne sont là que de vaines promesses. Cette affirmation repose non pas sur des hypothèses mais sur des *faits* avalisés par le corps médical.

Pour preuve, la plupart des scientifiques qui jouissent d'une réputation mondiale s'accordent à dire qu'aujourd'hui *au moins* 30 % des cancers sont directement liés à l'alimentation, certains allant même jusqu'à parler de 70 %.

Nous savons, par exemple, que les personnes qui ont une alimentation riche en fruits et en légumes ont 50 % de risques en moins de développer un cancer que celles qui n'en consomment que très rarement.

Mais l'alimentation n'a pas que des effets sur le cancer. Près de la *moitié* des maladies cardiovasculaires et un pourcentage élevé des cas d'hypertension artérielle seraient liés à la nutrition. En 1976, une étude portant sur plus de 120 000 infirmières a débuté à Framingham dans le Massachusetts (tout au long de cet ouvrage, je ferai référence à cette étude que j'appellerai « étude de Framingham »).

Selon cette étude, les femmes qui ne fument pas et qui consomment chaque jour en moyenne 2,7 portions de céréales complètes ont 50 % de risques en moins que les autres femmes d'avoir une attaque cérébrale – ce qui est particulièrement troublant lorsque l'on sait que moins de 8 % de la population américaine a un apport suffisant en céréales complètes.

La majorité des Américains consomment des produits qui mettent leur vie en danger et seuls 10 % mangent des aliments susceptibles de les protéger contre une maladie chronique et une mort prématurée.

La manière dont nous, Occidentaux, nous nourrissons met réellement notre vie en danger. Il y a plus de 50 000 ans, l'homme mangeait principalement des fruits, des plantes et des baies, puis l'alimentation carnée a prédominé. La consommation de fruits et de légumes n'est en augmentation que depuis environ 80 ans. Or, le patrimoine génétique des hommes va à l'encontre d'une alimentation trop riche en viande. Nous devrions, à l'instar de nos ancêtres, les chasseurs-cueilleurs, consommer des fruits, des légumes, des céréales complètes, des fruits à écale, des graines et du gibier ou de la viande maigre à la place des aliments riches en graisses et des boissons riches en sucres dont regorgent les grandes surfaces.

Chaque année, aux États-Unis, entre 300 000 et 800 000 décès pourraient être évités grâce à un changement radical de l'alimentation. Parmi les maladies fatales les plus courantes : l'artériosclérose, le diabète et certains types de cancers.

Ci-dessous, 11 facteurs liés à l'alimentation qui mettent en danger votre santé et la santé de la plupart des populations vivant dans une société industrialisée.

1. Des portions de plus en plus grosses.
2. De moins en moins d'énergie dépensée : nous ne faisons pas suffisamment de sport.
3. Un mauvais équilibre des corps gras dans l'alimentation : une augmentation des graisses saturées, des acides gras oméga-6 et des acides gras trans (acides gras poly-insaturés formés lors d'un processus industriel appelé « hydrogénation » ; on en trouve dans les frites surgelées, les biscuits et desserts industriels, les margarines hydrogénées...) et une diminution importante des acides gras oméga-3.
4. Une alimentation de plus en plus pauvre en céréales complètes.
5. Une alimentation de plus en plus pauvre en fruits et en légumes.
6. Une baisse de la consommation des viandes maigres et du poisson.
7. Un apport en antioxydants et en calcium de plus en plus faible (du fait d'une alimentation pauvre en produits naturels mais riche en produits transformés).
8. Un mauvais équilibre entre l'apport en acides gras essentiels oméga-6 et en acides gras essentiels oméga-3 qui favorise le développement de nombre de maladies chroniques.
9. Une augmentation considérable de la consommation de sucre raffiné et de produits très riches en calories.
10. Une diminution de la consommation de produits non transformés ; par conséquent, une baisse de l'apport en phytonutriments (nutriments d'origine végétale).
11. Une alimentation de moins en moins variée.

Rares sont les personnes – y compris parmi le corps médical – conscientes du danger que nous courons depuis quelques années sur le plan de la santé. Plus de 125 millions d'Américains souffrent d'au moins une maladie chronique : diabète, cancer, trouble cardiovasculaire ou glaucome. D'après une estimation réalisée par les Centers for Disease Control (CDC), un tiers des Américains nés en

2000 auront vraisemblablement des problèmes de diabète au cours de leur vie. 60 millions d'Américains sont touchés par au moins deux maladies et la situation ne fait qu'empirer.

En 1996, des chercheurs ont tenté d'estimer le nombre de maladies chroniques pour les années à venir. Or, en 2000, le nombre de personnes souffrant de maladies chroniques était de 20 millions *supérieur* au chiffre estimé en 1996. Si aucune mesure n'est prise rapidement, en 2020, un quart de la population américaine devrait être atteint par plusieurs maladies chroniques – ce qui devrait coûter à la société environ 1,07 billion de dollars.

Parmi toutes les informations dont nous disposons, il en est une plus alarmante que les autres. En effet, il semblerait que les sujets frappés par des maladies chroniques soient de plus en plus jeunes. Près de la moitié des Américains touchés par une maladie chronique ont moins de 45 ans. Plus inquiétant encore, 15 % d'entre eux sont des enfants. Les maladies les plus fréquentes sont le diabète, l'asthme, les troubles du développement et certaines formes de cancers, pour ne citer qu'elles.

En tant que médecin, je suis chaque jour confronté aux absurdités du système. Même s'ils ne l'admettent pas, la plupart de mes patients sont convaincus qu'ils peuvent manger ce qu'ils veulent dans la mesure où ils pourront toujours avoir recours à un médicament ou à la chirurgie en cas de problème. Par ailleurs, les personnes qui surveillent leur alimentation ne le font que parce qu'elles sont préoccupées par leur poids.

Que faire ? La réponse est simple. Si nous voulons vivre plus longtemps sans être, un jour ou l'autre, frappés par une maladie chronique, nous devons agir sans plus attendre. Répondons aux besoins d'un système – notre organisme – en fonction de notre mode de vie. Mangeons plus lorsqu'il y a une grande dépense d'énergie et mangeons moins en période de calme et de repos, et ce même si la nourriture abonde. En d'autres termes, *alimentons-nous suffisamment afin de répondre aux besoins de notre organisme sans prendre trop de calories*. Pour ce faire, apprenons à sélectionner des produits riches en éléments nutritifs mais faibles en calories et faisons de ces produits la base de notre alimentation quotidienne. Tout au long de cet ouvrage, vous trouverez moult conseils qui vous aideront sans aucun doute à trouver LA solution.

En reconnaissant pour la première fois au printemps 2003 que la santé des enfants était menacée, l'American Heart Association (AHA) (Association américaine de cardiologie) a tiré la sonnette d'alarme et suggéré les mesures de surveillance suivantes :

• faire une prise de sang aux enfants de plus de 3 ans au moins une fois par an ;

• informer les enfants de 9 ans et plus des dangers du tabac ;

• mesurer le taux de cholestérol et de graisses dans le sang chez les enfants ayant une surcharge pondérale ou dits « à risques » ;

• vérifier les antécédents familiaux afin de prévenir tous les risques de maladies cardiovasculaires.

Aujourd'hui, deux Américains sur trois ont une surcharge pondérale ou sont cliniquement obèses contre un sur quatre au début des années 1960. Aux États-Unis, chaque année, plus de 280 000 personnes meurent de maladies en rapport direct avec l'obésité.

Les micronutriments : la clef pour être en bonne santé

Savez-vous ce que signifie concrètement « avoir une bonne alimentation » : consommer des fruits ? des légumes ? privilégier les aliments pauvres en graisses et riches en protéines maigres ? Vous n'avez pas tort. Mais compte tenu de ce que nous savons aujourd'hui sur les valeurs nutritives des différents aliments, ces quelques idées de base ne sont qu'une infime partie du tableau général. Nombre de personnes qui pensent avoir une « bonne » alimentation seraient étonnées de découvrir que leur apport en éléments nutritifs est insuffisant – ce qui confirme le paradoxe mis en évidence par les chercheurs, à savoir que la plupart des personnes suralimentées ont des carences nutritionnelles. La plupart d'entre nous, y compris celles et ceux qui ont une « alimentation saine », ne consomment pas suffisamment de nutriments pouvant les aider à diminuer le risque de développer une maladie.

Le principe de base de cet ouvrage est le suivant : vous apprendre à différencier les nutriments qui sont les piliers de l'alimentation – à savoir les macronutriments (graisses, glucides et protéines) et les micronutriments (vitamines, minéraux et oligo-éléments) – et vous faire prendre conscience que tous les aliments n'ont pas les mêmes effets sur l'organisme. Vous savez probablement déjà que certaines protéines sont meilleures que d'autres et que le bar rayé, par exemple, est meilleur à la santé qu'une côte de porc bien grasse. Vous n'ignorez pas que les produits laitiers demi-écrémés ou écrémés sont plus sains que les produits entiers. Mais vous ignorez que tel légume ou tel fruit est meilleur que tel autre.

Si nous sommes aujourd'hui capables de faire cette distinction, c'est que nous savons identifier les micronutriments présents dans les fruits et les légumes et pouvons affirmer quels sont ceux susceptibles d'améliorer notre santé.

Parmi les micronutriments, on distingue les vitamines, les minéraux, les oligoéléments et une catégorie dont vous allez de plus en plus fréquemment entendre parler : les phytonutriments, des substances naturelles d'origine végétale (*phyto* étant le terme grec utilisé pour désigner « une plante ») ayant des effets bénéfiques sur la santé et la mise en action des processus énergétiques au quotidien.

Qu'appelle-t-on « phytonutriments » ?

Les phytonutriments sont des éléments autres que les vitamines, les minéraux et les oligoéléments, présents dans nombre d'aliments et ayant un effet bénéfique sur la santé. Vous en consommez tout au long de la journée sous des formes diverses, que ce soit le matin en buvant une tasse de thé ou le soir en grignotant du pop-corn au cinéma. Certains phytonutriments développent la capacité que les cellules ont de communiquer entre elles. Certains ont des propriétés anti-inflammatoires, d'autres empêchent que des mutations aient lieu au niveau des cellules ou que des cellules cancéreuses se propagent. Certains sont encore méconnus, d'autres n'ont pas encore été identifiés.

Ci-après, les trois grandes classes de phytonutriments qui jouent un rôle clef sur le capital-santé :

Les polyphénols sont des antioxydants avec entre autres des propriétés anti-inflammatoires et anti-allergiques. Parmi les aliments riches en polyphénols : le thé, les fruits à écale et les baies.

Les caroténoïdes sont les pigments présents dans les légumes rouges et jaunes : notamment les tomates, les potirons, les carottes, les abricots, les mangues et les patates douces. Les caroténoïdes les plus connus sont le bêta-carotène (pigment de la carotte), la lutéine (pigment des légumes vert foncé) et le lycopène (pigment de la tomate). Ces antioxydants nous protègent contre certaines formes de cancer et ralentissent voire inversent les effets du vieillissement.

Les phyto-œstrogènes, littéralement « œstrogènes végétaux », sont des éléments chimiques présents en grande quantité dans le soja et ses produits dérivés, dans le blé complet et autres céréales, dans les graines et nombre de fruits et de légumes. Les phyto-œstrogènes jouent un rôle crucial dans les cancers hormonodépendants comme le cancer du sein ou de la prostate.

COMMENT LES MICRONUTRIMENTS PEUVENT PROTÉGER LE CAPITAL-SANTÉ

Le corps humain est une machine aux rouages complexes particulièrement résistante. Néanmoins, au fil des ans, les liens minuscules de cette chaîne dont dépend notre santé sont peu à peu endommagés. Les micronutriments présents dans les aliments que nous consommons nous aident à retarder ce processus. Ils jouent notamment un rôle prédominant en tant qu'antioxydants. Tout comme une bicyclette abandonnée au fond d'un garage, le corps – et plus précisément les cellules – « rouille » ou s'oxyde. Cette oxydation est à plus ou moins long terme à l'origine de troubles de la santé. Or, les antioxydants protègent le corps de cette oxydation. Parmi les antioxydants qui ont le plus attiré l'attention des chercheurs : la vitamine C, la vitamine E, le bêta-carotène et les oligoéléments – notamment le sélénium. Pour mieux comprendre l'activité antioxydante de la vitamine C, coupez une pomme en plusieurs quartiers. Très rapidement, chaque quartier devient marron. Toutefois, si vous frottez les quartiers avec du jus de citron riche en vitamine C, ils ne changent pas de couleur. La liste des micronutriments ne cesse d'augmenter au fil des jours. Ci-après, une synthèse sur la manière dont les antioxydants peuvent protéger votre santé.

Notre corps est une machine générant de la chaleur. Une machine dont les fonctions métaboliques de base nécessitent un apport en oxygène. Lorsqu'elles utilisent l'oxygène, les cellules produisent des sous-produits ou molécules d'oxygène transformées en radicaux libres. Les radicaux libres sont générés par les systèmes métaboliques du corps mais également par certains facteurs externes comme la consommation de tabac, la pollution, certains aliments ou produits chimiques. L'eau que vous buvez et le soleil qui caresse votre visage par un doux matin de printemps génèrent la production de radicaux libres.

Les radicaux libres qui circulent et prolifèrent à l'intérieur du corps sont des molécules d'oxygène auxquelles il manque un électron – ce qui les rend instables. Pour remplacer cet électron qui leur fait défaut, les radicaux libres s'attaquent aux cellules voisines. Leur cible peut être l'ADN, des enzymes, des protéines, voire des tissus cellulaires. Il semblerait que chaque cellule subisse quelque dix mille attaques de radicaux libres par jour !

Bien évidemment, aucun être vivant ne pourrait survivre bien longtemps à ces attaques répétées sans un système de défense particulièrement actif. Les antioxydants sont en quelque sorte les fantassins qui tentent de désarmer les radicaux libres dans la guerre qu'ils livrent aux cellules. Ils neutralisent les radicaux libres en leur cédant un de leurs propres électrons. Une fois stabilisés, les radicaux libres ne sont plus une menace pour les cellules saines.

Notre corps produit par lui-même de nombreux antioxydants. Toutefois, les antioxydants présents dans les aliments que nous consommons jouent un rôle crucial dans le combat que livrent les radicaux libres à l'intérieur de notre organisme. Après bien des controverses, le corps médical s'est rendu à l'évidence. Les aliments riches en antioxydants ne se limitent pas à nourrir notre corps, ils préservent également notre capital-santé.

Aujourd'hui, les scientifiques affirment que le fait de neutraliser les radicaux libres et par-delà limiter les dommages causés aux cellules est l'un des facteurs clés pour protéger à long terme notre santé. En résumé, si nous vivons plus vieux et pouvons éviter certaines maladies chroniques, ce n'est pas seulement une question de patrimoine génétique ou de progrès en médecine mais c'est parce que notre corps peut maîtriser les radicaux libres. Lorsque la prolifération et les attaques des radicaux libres ne sont pas contrôlées, des cellules sont lésées – ce qui favorise le développement de certaines pathologies : troubles cardiaques, cancer, diabète, arthrite, problèmes oculaires, maladie d'Alzheimer et vieillissement prématuré.

Les objectifs de cet ouvrage sont, d'une part, de vous faire prendre conscience que les phytonutriments tout comme les macronutriments et les autres micronutriments sont extrêmement bénéfiques à notre corps et, d'autre part, de vous dire quelles sont parmi les aliments que nous consommons les principales sources de micronutriments.

Les 4 principes de base des *14 super-aliments –*
14 aliments qui vont changer votre vie

Cet ouvrage met en exergue une idée très simple qui repose sur 4 principes fondamentaux. Comprendre chacun d'eux vous aidera à réfléchir sur votre alimentation et, si besoin est, à la modifier afin d'améliorer votre santé à court mais aussi à long terme.

PRINCIPE DE BASE N° 1 : LE RÉGIME ALIMENTAIRE PRÉSENTÉ DANS CET OUVRAGE EST « LE MEILLEUR QUI SOIT AU MONDE »

Les premières questions qui vous viendront très certainement à l'esprit sont les suivantes : qu'est-ce qui fait qu'un aliment est meilleur qu'un autre ? et comment ces aliments ont-ils été sélectionnés ?

Comme vous pouvez l'imaginer, choisir un aliment plutôt qu'un autre n'est pas chose facile. Je me suis demandé quel aliment – dans une catégorie donnée – arrivait en tête de liste pour ce qui est de la protection de la santé. J'ai parallèlement recherché les aliments qui ont la meilleure densité nutritive ou, en d'autres termes, ceux qui sont riches en éléments nutritifs mais pauvres en graisses saturées et en sodium.

Aujourd'hui, grâce à des programmes informatiques très élaborés, les chercheurs peuvent identifier les populations qui ont le moins de problèmes de santé et qui vivent le plus longtemps.

Des études épidémiologiques nous ont également permis de découvrir quelle est l'alimentation de ces populations. Très rapidement, il est apparu que certains aliments sont communs aux différents régimes alimentaires. Par exemple, l'alimentation traditionnelle en Grèce – y compris en Crète d'avant les années 1960 passe pour être l'une des alimentations les plus saines qui soient au monde. Ce régime méditerranéen est riche en fruits et en légumes avec une teneur élevée en sélénium, glutathion, resvératrol, acides gras essentiels oméga-3 et oméga-6 (ratio équilibré), fibres, folate, antioxydants et vitamines C et E. L'alimentation sur l'île d'Okinawa est également réputée pour être très saine. Cette île du Pacifique compte un nombre record de centenaires (personnes de 100 ans et plus) en excellente santé. Or, une fois encore, le régime traditionnel est à base de fruits, de légumes, de soja et de poisson. Au cours de mes recherches, j'ai comparé ces deux régimes ainsi que d'autres habitudes alimentaires afin de mettre en évidence ce qu'ils ont en commun. Certains aliments se sont avérés incontournables.

Toujours dans le but de trouver quels aliments sont supposés avoir des effets bénéfiques sur la santé, je me suis penché sur les données et les recommandations d'autorités hautement respectées comme l'American Heart Association, l'American Cancer Society ou le National Cancer Institute, pour ne citer qu'elles, basées sur un nombre incalculable d'études destinées à définir ce qu'est une alimentation saine. J'ai également eu recours à des informations provenant de l'US Department of Agriculture (ministère américain de l'Agriculture), notamment à l'indice ORAC qui classe les aliments selon la capacité d'absorption des radicaux libres de l'oxygène ou la manière dont ils jouent leur rôle d'antioxydants. Les épinards et le chou frisé arrivent en tête de liste. Si cette information est capitale, elle est incomplète dans la mesure où certains facteurs ne sont pas pris en considération. L'indice ORAC ne tient, notamment, pas compte de la teneur en fibres des aliments – ce qui m'a obligé à faire des études complémentaires et à consulter une multitude de tableaux spécifiant la quantité relative d'éléments nutritifs contenus dans les aliments. J'ai toujours – dans la mesure du possible – essayé d'avoir accès aux données scientifiques les plus récentes.

Je me suis également adressé directement aux chercheurs. J'ai participé à de nombreuses réunions qui m'ont donné la possibilité de parler des dernières découvertes avec ceux qui sont aux premières lignes dans le domaine de la recherche nutritionnelle et diététique. Rien n'est plus excitant que d'avoir la primeur de lire un rapport dans lequel sont présentés les résultats d'études scientifiques qui, indéniablement, vont remettre en question les idées reçues ou les croyances les plus ancrées. C'est ainsi que je me suis aperçu que les graisses sont souvent au centre des débats.

En effet, nous consommons trop de graisse et, plus précisément, de la mauvaise graisse au détriment de la bonne graisse essentielle au développement et au bon fonctionnement de l'organisme (ce que nous verrons dans le chapitre dédié au saumon sauvage p. 109).

Je n'aurais jamais pu effectuer ce travail il y a seulement quelques années. En effet, la plupart des informations auxquelles j'ai eu accès sont très récentes. J'ai notamment demandé à un scientifique de renom d'analyser la teneur en polyphénols d'un certain nombre de jus de fruits et de confitures. Or, ces données n'avaient jamais été publiées. Une fois encore, le but de cet ouvrage est de vous aider à découvrir les aliments qui vous permettront de vivre longtemps en bonne santé et de vous pousser à les acheter et les consommer au quotidien !

PRINCIPE DE BASE N° 2 : LES SUPER-ALIMENTS SONT DES ALIMENTS NATURELS

Ce deuxième point est *très* important. Toutefois, n'en tirez pas de conclusions hâtives. Je ne suis absolument pas contre les compléments nutritionnels. Pour preuve, j'en prends moi-même. Néanmoins, si vous ne devez retenir qu'une chose de cet ouvrage, que ce soit la suivante : les produits naturels doivent être la base de votre alimentation et vous ne devez qu'occasionnellement vous tourner vers les supplémentations.

Mais qu'entend-on par « aliments naturels » ? Même si les spécialistes ne se sont pas mis d'accord sur une définition précise, sont considérés comme aliments naturels les aliments qui n'ont subi aucune transformation ou une transformation si faible que leurs caractéristiques nutritionnelles n'ont pas été intentionnellement modifiées. Les tomates en conserve, par exemple, sont des produits transformés. Une partie de la vitamine C est perdue mais la valeur nutritive des tomates est augmentée grâce à une concentration des éléments nutritifs restants. C'est pourquoi je considère que les tomates en conserve sont des produits naturels.

Les chercheurs ne se sont penchés sur l'étude des phytonutriments que très récemment. Pour un grand nombre de phytonutriments, nous ignorons encore quel est l'apport optimal ou tout au moins l'apport qui ne présente aucun risque pour le capital-santé. Par conséquent, nous comptons sur les aliments naturels pour fournir à notre organisme les phytonutriments dont il a besoin. Par ailleurs, tout est une question de synergie. En effet, ce n'est pas la présence d'un phytonutriment spécifique dans un aliment qui fait que celui-ci est meilleur qu'un autre mais l'association de plusieurs phytonutriments. De plus, il semble que les fibres, les vitamines, les minéraux, les oligoéléments et autres substances contenus dans les aliments augmentent et régulent les actions des différentes substances chimiques d'origine végétale.

Qu'en est-il des aliments bio ?

Nul ne peut remettre en question le fait que les aliments bio sont meilleurs pour l'environnement et, par conséquent, pour tous les êtres vivants (y compris les humains) qui évoluent dans cet environnement car leur culture est – entre autres – basée sur la non-utilisation de pesticides. Mais sont-ils, du point de vue nutritionnel, meilleurs que les autres ? Nul ne peut à ce jour se prononcer catégoriquement sur ce point. Selon des données préliminaires encore très controversées, les produits cultivés biologiquement et plus précisément les fruits et les légumes seraient plus riches en vitamine C, en minéraux, en oligoéléments et en polyphénols que les produits cultivés de manière traditionnelle. Toutefois, aucune preuve scientifique ne nous permet de l'affirmer. En attendant que des études plus poussées viennent confirmer ces hypothèses, le seul avantage incontestable de la culture biologique – avantage qui, pour moi, est d'une importance capitale – est environnemental.

Les aliments naturels sont complexes. Ils renferment des composés qui, à ce jour, n'ont pas encore été identifiés mais qui, *a priori*, augmentent considérablement les effets des phytonutriments connus. Un organisme de recherche en plein essor s'appuie sur des expériences menées en laboratoire et sur des études cliniques pour avancer l'hypothèse suivante : les phytonutriments seraient plus efficaces lorsqu'ils travaillent de concert. À l'instar des phytonutriments contenus dans un aliment spécifique qui s'associent pour combattre une maladie, les phytonutriments contenus dans différents aliments pourraient travailler ensemble et, de ce fait, protéger et améliorer la santé.

Malgré les nombreuses études réalisées sur le bêta-carotène, nul ne peut affirmer catégoriquement si les bienfaits que l'on prête à ce caroténoïde sont dus à son action seule ou à la synergie entre le bêta-carotène et un ou plusieurs autres caroténoïdes présents dans un produit donné. Les chercheurs penchent cependant pour la seconde hypothèse. Selon eux, les effets bénéfiques sur l'organisme seraient le résultat d'une synergie entre les différents caroténoïdes ou entre les caroténoïdes et certains éléments encore non identifiés. Tant que nous n'aurons pas de réponses tangibles – ce qui *a priori* n'est pas pour demain –, la façon la plus sûre et la plus efficace de bénéficier des bienfaits des éléments nutritifs que Dame Nature met à notre disposition est de consommer des aliments non transformés.

Environ un quart de la population est « sensible au sel ». Les personnes concernées ont un organisme particulièrement sensible au sodium présent dans l'alimentation et risquent, un jour ou l'autre, de souffrir d'hypertension. Plus nous vieillissons, plus nous sommes sensibles au sel ; c'est pourquoi je vous conseille de saler le moins possible les aliments que vous consommez. De même, apprenez à lire les étiquettes et évitez les produits riches en sodium. Vous pourrez toujours rajouter du sel si vous trouvez ces produits trop fades. L'essentiel est que *vous* puissiez contrôler votre consommation de sel.

PRINCIPE DE BASE N° 3 : LES SUPER-ALIMENTS ONT UNE VÉRITABLE SYNERGIE

Même si nous avons aujourd'hui une multitude d'informations sur un grand nombre de nutriments, il nous reste encore beaucoup à apprendre. Néanmoins, une chose est sûre : la synergie entre les aliments que nous consommons est capitale pour notre santé. Par « synergie », nous entendons l'interaction entre deux ou plusieurs éléments nutritifs et autres substances présents dans les aliments qui s'associent pour réaliser un travail qu'ils ne pourraient effectuer individuellement. Par exemple, le rôle crucial que les fruits à écale jouent dans la prévention des maladies cardiovasculaires est supérieur à tout ce que l'on peut imaginer lorsque l'on étudie séparément chacun des éléments nutritifs contenus dans ces fruits. La relation entre les différents éléments nutritifs répond à des règles très précises. Cette relation s'apparente au style de relation qui s'établit naturellement entre les éléments nutritifs obtenus à partir de tous les aliments que nous consommons. Parmi les milliers d'éléments chimiques présents dans les aliments, les chercheurs n'en ont identifié qu'une infime partie. Il va de soi que, du fait de la présence de cette multitude d'éléments chimiques, nombre d'interactions échappent à la compréhension des scientifiques. Si vous voulez opter pour l'alimentation la plus saine qui soit, consommez des produits naturels.

Nous ne connaissons pas tous les éléments chimiques présents dans les aliments que nous consommons et nous ignorons la manière dont ces aliments se comportent dans l'organisme. De plus, certains aliments ont été l'objet d'études poussées alors que d'autres ont été laissés de côté. Nous avons, par conséquent, plus d'informations sur certains aliments que sur d'autres. Ce que nous ignorons, c'est précisément la manière dont les éléments nutritifs présents dans un aliment donné travaillent ensemble afin de préserver le capital-santé. Parfois, nous constatons un résultat mais nous ne savons pas l'expliquer. Par exemple, une forte concentration de lutéine dans la macula (située au pôle postérieur de l'œil) atteste d'une bonne acuité visuelle. Nous ne pouvons toutefois pas dire quelles substances sont associées à la lutéine afin de protéger l'acuité visuelle.

Les épinards illustrent parfaitement la synergie qui peut exister entre plusieurs éléments nutritifs. La plupart des études épidémiologiques tendent à prouver une relation de cause à effet entre la consommation d'épinards et un taux peu élevé de cancers, de maladies cardiaques, de cataractes ou de dégénérescences maculaires.

En conclusion : si nous consommons régulièrement des épinards, nous aurons moins de risques de développer l'une ou l'autre de ces maladies. Pourquoi, dans ce cas, ne pas envisager de mettre au point une pilule contenant les substances les plus importantes des épinards et de ce fait avoir une arme puissante contre le cancer ?

Dans cette optique, des chercheurs ont étudié les différentes substances contenues dans les épinards. Voici ce qu'ils ont trouvé : les épinards renferment un nombre impressionnant de micronutriments, y compris de la lutéine, de la zéaxanthine, du bêta-carotène, des acides gras oméga-3 d'origine végétale (seuls quelques rares végétaux en contiennent), des antioxydants – notamment du glutathion –, de l'acide alpha-lipoïque (les épinards renferment une énorme quantité de cet antioxydant très puissant), des vitamines C et E, des polyphénols, de la coenzyme Q10, de la thiamine, de la riboflavine, de la vitamine B6, du folate, de la vitamine K, des minéraux, y compris du calcium et du magnésium, et des oligoéléments – notamment du fer, du manganèse et du zinc. Les épinards sont également riches en chlorophylle susceptible d'avoir des propriétés anticancéreuses.

Une société pharmaceutique pourrait-elle mettre au point une formule en vue de fabriquer une pilule ayant les mêmes propriétés que les épinards ? Pas vraiment. Pour qu'elle puisse contenir toutes les substances énumérées précédemment (à quantités ·égales), cette pilule devrait être énorme et, par conséquent, impossible à avaler – sans parler du coût et du manque de rentabilité fort probable. De plus, nul ne peut définir la proportion exacte de chaque substance. Nous savons que la synergie entre les micronutriments est capitale mais nous ne savons pas la reproduire. À l'heure actuelle, il est pratiquement impossible de réaliser un produit pharmaceutique reproduisant à l'identique le pouvoir synergétique des aliments. Mais cela n'est pas vraiment indispensable et, si vous voulez bénéficier de tous les bienfaits des épinards, n'attendez plus et allez faire votre marché.

Si la synergie entre les différents éléments nutritifs est primordiale, les différents systèmes de l'organisme jouent également un rôle clef. Nous savons aujourd'hui qu'en général, la maladie ne frappe pas au hasard un organe isolé. Savez-vous, par exemple, que l'obésité augmente le risque de souffrir de dégénérescence maculaire liée à l'âge (DMA) ? Comment deviner qu'avoir des kilos en trop peut affecter l'acuité visuelle ?

Si l'objet de ce livre est l'alimentation, sachez que, pour être en parfaite santé, vous serez probablement amené(e) à modifier votre mode de vie. La pyramide page suivante reprend les facteurs indispensables pour vivre longtemps en bonne santé.

SUPER-ALIMENTS

PYRAMIDE ALIMENTAIRE ET MODE DE VIE

- Exercices aérobies plusieurs fois par semaine (30 à 60 mn).
- Pour les plus paresseux, au minimum 1 h de marche par semaine.
- Exercices dits « de résistance » (travail avec des poids et des haltères) 2 à 3 fois par semaine.
- Exercices pour apprendre à gérer son stress (15 mn plusieurs fois par semaine).
- Hydratation : boire 8 à 10 verres d'eau (ou 1,5 l) par jour ou moins si vous buvez des infusions et/ou des jus de fruits ou de légumes 100 % naturels.
- Sommeil de bonne qualité (entre 7 et 8 h de sommeil par nuit).

LES FRUITS : 3 à 5 portions tous les jours de la semaine, y compris des baies fraîches ou congelées.

LES LÉGUMES : autant que vous voulez (au minimum 5 à 7 portions par jour) en privilégiant les légumes vert foncé à feuilles.

LA NOURRITURE SPIRITUELLE :
- Laisser libre cours à ses pensées.
- Amitié et rire.
- Spiritualité.
- Sortir de chez soi au moins 1 fois par jour.

LES COMPLÉMENTS NUTRITIONNELS :
- Multivitamines, minéraux et oligo-éléments 1 fois par jour pour la majorité des personnes.
- Supplémentation à base d'huile de poisson (250 à 1 000 mg/jour).

LES CÉRÉALES COMPLÈTES : 5 à 7 portions par jour avec, entre autres, des nouilles ou des pâtes au blé complet, des tortillas, du pain et des céréales.

LES PROTÉINES :
Protéines animales : 1 à 2 portions par jour de blancs de poulet sans peau, de poissons (vous reporter à la liste). Environ 100 g de viande rouge maigre tous les 10 jours. (* 2 à 4 portions par semaine).

Protéines végétales : 1 à 3 portions par jour de légumineuses, lentilles, soja et dérivés du soja (*ex.* : tempeh et tofu), blanc d'œuf et œufs (1 par jour au maximum).

POUR DES OS SOLIDES : 1 à 3 portions par jour de produits laitiers écrémés ou demi-écrémés, de tofu, de soja, du lait de soja enrichi, du jus d'orange enrichi, des poissons avec arêtes (*ex.* : sardines ou saumon en conserve), des crustacés et des légumes à feuilles vert foncé.

LES ASSAISONNEMENTS : persil (frais ou séché), romarin, origan, curcuma, ail, gingembre, zeste d'agrumes, ciboulette, oignon rouge et blanc.

EXEMPLE DE PORTIONS :
Fruits = 1 fruit de taille moyenne, 100 g de fruits coupés en morceaux, 100 ml de jus de fruits, 2 c. à s. de raisins secs, 3 pruneaux.
Légumes = 125 g de légumes cuits, 250 g de légumes crus.
Céréales = 60 g de graines / 125 g de pâtes cuites, 1 tranche de pain.
Viande et poisson = 100 g de viande maigre, de volaille ou de poisson.
Protéines végétales = 1 œuf, 2 blancs d'œufs, 100 g de tofu ou de tempeh, 125 g de haricots ou de lentilles cuites.
Produits laitiers = 125 g de fromage blanc demi-écrémé ou écrémé, 160 ml de yaourt ou de lait écrémé ou demi-écrémé.
Matières grasses = 30 g d'amandes, 14 cerneaux de noix, 1 c. à s. d'huile, 1/4 d'avocat.

LES BONNES GRAISSES : 1 à 2 portions par jour de fruits à écale, de graines, d'avocat, d'huile d'olive extra-vierge, d'huile de canola, d'huile de graine de soja, d'arachide et de graine de lin.

L'ALCOOL :
1 à 3 verres par semaine pour les femmes et 2 à 8 verres par semaine pour les hommes.

Jusqu'à 100 calories par jour de chocolat noir, de beurre, de miel de sarrasin, de bonbons, de pain à base de farine blanche et autres céréales.

Si vous modifiez votre alimentation mais que vous ne faites aucun exercice physique, vous ne bénéficierez pas de tous les bienfaits des aliments que vous consommez. De même, si vous ne faites rien pour gérer votre stress, vous ne profiterez pas à 100 % des effets positifs d'une alimentation saine et équilibrée. Une fois encore, je parle de synergie mais cette fois entre un régime alimentaire sain et équilibré, une activité sportive, une vie sociale épanouie, une gestion du stress, un sommeil de qualité, une bonne hydratation qui ensemble augmenteront les bienfaits de chaque facteur pris individuellement.

Les super-aliments et leur rôle de FPS

Les aliments présentés dans cet ouvrage peuvent considérablement protéger votre peau en agissant comme facteurs de protection solaire (FPS). En effet, la lutéine, la zéaxanthine, le bêta-carotène, l'alpha-carotène, le lycopène, les vitamines C et E, le folate, les polyphénols, le glutathion, les isoflavones, les acides gras essentiels oméga-3 et la coenzyme Q10 protègent la peau des effets néfastes du soleil – ce qui est extrêmement important car, du fait de la diminution de la couche d'ozone, les êtres vivant sur Terre sont de plus en plus exposés aux rayons ultraviolets.

PRINCIPE DE BASE N° 4 : UN RÉGIME SIMPLE AUX MULTIPLES BIENFAITS

Dès que l'on parle d'alimentation, on touche un point sensible. Certaines personnes éprouvent du plaisir face à la nourriture, d'autres sont mal à l'aise car elles ignorent la valeur nutritive des aliments, elles ont peur de grossir ou tout simplement ne savent pas cuisiner... Or, pour vivre longtemps en bonne santé, la recette est simple : un régime alimentaire sain et équilibré, du sport, un suivi médical régulier, un sommeil de qualité et une bonne gestion de son stress. Nous vivons tous à cent à l'heure, nous avons tous nos problèmes et toutes les recommandations ou les conseils en matière d'alimentation que moi ou toute autre personne vous donnent seront laissés de côté s'ils sont trop astreignants.

Heureusement, la nature fait bien les choses et met à votre disposition des aliments qui vous aideront à vivre mieux longtemps.

Par ailleurs, si vous êtes amené(e) à modifier votre mode de vie, essayez de voir le côté positif des choses. Je pense que les « régimes » qui vous interdisent de consommer certains produits ou vous empêchent de prendre du plaisir à table ne sont pas des bons régimes. Lorsque vous aurez compris les principes de base sur lesquels repose cet ouvrage, vous vous sentirez libéré(e) d'un poids car vous saurez enfin ce qu'il est bon de manger ou de ne pas manger. À aucun moment, je ne vous dirai ce que vous devez ou ne devez pas faire.

Les produits frais ne sont pas toujours les meilleurs. Certains aliments congelés ou en conserve ont souvent la même teneur nutritive que les produits frais. Les fruits et les légumes congelés sont généralement blanchis immédiatement après la récolte et ne perdent aucun élément nutritif. Certains produits sont congelés en tranches ou en morceaux – ce qui vous fait gagner du temps au moment de la préparation.

Si, au quotidien, vous faites attention à votre alimentation, vous pourrez de temps à autre vous accorder un petit plaisir et déguster un gâteau au chocolat ou une tranche de bacon frit. En effet, ce n'est pas parce que vous faites un écart que tout est remis en cause !

Lors d'un congrès médical en Espagne, j'ai donné une conférence sur le rôle de l'alimentation dans la prévention de la cataracte. Le lendemain, je suis allé prendre mon petit déjeuner avec quelques confrères. Ils ont tous attendu que je passe commande le premier car ils craignaient manifestement que je désapprouve leurs choix. J'ai commandé des œufs brouillés avec de la salsa fraîche, un bol de fruits rouges et un verre de jus d'orange pressée. Ils n'ont pu dissimuler leur surprise. En effet, ils devaient s'attendre à me voir manger des céréales non sucrées accompagnées d'un verre d'eau minérale.

Manger doit rester un plaisir. Lorsque vous vous mettez à table, vous n'êtes pas un(e) patient(e), vous êtes une personne. Les repas doivent être un moment heureux de la journée. Si ce n'est pas le cas, je vais tout faire pour que cela change...

Les super-aliments dans votre cuisine

Votre régime alimentaire doit pouvoir, sans problème ni contrainte, s'intégrer dans votre mode de vie afin que vous ne soyez pas tenté(e) de tout laisser tomber au bout de quelques jours. J'ai travaillé en étroite collaboration avec des diététiciens et un grand chef – qui cuisine jour après jour pour des clients gourmands et gourmets – afin de trouver les petits trucs qui vous permettront d'introduire chacun des aliments que j'ai sélectionnés dans votre vie de tous les jours, ô combien mouvementée.

NE PAS MANGER PLUS QU'IL NE FAUT

Rares sont les personnes qui savent réellement la quantité de nourriture qu'elles absorbent au quotidien. Lorsque je dis à mes patients qu'ils devraient manger entre 5 et 7 portions de légumes par jour, ils s'exclament que c'est beaucoup trop et qu'ils n'y arriveront jamais – ce qui est vrai s'ils se réfèrent aux portions de nourriture qu'on leur sert au restaurant. Prenons un exemple concret : selon la FDA (Food and Drug Administration), une portion de pâtes correspond à 125 g ; or, dans la plupart des restaurants, on vous sert l'équivalent de 375 g, soit 3 portions !

Il en va de même pour les légumes. Je suis persuadé que, si nombre de personnes n'arrivent pas à suivre un régime alimentaire, c'est parce qu'elles ont une idée fausse de ce qu'est une portion et elles sont convaincues que, si elles s'en tiennent au nombre de portions recommandées, elles vont prendre du poids.

Une étude menée par l'American Institute for Cancer Research (organisme spécialisé dans la recherche contre le cancer) a révélé que 25 % des Américains interrogés décident de la quantité de nourriture qu'ils mangent à chaque repas en fonction de la quantité de nourriture qu'on leur sert.

Pour ce qui est des fruits et des légumes, il est facile de consommer la quantité nécessaire pour couvrir vos besoins dans la mesure où une portion varie entre 80 et 125 g.

Ci-dessous, les portions recommandées pour chaque catégorie d'aliments :

LES LÉGUMES
    125 g de légumes crus ou cuits
    250 g de légumes verts crus
    100 ml de jus de légumes

LES FRUITS
    100 à 125 g de fruits en morceaux
    100 ml de jus de fruits
    1 fruit de grosseur moyenne
    2 c. à s. de raisins secs ou 3 pruneaux

LES PROTÉINES VÉGÉTALES

1 œuf ou 2 blancs d'œufs
100 g de tofu ou de tempeh
125 g de haricots cuits ou de lentilles cuites

LES FRUITS À ÉCALE

2 c. à s. de beurre de cacahouètes ou 30 g de noix ou de graines

LE POISSON ET LA VIANDE

100 g de viande maigre, de volaille ou de poisson (cuits)

LES CÉRÉALES COMPLÈTES

1 tranche de pain au blé complet
60 g de céréales ou 125 g de pâtes cuites

LES ALIMENTS RICHES EN CALCIUM

125 g de fromage blanc écrémé
160 ml de yaourt ou de lait écrémés

LES GRAISSES

30 g d'amandes (soit environ 24 amandes) ou 14 cerneaux de noix
1 c. à s. d'huile
1/4 d'avocat

Exemple de ce que vous devriez consommer en 1 semaine :

	Nombre de portions par jour
Légumes	5 à 7 (avec plusieurs fois par semaine des légumes vert foncé à feuilles)
Fruits	3 à 5
Soja	1 à 2
Protéines animales	0 à 3
Protéines végétales	3 à 6
« Bonnes » graisses	1 à 2

Céréales complètes	5 à 7
Aliments riches en calcium	2 à 3

	Nombre de portions par semaine
Fruits à écale et graines	5
Poisson	2 à 4

Ce que l'American Dietetic Association entend par « portion » :

1 pomme de terre moyenne = de la taille de la souris de votre ordinateur

100 g de fruits = l'équivalent d'une balle de base-ball

1 poignée de salade = 4 feuilles de salade

100 g de viande maigre = de la taille d'une cassette audio

100 g de poisson grillé = de la taille d'un carnet de chèques

30 g de fromage = l'équivalent de 4 dés

1 c. à c. de beurre de cacahouètes = 1 dé

30 g d'un en-cas (petit pain, etc.) = une grosse poignée

COMPRENDRE CE QUI SE CACHE DERRIÈRE CHAQUE SUPER-ALIMENT

J'ai sélectionné 14 super-aliments. Toutefois, votre alimentation ne doit pas, bien évidemment, se limiter à eux seuls. En effet, pour être en bonne santé, votre alimentation doit être variée. Ces 14 super-aliments arrivent en tête de liste dans une catégorie donnée. Ils ont été choisis parce qu'ils ont une forte teneur en éléments nutritifs, qu'ils renferment des substances rares ou parce que nombre d'entre eux sont peu caloriques. En dessous de chaque aliment, je vous donne la liste des principaux éléments nutritifs qui leur ont valu ce statut de super-aliments. Cette liste n'est pas exhaustive car je me suis focalisé sur les éléments nutritifs dont les effets bénéfiques sur la santé ont été scientifiquement prouvés et qui sont présents en quantité suffisante pour se différencier des autres substances.

Chaque aliment a des « substituts », c'est-à-dire des aliments entrant dans la même catégorie et renfermant les mêmes éléments nutritifs. Par exemple, les amandes ainsi que les graines de tournesol et les noix de pécan sont les substituts des noix. Grâce aux substituts, vous pouvez varier votre alimentation – ce qui, je le répète, est primordial. Certains aliments comme le soja ont très peu de substituts et, même s'il y a des produits dérivés du soja comme le lait de soja, le tempeh, le miso ou le tofu, c'est pour les éléments nutritifs contenus dans le soja et seulement dans le soja que j'ai sélectionné cette légumineuse.

Au début de chaque chapitre dédié à un aliment, je vous indique l'apport nutritionnel recommandé, c'est-à-dire la quantité que vous devez consommer par jour ou par semaine afin de profiter au maximum des bienfaits de cet aliment.

À la fin de pratiquement tous les chapitres, vous trouverez une recette ou deux que nous faisons régulièrement à la maison. Je suis particulièrement friand de la salade présentée p. 323 !

Les recettes regroupées dans la troisième partie ont été mises au point par Michel Stroot, chef au Golden Door. À base d'aliments sélectionnés par mes soins, elles ont été élaborées de manière à préserver le maximum d'éléments nutritifs.

DES RECETTES SIMPLES ET SUCCULENTES

Michel Stroot est chef cuisinier au Golden Door, centre de balnéothérapie très réputé situé à Escondido en Californie. Michel sait combien il est excitant d'exercer son art afin de donner entière satisfaction à des clients gourmands et gourmets habitués à fréquenter les meilleurs restaurants gastronomiques.

Michel a accepté de mettre au point pour cet ouvrage des menus qui vous permettront de vous régaler 7 jours/7 tout en étant sûr de bénéficier des bienfaits de chaque aliment.

Ne vous méprenez pas ! Inutile d'être un expert en matière culinaire ou de devoir partir à la recherche de quelque produit rarissime. Vous trouverez tous les ingrédients dans le supermarché de votre quartier et, en un tour de main, vous concocterez pour vous et votre famille un délicieux repas.

UN OUVRAGE À LA PORTÉE DE TOUS

En matière d'alimentation, nous n'avons pas tous le même comportement. Certaines personnes suivent de près l'avancement des travaux des chercheurs et agissent en fonction des dernières découvertes. Si vous faites partie de cette catégorie, vous apprécierez cet ouvrage qui tient compte des résultats des études scientifiques les plus récentes. Je me suis plus particulièrement intéressé aux travaux effectués sur des sujets humains mais, lorsque je manquais d'informations, je me suis tourné vers les recherches portant sur des animaux en laboratoire.

Si vous n'êtes pas un(e) adepte des longues dissertations, contentez-vous de lire les 4 principes de base autour desquels j'ai construit ce livre puis le chapitre dédié aux aliments qui vous intéressent avant de choisir une ou deux recettes. Cela sera amplement suffisant pour vous aider à modifier votre alimentation et votre mode de vie.

Les recommandations de base :

- Mangez au moins 8 portions de fruits ou de légumes par jour.

- Apprenez à choisir les graisses que vous consommez. Augmentez votre consommation de crustacés, de fruits à écale et de graines, d'avocat, d'huile d'olive extra-vierge et d'huile de canola.

- Mangez 1 poignée de fruits à écale au moins 5 jours/7.

- Mangez du poisson 2 à 4 fois par semaine.

- Remplacez les protéines animales par des protéines végétales en privilégiant le soja plusieurs fois par semaine. Mangez 1 ou 2 portions de soja par jour.

- Achetez du pain ou des céréales complètes contenant au minimum 3 g de fibres par portion.

- Chaque jour, buvez du thé vert ou du thé noir (chaud ou glacé).

- Mangez 1 yaourt par jour soit au petit déjeuner, soit en dessert, soit en en-cas.

- Optez pour des jus de fruits et des confitures 100 % naturels à base de fruits riches en phytonutriments.

- Évitez les en-cas et les plats vendus prêts à consommer riches en matières grasses, notamment en graisses saturées, en acides gras trans, en acides gras essentiels oméga-6 et en sodium.

- Ne consommez plus de boissons riches en sucre et évitez au maximum les boissons *light*.

Deuxième partie

Les super-aliments

Les haricots

Les substituts : si tous les haricots méritent de figurer dans cette catégorie, nous nous attacherons dans ce chapitre aux variétés les plus connues et les plus largement commercialisées, à savoir le coco blanc, le lingot blanc, les pois chiches, les lentilles, les haricots verts, les haricots mange-tout et les petits pois.

Apport nutritionnel recommandé : au moins 4 demi-portions (1 portion = 250 g) par semaine.

Les haricots renferment :

- Des protéines
- Des fibres
- Des vitamines du groupe B
- Du fer
- Du folate
- Du potassium
- Du magnésium
- Des phytonutriments

Nombreuses sont les personnes qui ont relégué les haricots au fond de leur garde-manger, et ce pour diverses raisons. En effet, certaines estiment que les haricots – au demeurant très appréciés des végétariens et des adeptes d'un retour à la nature – sont des produits trop courants qui n'ont aucun avantage particulier si ce n'est de pouvoir être associé avec la majorité des viandes. D'autres affirment que ces légumes mettent trop de temps à cuire et que, comble de malheur, ils provoquent des flatulences...

En vérité, les bienfaits des haricots sont multiples. Riches en vitamines et en protéines, pauvres en matières grasses et peu onéreux, les haricots méritent qu'on leur réserve une place d'honneur à notre table. Ces légumineuses cultivées depuis plusieurs siècles nous protègent également contre de nombreuses pathologies. Elles réduisent le taux de cholestérol, aident à lutter contre les maladies cardiaques et l'obésité, stabilisent le taux de sucre dans le sang, favorisent le transit intestinal, diminuent les risques de développer une diverticulose (formation de diverticules – sorte de petits sacs – sur les parois du côlon) ou un cancer, et réduisent l'hypertension artérielle ou le diabète de type II.

Font partie de la famille des légumineuses les pois, les haricots verts, mais aussi les lentilles, les pois chiches, les haricots noirs et les différentes variétés de haricots secs.

Penchons-nous tout d'abord sur les objections d'ordre pratique. S'il est vrai que les haricots mettent relativement longtemps à cuire, sachez que rien ne vous empêche de vaquer à vos occupations pendant la cuisson.

Si vraiment vous n'avez pas de patience ou si vous manquez de temps, optez pour des haricots en conserve – ce qui est, je vous l'accorde, la façon la plus pratique d'intégrer ces légumes dans votre alimentation mais peut-être pas la meilleure pour votre santé.

Pour agrémenter une salade ou un chili, pensez aux pois chiches, aux lingots blancs ou aux haricots noirs en conserve. Restez néanmoins vigilant(e). En effet, les haricots en conserve sont particulièrement riches en sodium. Dans les supermarchés et les boutiques de produits diététiques, choisissez les haricots ayant la plus faible teneur en sodium. Avant de les consommer, laissez-les égoutter dans une passoire et rincez-les à l'eau froide. En procédant ainsi, vous éliminerez jusqu'à 40 % du sel et donc du sodium.

En 1992, moins de 1/3 des Américains consommaient au moins une fois des haricots sur une période de 3 jours. Plus le niveau de vie augmente, plus la consommation de haricots dans les ménages diminue.

Autre point noir : la consommation de haricots engendre-t-elle des flatulences ? Oui car des bactéries attaquent les déchets stockés dans l'intestin. Ci-après, quelques astuces qui vous aideront à moins avoir (voire plus du tout) de flatulences lorsque vous mangez des haricots.

• Certaines personnes prétendent que les haricots en conserve ou écrasés leur donnent moins de « gaz » que les haricots frais entiers.

• Si vous mangez régulièrement des haricots en petite quantité, votre organisme s'habituera peu à peu et vous aurez de moins en moins de troubles digestifs.

• Laissez tremper les haricots dans de l'eau avant de les faire cuire. Rincez-les, enlevez les parties abîmées et faites-les cuire 2 à 3 minutes. Éteignez le gaz et laissez-les tremper quelques heures. Videz l'eau, couvrez les haricots d'eau froide et faites-les cuire à nouveau. En procédant ainsi, une partie des glucides indigestes est éliminée et, même si certaines vitamines sont également détruites, vous pouvez consommer des haricots sans craindre d'avoir des maux de ventre.

• Certaines personnes affirment que les haricots cuits à la Cocotte-Minute donnent moins de gaz. Par ailleurs, le temps de cuisson est considérablement réduit.

Un peu d'histoire

Les haricots, les pois et les lentilles sont apparus il y a plusieurs siècles en Afrique, en Asie et au Moyen-Orient. Leur culture s'est développée dans toutes les régions du globe grâce aux tribus nomades. Depuis plus de 4000 ans, on cultive ces légumineuses aux quatre coins de notre planète. Des études nous poussent à croire que de nombreuses variétés de haricots ont vu le jour sur le continent américain. En Amérique du Nord, la plupart des haricots secs sont issus de haricots cultivés en Amérique centrale et en Amérique du Sud il y a 7000 ans. Faciles à cultiver, agréables au goût, riches en éléments nutritifs, les haricots se conservent long-temps et s'intègrent merveilleusement dans les plats traditionnels de la plupart des pays, comme le dal (Inde), l'houmous (Moyen-Orient) et de nombreux mets à base de riz (Amérique latine).

Les haricots appartiennent à la famille des légumineuses ou des légumes secs. Les variétés se différencient par leurs gousses qui renferment des graines. Certains haricots, comme les haricots verts, se consomment entièrement dès qu'ils sont récoltés. Les len-tilles et les pois sont des légumineuses également très largement cultivées.

Bien que le soja soit une légumineuse, nous lui avons – du fait de ses propriétés nutritives spécifiques – consacré un chapitre à part (voir p. 181). L'arachide est également une légumineuse. Tou-tefois, la majorité des personnes ayant à l'esprit les graines ou cacahouètes, nous avons décidé de l'inclure dans le chapitre dédié aux noix (voir p. 253). La plupart des haricots auxquels nous faisons référence dans cette partie sont des variétés que l'on récolte lors-qu'elles sont arrivées à maturité et que l'on consomme séchées.

N'oubliez pas que les pois font partie de la famille des haricots au même titre que les haricots verts. Ces aliments sont très répandus et occupent une place d'honneur dans les restaurants. Vous ne devriez donc avoir aucun problème à respecter le nombre de portions recommandées par semaine.

LES PROTÉINES MAIGRES

Les haricots ne sont pas réservés aux végétariens. Longtemps considérés comme la « viande du pauvre », ces aliments riches en protéines ont peu à peu été mis de côté par les Américains au profit des protéines animales. Mais avec la recrudescence des maladies liées à un excès de consommation de protéines animales – maladies cardiaques, certains types de cancers et diabète –, les consommateurs les plus prudents commencent à reconnaître les effets bénéfiques des haricots sur la santé.

Dans le *Dietary Guidelines* de 1996, l'American Cancer Society prône la consommation de « haricots à la place de la viande ». Cette recommandation est basée sur de nombreux travaux de recherche qui ont montré, d'une part, que plus l'alimentation est riche en protéines animales, plus le risque de développer certaines maladies est important, et, d'autre part, que le risque de développer ces mêmes maladies est plus faible lorsque les protéines animales sont remplacées par des protéines végétales – notamment des protéines contenues dans les haricots.

Les haricots dont le prix est relativement abordable sont l'une des sources les plus importantes de protéines. 1 portion de 250 g de lentilles fournit à l'organisme 17 g de protéines pour seulement 0,75 g de graisse. 60 g de viande de bœuf dans l'aloyau extra-maigre a la même teneur en protéines mais est *6 fois plus* riche en graisse.

En règle générale, les protéines végétales sont pauvres en lysine. Toutefois, la concentration en lysine étant particulièrement élevée dans les pois et les haricots, il est fortement recommandé de consommer ces aliments en complément d'autres protéines végétales.

Les légumineuses – notamment les haricots de couleur noire, jaune, beige ou rouge – sont très riches en polyphénols, anti-oxydants aux propriétés anti-inflammatoires et anti-allergiques.
Classification des haricots en fonction de leur concentration en polyphénols (par ordre décroissant) :
- Les fèves
- Les haricots noirs
- Les lentilles

Certaines personnes remettent en question les bienfaits des haricots car la protéine contenue est une protéine incomplète (on entend par « protéine complète » une protéine contenant les acides aminés essentiels). En effet, les légumineuses (à l'exception des graines de soja qui possèdent une protéine complète) ont une protéine à laquelle il manque 2 acides aminés essentiels. Toutefois, cette carence peut être compensée par des aliments consommés parallèlement aux légumineuses – notamment des noisettes, des amandes, des cacahouètes, des produits laitiers, des céréales, voire certaines protéines animales. C'est pourquoi il est recommandé de consommer des plats à base de légumineuses et autres aliments spécifiques – riz et haricots, couscous et pois chiches, lentilles et orge – afin de fournir à l'organisme les protéines nécessaires à son bon fonctionnement. Nous savons aujourd'hui qu'il n'est pas indispensable de manger des légumineuses et des aliments complémentaires au cours du même repas mais qu'il suffit d'en consommer dans la même journée.

Cette « histoire » de haricot et de protéine complète prouve à quel point nous pouvons nous laisser abuser par des détails relativement insignifiants. Si nous mangeons un hamburger et des frites sans nous poser la moindre question mais que nous évitons de consommer des haricots sous prétexte que la protéine est incomplète, nous nous polarisons sur l'arbre qui cache la forêt. Je sais bien que les choses ne sont pas aussi simples que cela et que, pour ceux qui ont grandi avec l'idée qu'il est indispensable de manger de la viande à presque tous les repas, abandonner ce dogme n'est pas aisé. Il serait néanmoins nécessaire de revenir sur cette position en s'appuyant sur les études qui conseillent de consommer préférentiellement des haricots à la place de la viande rouge afin d'augmenter notre espérance de vie et diminuer le risque de développer certaines maladies chroniques.

En effet, à la différence de la viande rouge, les haricots ne contiennent pas – ou très peu – de graisses saturées. Par ailleurs, les haricots sont riches en fibres, en vitamines, en minéraux, en oligoéléments et en phytonutriments.

N'oublions pas que consommer des protéines végétales à la place de protéines animales peut diminuer la perte de calcium, un avantage non négligeable chez les sujets menacés par l'ostéoporose. En général, plus l'apport en protéines est important, plus la perte osseuse augmente. En effet, lorsque vous consommez de la viande, les protéines produisent de l'acidité qui accélère la perte de calcium. Or, les végétaux contiennent des substances qui neutralisent l'acidité produite par les protéines – ce qui, par conséquent, diminue la perte de calcium. Par ailleurs, les protéines végétales fournissent des phytonutriments, des vitamines, des minéraux et des oligoéléments qui participent à la protection du capital osseux.

Les haricots sont riches en vitamines hydrosolubles – notamment en thiamine, en riboflavine, en niacine et en folate. Si les haricots en conserve en contiennent généralement moins que les haricots secs, leurs bienfaits nutritionnels sont tels qu'il n'y a aucune raison pour que vous cessiez d'en consommer.

LES HARICOTS ET LE CŒUR

Les haricots sont bénéfiques pour le fonctionnement du cœur. Des chercheurs ont étudié pendant plus de 25 ans les risques de décès liés à une pathologie coronarienne. L'étude portait sur plus de 16 000 hommes entre 40 et 50 ans vivant aux États-Unis, en Finlande, aux Pays-Bas, en Italie, en ex-Yougoslavie, en Grèce et au Japon. L'étude a mis en évidence les habitudes alimentaires suivantes : une plus grande consommation de produits laitiers en Europe du Nord, de viande aux États-Unis, de légumes, de légumineuses, de poisson et de vin en Europe du Sud et de céréales, de soja et de produits dérivés mais aussi de poisson au Japon. Lorsque les chercheurs ont analysé ces données pour voir s'il existait un lien entre l'alimentation et le risque de mortalité à la suite d'une maladie cardiaque, ils ont découvert que les personnes ayant une alimentation riche en légumineuses présentaient un risque de maladie cardiaque moindre que les autres.

Une autre étude a été menée pendant 19 ans sur 9 632 hommes et femmes. Lorsque celle-ci a commencé, aucun sujet ne souffrait de trouble cardiaque. Au terme de l'étude, 1 800 cas de pathologies coronariennes avaient été diagnostiqués. Selon les résultats de l'étude, les hommes et les femmes qui mangeaient des haricots au minimum 4 fois par semaine avaient 22 % de risques en moins de souffrir d'un problème cardiaque que ceux qui en consommaient une fois par semaine au maximum.

De plus, les personnes ayant une alimentation riche en haricots avaient une tension artérielle et un taux de cholestérol total plus bas et avaient peu de risques de développer un diabète.

Appel aux consommateurs

Faites pression auprès des grandes industries agroalimentaires afin qu'elles réduisent le taux de sodium dans les haricots en conserve.

Les personnes qui consomment régulièrement des haricots ont un taux de cholestérol moins élevé que les autres. Cela ne vient pas seulement du fait que les protéines contenues dans les haricots viennent se substituer aux protéines animales qui peuvent être responsables d'un accroissement du cholestérol. En effet, il ne faut pas tout mélanger. Le cholestérol est un lipide fabriqué par l'organisme mais également présent dans certains aliments riches en graisses. Le cholestérol *n'est présent que* dans les aliments d'origine animale. Nombreuses sont les personnes qui croient – à tort – que, si elles mangent trop d'aliments riches en cholestérol, leur taux de cholestérol dans le sang va considérablement augmenter. En effet, tous les organismes ne réagissent pas de la même manière et certaines personnes sont plus sensibles que d'autres au cholestérol présent dans les aliments qu'elles consomment. Comment faire la part des choses ? En fait, ce qui importe le plus, c'est l'apport en graisses saturées et en acides gras trans – ce qui ne veut pas dire qu'il faille négliger l'apport en cholestérol. Dans la mesure où le cholestérol n'est présent que dans les graisses animales, si vous faites attention à la quantité de graisses saturées et d'huiles partiellement hydrogénées que vous consommez et si vous essayez de les remplacer par des protéines végétales (notamment en mangeant des haricots), votre taux de cholestérol total diminuera de manière significative et votre capital-santé n'en sera que mieux protégé.

En conclusion, mettez tout en œuvre pour maîtriser votre taux de cholestérol. Mais comment faire pour y parvenir ? Une des solutions est d'augmenter votre consommation de haricots. Idéalement, vous devriez en manger environ 125 g par jour. Nous savons tous que le son d'avoine diminue le taux de cholestérol dans le sang. Les haricots ont les mêmes vertus. Selon une étude, les personnes qui mangent 375 g de haricots secs cuits par jour notent une diminution de leur taux de cholestérol identique à celles qui consomment quotidiennement 250 g de son d'avoine cru. De plus, si vous associez haricots et son d'avoine, vous pouvez limiter la consommation de ce dernier tout en obtenant des résultats tout aussi probants.

Le résultat le plus important de cette étude – dans la mesure où un nombre élevé des lecteurs est concerné – est que, si vous vous contentez de manger 125 g de haricots en conserve par jour, vous pourrez observer une baisse significative des taux de cholestérol et de triglycérides dans le sang.

Les haricots sont également riches en fibres (j'en profite pour préciser que les protéines animales n'en contiennent pas). Les fibres empêchent le taux de « mauvais » cholestérol d'augmenter mais favoriseraient l'augmentation du « bon » cholestérol.

Les fibres : indispensables au bon fonctionnement de l'organisme

En règle générale, nous ne consommons pas suffisamment de fibres. En 1909, l'apport quotidien par personne était de 40 g contre environ 26,7 g en 1980 et 15 g aujourd'hui – ce qui est nettement insuffisant ! Les haricots sont riches en fibres. Ci-après, la teneur en fibres de quelques légumineuses pour une portion égale à 125 g :

Lentilles .... 8 g
Haricots noirs .... 7,5 g
Haricots rouges .... 5,5 g
Haricots rouges (en conserve) .... 4,5 g
Pois chiches .... 4 g

Le fait que les haricots puissent contribuer à la diminution du taux de cholestérol dans le sang n'est pas la seule bonne nouvelle. En effet, les haricots sont également riches en folate (vitamine B9). Les lentilles, quant à elles, contiennent une forte concentration de folate et de fibres. Le folate contribue à diminuer le taux d'homocystéine, un acide aminé soufré. Si l'apport en folate (forme naturelle de la vitamine B9) ou en acide folique (forme synthétique de la vitamine B9) est insuffisant, le taux d'homocystéine dans le sang augmente. L'homocystéine endommage alors la paroi des vaisseaux sanguins favorisant le développement de certains troubles cardiovasculaires. 20 à 40 % des patients suivis pour des problèmes coronariens ont un taux d'homocystéine trop élevé dans le sang.

250 g de pois chiches cuits couvrent 70,5 % de nos besoins quotidiens en folate. En plus du folate, les haricots fournissent à l'organisme du potassium, du calcium et du magnésium, à savoir des minéraux appelés « électrolytes » (substances chimiques permettant la transmission de l'influx nerveux) qui, lorsqu'ils sont associés, diminuent les risques de maladies cardiaques ou d'hypertension artérielle.

LES HARICOTS ET LE TAUX DE SUCRE DANS LE SANG

La forte teneur en fibres solubles des haricots permet de contrôler le taux de sucre dans le sang. Si vous avez une résistance à l'insuline, si vous souffrez d'hypoglycémie ou de diabète, les haricots peuvent vous aider à rééquilibrer le taux de sucre dans le sang et à ralentir l'absorption du sucre. Les fibres contenues dans les haricots empêchent le taux de sucre dans le sang de monter trop rapidement après un repas. Des chercheurs ont étudié deux groupes de personnes souffrant de diabète de type II mais n'ayant pas le même apport en fibres : 24 g de fibres par jour pour l'un et 50 g pour l'autre. Les sujets appartenant au second groupe avaient des taux de sucre et d'insuline inférieurs à ceux du premier groupe. De plus, leur taux de cholestérol total a diminué de près de 7 %, leur taux de triglycérides d'environ 10,2 % et celui de lipoprotéines à très faible densité (VLDL) de près de 12,5 %.

LES HARICOTS ET LE SURPOIDS

Les haricots peuvent vous aider à contrôler votre poids. En effet, ils apportent rapidement une sensation de satiété. Très nourrissants, ils sont peu caloriques. Lorsque vous consommez des haricots, vous êtes rapidement rassasié(e) et donc vous limitez votre ration alimentaire. La haute teneur en fibres des haricots régule le taux de sucre dans le sang. Plusieurs heures après avoir mangé des haricots, vous n'avez pas faim mais vous avez toujours suffisamment d'énergie.

LES HARICOTS ET LE CANCER

Des études laissent à penser que les haricots pourraient jouer un rôle dans la prévention de certains cancers, notamment les cancers du pancréas, du côlon, du sein et de la prostate. Dans une étude menée dans quinze pays, les chercheurs ont démontré qu'il existait un lien entre la consommation de haricots et les incidences de certains cancers. Les résultats ont prouvé que plus la consommation de haricots est importante, plus les risques de développer un cancer du côlon, du sein ou de la prostate sont réduits. Les haricots contiennent des phyto-œstrogènes appelés « lignanes ».

Des chercheurs ont émis l'hypothèse selon laquelle une alimentation riche en lignanes pouvait réduire le risque de développer un cancer hormonodépendant (cancer pouvant être stimulé par certaines hormones, notamment les œstrogènes), comme le cancer du sein ou les cancers affectant le système reproductif chez les hommes. Par ailleurs, il semblerait que les phytates, autres substances contenues dans les haricots, soient efficaces dans la chimioprévention de certains types de cancers de l'intestin. Des études épidémiologiques ont montré que le taux de cancer est plus bas chez les personnes ayant une alimentation riche en haricots, probablement du fait de leur teneur en phytates.

LES HARICOTS DANS LA CUISINE

Une chose est sûre : quels que soient vos goûts culinaires, vous trouverez une légumineuse qui vous conviendra. Incontestablement, la préférence va aux haricots verts même si rares sont les consommateurs qui savent que cette variété est une légumineuse. Nombre de jardiniers cultivent des haricots mange-tout pour leur goût légèrement sucré.

Les haricots mange-tout se consomment crus ou cuits et même les enfants qui, généralement, ne sont pas friands de légumes verts en mangent avec plaisir.

Si vous et votre famille avez du mal à manger des haricots, essayez d'intégrer peu à peu dans votre alimentation les lentilles qui, à la différence des autres légumineuses, cuisent rapidement. Très nourrissantes, les lentilles ont un goût savoureux et donnent moins de gaz que les autres variétés de légumineuses.

Ci-après, quelques-unes des variétés de haricots les plus courantes.

• Haricots « Adzuki » : petits haricots rouges avec une fine ligne blanche sur le dessus. L'enveloppe est souvent assez épaisse. Leur goût rappelle légèrement celui des noisettes.

• Les haricots noirs ont, comme leur nom l'indique, une peau d'un noir mat. La pulpe est couleur crème avec un fort goût de terre.

• Les haricots « Cannellini » ont la forme d'un rein. Leur pulpe est couleur crème. À consommer de préférence dans une soupe ou en salade.

• Les pois chiches sont des légumes ronds de couleur crème, très populaires dans les pays méditerranéens, en Inde et au Moyen-Orient. Ils ont un léger goût de noisette. Très riches en fibres et en éléments nutritifs, ils se marient merveilleusement avec de l'oignon émincé et de l'huile d'olive dans une salade. Les pois chiches sont la base de l'houmous.

• Les fèves sont soit commercialisées dans leur gousse, soit épluchées et coupées en morceaux. Ces grosses graines brunes ont un goût de noisette et une texture légèrement granuleuse.

• Les haricots « Great Northern » ou lingots blancs sont des haricots de dimension moyenne de couleur crème. Ils sont particulièrement appréciés dans les plats cuits au four.

• Les haricots « Navy » ou cocos blancs sont des petits haricots ronds de couleur blanche. Leur nom vient du fait qu'autrefois ils étaient l'ingrédient de base de l'alimentation de la marine américaine.

• Les haricots « Pinto » sont une variété très courante aux États-Unis. On les reconnaît facilement à leur couleur rose pâle et leurs rayures marron qui disparaissent au cours de la cuisson. Ils ont un goût prononcé de viande.

À L'HEURE DU SHOPPING

Achetez de préférence des haricots secs dans des magasins qui écoulent rapidement leurs stocks. Si vos haricots ont cuit pendant plusieurs heures pour, au final, être aussi durs qu'au début de la cuisson, mieux vaut opter pour des haricots frais la fois suivante. Même si les haricots sont secs, consommez-les relativement rapidement après la récolte. En effet, si vous attendez trop longtemps, ils durcissent. Sachez toutefois qu'il est pratiquement impossible de voir à l'œil nu s'ils ont été récoltés récemment ou non. Pour plus de sécurité, achetez des haricots et consommez-les sans trop attendre. Si vous les laissez dans le fond de votre placard pendant un an, vous risquez d'avoir de mauvaises surprises.

Si les haricots sont vendus en vrac, veillez à ce qu'ils soient conservés dans un récipient propre et hermétique. S'il y a de la poudre dans le fond du récipient, c'est qu'ils sont là depuis longtemps. N'achetez jamais de haricots craquelés ou ridés.

CUISINER DES HARICOTS

Avant de faire cuire vos haricots, étalez-les sur une surface plane et triez-les afin de retirer les éventuels petits cailloux, insectes ou saletés. Mettez les haricots dans une passoire et rincez-les à l'eau froide. Si possible, laissez-les tremper une heure ou, mieux, toute une nuit. Plus ils trempent longtemps, plus ils cuisent rapidement et moins ils donnent de flatulences. Le trempage et la cuisson seront écourtés si les haricots viennent d'être récoltés. Si vous êtes pressé(e), faites-les cuire dans une Cocotte-Minute en vous reportant au livre de recettes qui vous a été remis au moment de l'achat.

Quelques idées pour vous régaler :

• L'houmous : rapide et facile à préparer. Écrasez des pois chiches en conserve et mélangez-les avec de l'ail haché et de l'huile d'olive.

• Les salades composées : idéales si vous manquez de temps. Mélangez des haricots de couleurs différentes. Ajoutez des herbes aromatiques fraîches et quelques gouttes d'huile d'olive.

• Les haricots cuits au four : succulents ! À préparer soi-même ou à acheter prêts à consommer (attention ! vérifiez la teneur en sucre et en sel).

• Les petits pois : un délice ! Vous pouvez en manger toute l'année, frais ou congelés.

• Les haricots se marient merveilleusement avec les pâtes. Laissez-vous tenter par des *pasta e fagioli*. Vous m'en direz des nouvelles !

• Mélangez de la purée de haricots avec de l'ail finement haché et étalez la préparation sur du pain, complet de préférence. Une idée de repas si vous devez déjeuner au bureau !

Les myrtilles

Les substituts : le raisin noir, les canneberges, les mûres de Boysen, les framboises, les fraises, les groseilles, les mûres, les cerises et toute autre variété de baies fraîches, congelées ou séchées.
Apport nutritionnel recommandé : 250 à 500 g par jour.

Les myrtilles, super-aliments auxquels nul ne peut résister... Comment imaginer que des fruits aussi petits puissent présenter autant de bienfaits ? Je dis toujours à mes patients que les myrtilles, les épinards et le saumon sont les trois super-aliments à privilégier absolument. Si vous ne devez retenir qu'une seule chose de cet ouvrage, que ce soit la suivante : consommez des myrtilles et des épinards plusieurs fois par semaine et du saumon – ou l'un de ses substituts – deux à quatre fois par semaine. Ces trois aliments suffisent à eux seuls à améliorer votre santé et, par-delà, à changer votre vie.

La myrtille est un petit fruit doté d'étonnantes propriétés nutritives. Elle contient plus d'antioxydants capables de lutter contre les maladies que tout autre fruit ou légume. Les études scientifiques prouvant les bienfaits des myrtilles se succèdent et les médias rapportent au public les effets bénéfiques de ces « baies miraculeuses » qui stimulent l'esprit et préservent la jeunesse. Ces éloges sont hautement mérités lorsque l'on sait qu'une seule portion de myrtilles fournit à l'organisme autant d'antioxydants que cinq portions de carottes, de pommes, de brocolis ou de courge. En fait, 165 g de myrtilles vous garantissent la même protection antioxydante que 1 733 UI de vitamine E mais une meilleure protection que 1 200 milligrammes de vitamine C.

Les myrtilles renferment :

* Une multitude d'éléments nutritifs et de phytonutriments travaillant en parfaite synergie
* Des polyphénols (anthocyanes, acide ellagique, quercétine et catéchines)
* De l'acide salicylique
* Des caroténoïdes
* Des fibres
* Du folate
* De la vitamine C
* De la vitamine E
* Du potassium
* Du manganèse
* Du magnésium
* Du fer
* De la riboflavine (vitamine B2)
* De la niacine (vitamine B3)
* Des phyto-œstrogènes
* Peu de calories

Les myrtilles ralentissent les effets du vieillissement mais nous protègent également contre nombre de pathologies cardiovasculaires et, très certainement, contre le cancer. Elles apportent éclat et beauté à la peau en protégeant son élasticité.

Selon une étude récente publiée dans le *Journal of Clinical Nutrition*, les personnes qui mangent 250 g de myrtilles par jour voient leur taux d'antioxydants dans le sang augmenter de manière constante – une augmentation qui semble jouer un rôle important dans la prévention des maladies cardiovasculaires, du diabète, de la « sénilité », du cancer et de certaines dégénérescences oculaires comme la dégénérescence maculaire et la cataracte.

Nous savons, par ailleurs, qu'une augmentation du taux des antioxydants dans le sang a des répercussions sur le développement du cancer du sein. L'étude ayant débouché sur cette conclusion m'a particulièrement intéressé dans la mesure où elle repose sur la consommation d'aliments naturels et non sur des produits transformés, des extraits ou des compléments nutritionnels. Mais la découverte qui laisse entrevoir le plus d'espoir nous vient de chercheurs qui sont pratiquement convaincus de l'existence d'un lien direct entre la consommation de myrtilles et la diminution du risque de développer une maladie liée au vieillissement : par exemple, la maladie d'Alzheimer ou la démence sénile. À ce jour, seuls des tests réalisés sur des animaux de laboratoire ont prouvé les bienfaits des myrtilles dans ce domaine. Il suffirait que les scientifiques qui font actuellement des expériences cliniques sur des sujets humains obtiennent ne serait-ce que la moitié des résultats des études menées en laboratoire pour que les domaines de la médecine et de la diététique connaissent une avancée spectaculaire.

UN PEU D'HISTOIRE

Les myrtilles sont originaires d'Amérique du Nord. Les Amérindiens, conscients des propriétés nutritives de ces fruits, en consommaient de grandes quantités, notamment en période de famine. Ils pensaient que les myrtilles dont les fleurs ont la forme d'une étoile à cinq branches étaient un don du Grand Esprit. Riches en antioxydants, les myrtilles étaient utilisées comme conservateurs. Les Amérindiens les écrasaient dans la viande séchée afin de la préserver. Les premiers colons ont appris des indigènes à utiliser les myrtilles pour se soigner. Ils buvaient des infusions à base de fruits ou de la plante entière pour soigner les diarrhées. Les femmes consommaient ce breuvage afin d'apaiser les douleurs dues aux contractions au moment de l'accouchement.

Je pense que les polyphénols contenus dans les baies sont, en quelque sorte, des maîtres de chœur, les autres éléments nutritifs travaillant de concert sous leur gouverne. C'est cette synergie qui fait des myrtilles un super-aliment. Chaque variété de baies contient des polyphénols distincts. Pour un bienfait maximal, ne consommez pas une seule variété de baies mais variez les plaisirs.

Les myrtilles doivent leur réputation de « baies miraculeuses » à leur teneur incroyablement élevée en phytonutriments aux propriétés antioxydantes – notamment un flavonoïde appelé « anthocyane ». Ce sont les anthocyanes qui donnent aux myrtilles leur couleur bleu violacé. Plus les myrtilles sont foncées, plus elles sont riches en anthocyanes. Les myrtilles et plus précisément les myrtilles sauvages renferment au minimum cinq anthocyanes différentes concentrées dans la peau des fruits. Grâce à cette forte teneur en flavonoïdes, la peau protège les fruits des rayons ultraviolets et des substances dangereuses présentes dans l'environnement.

Les anthocyanes sont l'une des classes de phytonutriments qui confèrent aux myrtilles leurs propriétés antioxydantes et anti-inflammatoires. Comme nous le savons, les radicaux libres sont des substances qui endommagent notamment les membranes cellulaires et l'ADN et qui sont impliquées dans nombre de maladies dégénératives liées au vieillissement. Les anthocyanes jouent un rôle capital en neutralisant les radicaux libres qui détériorent les cellules et les tissus et engendrent nombre de pathologies.

Lorsqu'elles sont associées à la vitamine C et autres antioxydants très puissants, les anthocyanes renforcent la résistance capillaire en stimulant la production de collagène – substance servant à la construction du tissu conjonctif. Ces flavonoïdes – sous-classe de polyphénols – favorisent également la vasodilatation et ont un effet inhibiteur sur l'agrégation plaquettaire. Comme l'aspirine à faible dose, les anthocyanes diminuent le risque d'agrégation des plaquettes et, par conséquent, la formation de caillots.

Les baies – et plus particulièrement les canneberges – sont riches en quercétine, un flavonoïde doté d'importantes propriétés anti-inflammatoires. Dans un article sur les flavonoïdes publié récemment, on pouvait lire (je cite) : « Même s'il reste encore beaucoup à découvrir, des expériences scientifiques confirment les bienfaits thérapeutiques des raisins et des baies utilisés depuis plusieurs siècles par les populations dans nombre de remèdes. »

LES EFFETS BÉNÉFIQUES DES BAIES

Les bienfaits thérapeutiques de la myrtille sont étonnants. Durant de nombreuses années, les chercheurs ne se sont pas vraiment intéressés à ce fruit dont la teneur en vitamine C est relativement inférieure à celle d'autres fruits et qui, *a priori*, ne présente aucune vertu particulière. Mais, au fur et à mesure des découvertes quant aux bienfaits des antioxydants et en particulier des flavonoïdes, les scientifiques ont essayé d'en savoir plus sur ces petites baies.

Aux États-Unis, un élément majeur a bouleversé le monde scientifique. En effet, des travaux ont révélé que les myrtilles pouvaient ralentir, voire *inverser* certains troubles neurologiques typiques des maladies dégénératives liées au vieillissement. Dans notre société vieillissante – vers 2050, plus de 30 % de la population occidentale aura plus de 65 ans – l'idée qu'il sera peut-être un jour possible de prévenir des maladies dégénératives comme la maladie d'Alzheimer ou la démence sénile a redonné espoir à un grand nombre.

Le Centre de recherche en nutrition humaine de l'université de Tufts (Boston) a mené une étude sur le lien existant entre la consommation de myrtilles et le cerveau.

Le docteur Joseph James et son équipe ont séparé des rats âgés (l'équivalent de 65-70 ans chez les humains) en trois groupes afin d'étudier les effets d'une supplémentation en fruits et en légumes sur les déficits cérébraux et moteurs. Aux rats du premier groupe, ils ont administré chaque jour l'équivalent d'une portion égale à 125-250 g de myrtilles pour un humain, à ceux du deuxième groupe une portion égale à 500 ml d'extrait de fraises et à ceux du troisième une bonne quantité d'épinards. Les chercheurs ont fait passer à chaque groupe de nombreux tests. Le premier groupe a obtenu les meilleurs résultats tant sur les capacités d'apprentissage et de mémorisation (notamment pour sortir d'un labyrinthe) que sur l'*amélioration* de la coordination des mouvements, l'équilibre et la vitesse. Cette découverte a révolutionné le monde scientifique car, jusqu'à ce jour, nul n'aurait pu imaginer que la dégénérescence liée au vieillissement puisse être réversible. D'autres études ont permis au docteur James d'affirmer que la myrtille a des propriétés antioxydantes et anti-inflammatoires qui protègent le cerveau et les tissus musculaires.

Comment expliquer que l'administration de myrtilles (125-250 g par jour) puisse avoir de tels effets bénéfiques sur les fonctions cérébrales ? *A priori*, trois facteurs différenciaient les rats nourris avec ces fruits : leurs cellules cérébrales semblaient mieux communiquer, leur cerveau avait moins de protéines endommagées que ce à quoi les scientifiques s'attendaient et, le plus encourageant, de nouvelles cellules cérébrales se sont développées durant toute la période d'observation. Aujourd'hui des chercheurs essaient de voir si ces résultats extrêmement prometteurs peuvent être reproduits sur les humains. Des études préliminaires ont montré que les personnes qui consomment 250 g de myrtilles par jour réussissent mieux les tests (5 à 6 %) portant sur les fonctions motrices que celles qui n'ont pas cet apport. Les myrtilles auraient également un effet positif sur les symptômes des personnes atteintes de sclérose en plaques – ce qui n'est pas surprenant dans la mesure où les nutriments contenus dans les myrtilles agissent plus précisément sur les zones du cerveau qui contrôlent les mouvements.

Mes enfants me taquinent parce que j'étale toujours une couche épaisse de confiture de myrtilles sur mes tartines et mes crêpes. Je leur dis que manger de la confiture retarde l'apparition des rides. Je joins donc l'utile à l'agréable : je me régale et je protège ma peau.

Dans les jus de fruits et les confitures à base de baies, la teneur en polyphénols varie selon la marque commercialisée. Il semblerait que les produits les plus riches soient d'origine biologique.

Si les découvertes des bienfaits de la myrtille sur les fonctions cérébrales sont considérables, ce fruit présente d'autres vertus bénéfiques pour la santé.

En effet, la myrtille contient de l'acide ellagique. Cet antioxydant pourrait favoriser un processus naturel de destruction appelé « apoptose » sur les cellules cancéreuses. Selon plusieurs études, les personnes consommant des fruits riches en acide ellagique ont trois fois moins de risques de développer un cancer que celles dont l'alimentation est pauvre en acide ellagique. Les framboises, les mûres et les mûres sauvages sont très riches en acide ellagique. Ce phytonutriment est particulièrement concentré dans les graines (les graines des baies sont extrêmement riches en composés bioactifs). Les baies précédemment citées contiennent trois à neuf fois plus d'acide ellagique que les noix, les fraises et les noix de pécan (autres aliments sources d'acide ellagique) et jusqu'à quinze fois plus que les autres fruits ou fruits à écale.

Si certains jus de fruits sont riches en polyphénols, ils sont également très riches en calories. Les fruits frais sont moins caloriques que les jus de fruits. Sous prétexte d'apporter des polyphénols à votre organisme, ne buvez pas des jus de fruits tout au long de la journée, sinon gare aux kilos ! Si possible, coupez toujours les jus de fruits 100 % naturels avec de l'eau plate ou gazeuse.

Les Amérindiens avaient raison : les myrtilles favorisent la digestion et régulent le transit intestinal. Riches en pectine, une fibre soluble, ces fruits sont efficaces, d'une part, contre la diarrhée et, d'autre part, contre la constipation. Par ailleurs, les tanins contenus dans les myrtilles calment les inflammations du système digestif alors que les polyphénols ont des propriétés antibactériennes.

Tout comme les canneberges, les myrtilles ont des effets bénéfiques sur le système urinaire. Certaines substances empêchent la bactérie *E. coli* de se fixer sur les parois de l'urètre et de la vessie et par-delà de provoquer des infections.

Les jus de fruits à base de baies, de raisins et de grenades sont particulièrement riches en anthocyanes. Le jus de grenade, par exemple, a des propriétés antioxydantes trois fois supérieures au vin rouge et au thé vert. En effet, lors de la fabrication, une grande partie des tanins sont extraits de la peau. Achetez de préférence des jus avec un dépôt au fond de la bouteille car ce dépôt est constitué de minuscules morceaux de peau très riches en antioxydants. Secouez la bouteille avant de vous servir.

LE *FRENCH PARADOX*

Vous avez certainement entendu parler de ce que les Américains appellent « *le french paradox* ». En effet, en dépit d'une forte consommation de graisses saturées (viande de canard...), les Français sont moins touchés par les maladies cardiovasculaires que les Américains.

La première hypothèse avancée pour expliquer cette contradiction a été que les Français consomment régulièrement du vin. Or, des études plus poussées ont montré que l'alcool contenu dans le vin augmente uniquement le taux de « bon » cholestérol. Récemment des chercheurs ont découvert que les flavonoïdes contenus dans le vin diminuent les risques de développer une maladie coronarienne. Le vin rouge est extrêmement riche en polyphénols (vingt à cinquante fois plus que le vin blanc) car, au cours de la macération, le jus est en contact avec la peau des grains de raisin. Or, les polyphénols contenus dans la peau des grains de raisin permettent de lutter contre l'oxydation du « mauvais » cholestérol qui favorise le développement de maladies cardiovasculaires. Comme l'affirmait James Joseph de l'université de Tufts (Boston) : « Ce qui est bon pour votre cœur est bon pour votre esprit ». Des chercheurs ont également noté que les personnes consommant modérément du vin rouge ont moins de risques de souffrir de dégénérescence maculaire liée à l'âge.

Les professionnels de la santé hésitent encore à prôner la consommation de boissons alcoolisées car tout abus peut être à l'origine de maladies fatales. Néanmoins, nul ne peut nier les effets bénéfiques du vin à raison d'un verre par jour pour les hommes et d'un demi-verre par jour pour les femmes (le cas des femmes enceintes est plus complexe en raison du risque pour le fœtus).

Tous les jours, je bois du jus de fruits. Au petit déjeuner, j'opte pour un jus de fruits très riche en polyphénols. Dans la matinée, je déguste du thé vert et je bois du jus de fruits au dîner. Prenez un verre de jus de fruits – 100 % naturel – ou un verre de vin rouge au dîner car les polyphénols contenus dans ces boissons neutralisent les effets néfastes des huiles et des graisses oxydées. Coupez les jus de fruits souvent trop sucrés avec de l'eau plate ou gazeuse et agrémentez-les d'une rondelle de citron ou de citron vert. Les jus de fruits sont généralement très riches en calories. Si vous êtes un(e) grand(e) consommateur(trice), surveillez parallèlement votre alimentation et pratiquez une activité physique afin de ne pas prendre de poids.

Pour bénéficier des bienfaits du vin rouge sans, toutefois, consommer de l'alcool, optez pour du jus de raisin noir ou du jus de cerise douce, de grenade, de canneberge ou de pruneau enrichis en lutéine (les jus doivent être 100 % naturels). Le jus de raisin noir et le jus de grenade font grimper le taux d'antioxydants dans l'organisme. Pour vous désaltérer, mélangez du jus de raisin ou de grenade avec de l'eau gazeuse et ajoutez une rondelle de citron.

LES FRUITS SECS

Les fruits secs sont extrêmement riches en nutriments (sauf en vitamine C dont le taux est supérieur dans les fruits frais). En effet, les substances sont plus concentrées si nous parlons de volume. À côté des traditionnels raisins de Corinthe, dattes et pruneaux, nombre de magasins proposent aujourd'hui des myrtilles, des canneberges, des cerises, des groseilles, des abricots et des figues séchés. Au moment de l'achat, restez vigilant(e) car certains cultivateurs traitent leurs cultures – et tout particulièrement les fraises et le raisin – avec des pesticides et des produits contre les champignons qui se retrouvent à forte concentration dans les fruits secs.

> Il semblerait que les fruits secs retardent l'apparition des rides.

LES BAIES DANS LA CUISINE

Vous pouvez consommer des baies fraîches, séchées ou surgelées tout au long de l'année. Au petit déjeuner, ma femme et moi-même nous préparons un bol de myrtilles avec une banane coupée en rondelles et 1 à 2 cuillères à café de miel de sarrasin, le tout arrosé de 100 à 200 ml de lait de soja. Vous êtes sceptique ? Essayez et jugez par vous-même !

Alors que le grand public découvrait les vertus thérapeutiques des myrtilles, les cultivateurs ont augmenté leur production afin de répondre à la demande. Vous trouvez, aujourd'hui, des myrtilles sauvages ou cultivées congelées dans la plupart des grandes surfaces. Les myrtilles bio sont également très répandues tout comme les jus de fruits 100 % naturels (myrtille, cerise, grenade, canneberge et raisin).

Ayez toujours des myrtilles et des canneberges à portée de la main. Les flocons d'avoine se marient merveilleusement dans du lait avec les raisins de Corinthe, les pruneaux et autres fruits secs. Pour qu'ils restent croustillants, ajoutez-les au dernier moment à votre préparation.

En été, les myrtilles sauvages ou cultivées foisonnent. Vous cueillerez les premières en vous promenant le long des chemins boisés ou vous les achèterez sur les marchés campagnards. Certaines grandes surfaces vendent des myrtilles sauvages surgelées. Les myrtilles cultivées sont des fruits charnus à la peau bleu foncé et à la chair blanche. Apprenez à les choisir. Secouez la barquette dans laquelle elles sont conditionnées et voyez si elles bougent toutes. Si certaines restent collées au fond, c'est tout simplement qu'elles sont pourries ou écrasées.

Les myrtilles sauvages sont plus petites et plus acidulées que les myrtilles cultivées. Dans 30 g de myrtilles sauvages, vous avez plus d'antioxydants que dans 30 g de myrtilles cultivées. En effet, les fruits étant plus petits, il y en a plus et donc il y a plus de peau. Or, je vous rappelle que c'est dans la peau que sont concentrées les substances qui préservent le capital-santé.

Lorsque vous faites un gâteau aux myrtilles, saupoudrez les fruits de farine avant de les incorporer dans la pâte afin qu'ils ne tombent pas au fond du moule.

Sous quelles formes je préfère les myrtilles

J'ai la chance d'avoir des myrtilles et autres baies dans mon jardin. Je n'utilise aucun produit chimique et, en été, je consomme les fruits que je récolte de différentes manières. Quelques idées :

- Ajoutez quelques baies et un peu de germe de blé dans votre yaourt.
- Mélangez des fruits congelés avec des flocons d'avoine dans du lait chaud.
- Mélangez des fruits et des céréales dans du lait froid.
- Avec un fouet, mélangez des myrtilles, un yaourt, une banane coupée en rondelles, de la glace et du lait de soja ou du lait de vache écrémé.
- Faites des crêpes avec de la farine de blé complet et du beurre. Faites cuire une crêpe sur un côté. Disposez quelques myrtilles sur le dessus juste avant de la retourner.
- Dégustez une tasse de myrtilles avec du lait de soja et 1 ou 2 cuillères à café de miel de sarrasin.
- Prenez une poignée de myrtilles et allez les déguster au calme.

Les myrtilles fraîches sont des fruits délicats qu'il faut manipuler avec précaution. Passez-les sous l'eau juste avant de les utiliser. Si vous avez l'intention de les conserver au réfrigérateur, enlevez les fruits abîmés et mettez-les dans une boîte hermétique. Si vous souhaitez congeler des myrtilles, éparpillez-les sur un plateau afin qu'elles ne s'agglutinent pas et laissez-les durcir quelques heures au congélateur. Vous pouvez ensuite les mettre dans des petits sacs de congélation. Ne lavez pas les fruits avant de les congeler.

Les effets bénéfiques des myrtilles sur l'organisme sont plus importants si l'on utilise des fruits congelés. N'oublions pas que toutes les études réalisées en laboratoire sur des animaux ont été faites avec des myrtilles et des framboises congelées. Chez moi, j'ai toujours un ou deux petits sacs remplis de myrtilles congelées à portée de la main que j'utilise pour parfumer les yaourts, les muffins et les crêpes ou que je passe au mixer avec du lait de soja.

SAUCE À BASE DE CANNEBERGES ET D'ORANGES FRAÎCHES
Pour environ 600 ml

Pour remplacer la sauce de canneberge en boîte avec laquelle vous assaisonnez la dinde et le poulet cuits au four.

En été, achetez plusieurs barquettes de canneberges fraîches et congelez-en une partie que vous utiliserez tout au long de l'année pour cette sauce mais aussi dans des gâteaux et autres préparations.

350 g de canneberges fraîches ou surgelées
1 orange
180 g de sucre

Rincez les canneberges et laissez-les égoutter dans une passoire. Coupez l'orange (sans l'éplucher) en huit et retirez les pépins. Mixez la moitié des canneberges et quatre morceaux d'orange puis versez la préparation dans un saladier. Procédez de même avec le reste des ingrédients. Saupoudrez de sucre et mélangez. Conservez au réfrigérateur ou au congélateur jusqu'au moment de servir.

YAOURT GLACÉ À LA MYRTILLE
Pour 12 personnes

Un régal pour les enfants de 7 à 77 ans.

12 moules à muffin de 50 mm de diamètre
1 citron (zeste et jus)
400 ml de yaourt nature à faible teneur en matière grasse

60 à 120 g de sucre
500 g de myrtilles
12 bâtonnets pour glace

Mettez du papier sulfurisé dans chacun des moules à muffin. Dans un saladier, mélangez le zeste et le jus du citron avec le yaourt et le sucre jusqu'à obtention d'une pâte lisse. Incorporez les myrtilles sans cesser de mélanger. Versez le mélange dans les moules et mettez-les au congélateur 1 h 30 jusqu'à ce que la préparation durcisse. Plantez un bâtonnet au milieu de chaque moule et remettez-les 2 h au congélateur. Si vous les laissez plus longtemps, recouvrez-les avec du film étirable. Au moment de servir, démoulez et enlevez le papier sulfurisé. Laissez à température ambiante 4 à 6 mn.

Les brocolis

LES SUBSTITUTS : les choux de Bruxelles, le chou, le chou frisé, le chou champêtre, le chou-fleur, les blettes, le pak-choï – et le choï sum (choux chinois).

APPORT NUTRITIONNEL RECOMMANDÉ : 125 à 250 g par jour.

Les brocolis renferment :

- Du sulforaphane
- Des indoles
- Du folate
- Des fibres
- Du calcium
- De la vitamine C
- Du bêta-carotène
- De la lutéine/zéaxanthine
- De la vitamine K

En 1992, le président des États-Unis, George Bush père, déclare publiquement qu'il déteste les brocolis et, de ce fait, s'attire les foudres des diététiciens et de nombre d'électeurs dans tout le pays. Dans la presse, chacun défend la cause du brocoli et essaie de convaincre les détracteurs les plus virulents des vertus bénéfiques pour la santé de cette plante potagère. Finalement, le brocoli a gain de cause et devient l'un des légumes les plus consommés outre-Atlantique.

Cet esclandre tombe à pic car, la même année, un chercheur de l'université John Hopkins révèle la découverte d'une substance contenue dans le brocoli qui, chez l'animal, non seulement diminue de 60 % le risque de développer un cancer mais qui, de plus, réduit de 75 % la taille des tumeurs cancéreuses. Du jour au lendemain, les ventes de brocolis connaissent un fulgurant essor.

D'autres études sont tout aussi probantes : les brocolis et leurs substituts comptent, dans tout l'arsenal diététique, parmi les armes anticancéreuses les plus puissantes – ce qui est amplement suffisant pour les élever au rang de super-aliments. Mais il y a plus encore. Les brocolis stimulent le système immunitaire, diminuent les risques de cataracte et de maladies cardiovasculaires, contribuent à la formation et à la protection du capital osseux et combattent certaines malformations congénitales. Incroyablement riches en nutriments, les brocolis fournissent à l'organisme nombre de substances indispensables à son bon fonctionnement et peu de calories. Parmi les dix légumes ayant la faveur des consommateurs occidentaux, les brocolis sont ceux qui renferment le plus de polyphénols. Seuls les betteraves et les oignons rouges – qui ne font par partie des dix – sont plus riches en polyphénols.

Les brocolis sont particulièrement riches en fer.

Les brocolis font partie de la famille des *Brassica* ou des crucifères. Le mot *crucifère* vient du latin *crucier* signifiant « portant une croix », en référence aux fleurs en forme de croix. Le mot *brocoli* vient du latin *bracchium* voulant dire « bras », en référence aux petites branches qui soutiennent les pousses florales. Jadis, les brocolis poussaient à l'état sauvage le long des côtes méditerranéennes, puis les Romains ont commencé à cultiver cette plante qui allait, quelques siècles plus tard, devenir l'un des ingrédients de base de la cuisine italienne. C'est grâce aux immigrants italiens que les brocolis, appréciés pour leur saveur et les différentes textures qu'offrent les fleurons ou les tiges fibreuses, sont devenus populaires aux États-Unis. La Californie est aujourd'hui un grand producteur de brocolis. À la fin des années 1990, moult études confirment les capacités à réduire le risque de cancer de ces crucifères et, entre 1990 et 2000, par exemple, la consommation de brocolis aux États-Unis double alors que la liste des bienfaits de cette plante potagère sur l'organisme ne cesse de s'allonger.

Crues ou cuites

Selon qu'elles sont crues ou cuites, les crucifères sont plus ou moins riches en substances anticancéreuses. Si la cuisson diminue la teneur en vitamine C, elle augmente la biodisponibilité des caroténoïdes.

Pour bénéficier au maximum des bienfaits de chacun des phytonutriments, mangez des crucifères crues mais également des crucifères cuites. J'aime en particulier les salades composées à base de brocolis, de chou rouge émincé et d'épinards.

LES BROCOLIS ET LE CANCER

Chez l'homme, le développement d'un cancer s'opère sur plusieurs années. Le cancer est dû à un dysfonctionnement de certaines cellules, dysfonctionnement qui, dix ou vingt ans plus tard, sera diagnostiqué comme étant une maladie grave. Alors que la recherche pour éliminer à tout jamais cette maladie trop souvent fatale s'accélère – après les maladies cardiovasculaires, le cancer est la deuxième cause de mortalité dans les pays industrialisés –, la plupart des scientifiques s'accordent à dire qu'il leur semble plus facile de prévenir le cancer que de le guérir.

L'alimentation est un des meilleurs atouts que nous ayons à notre disposition pour nous protéger. Nous savons que l'alimentation occidentale est l'un des facteurs favorisant le développement de la maladie et que 30 % des cancers – tous types confondus – sont probablement liés à de mauvaises habitudes alimentaires. Des scientifiques ont étudié les régimes alimentaires de différentes populations et sont arrivés à la conclusion que les brocolis et autres crucifères ont un rôle primordial à jouer dans la prévention du cancer.

Des chercheurs de la Harvard School of Public Health ont, durant dix ans, mené une étude portant sur 47 909 hommes. Les résultats ont montré que les sujets consommant régulièrement des crucifères avaient moins de risques de développer un cancer de la vessie. Les brocolis et les choux semblent être les aliments qui protègent le mieux contre la maladie. Un nombre incalculable d'études ont confirmé ces résultats. Déjà en 1982, les membres du National Research Council on Diet, Nutrition and Cancer clament haut et fort « qu'il y a suffisamment de preuves scientifiques pour affirmer que consommer des crucifères favorise une diminution du nombre de cancers ».

Une méta-analyse a récemment repris les résultats de quatre-vingt-sept études de cas-témoins – études où sont comparées les caractéristiques des malades (les cas) et celles des sujets sains (les témoins). Une fois encore, les analyses tendent à prouver que la consommation de brocolis et autres crucifères diminue les risques de développer un cancer. Il suffit de manger 10 g de crucifères par jour (chou rouge ou brocolis crus émincés, par exemple) pour que le risque de souffrir d'un cancer soit considérablement réduit.

Selon une étude, manger deux portions de crucifères par jour pourrait réduire de 50 % le risque de développer certains types de cancers. Si toutes les crucifères semblent avoir des propriétés anti-cancéreuses, les choux, les brocolis et les choux de Bruxelles arrivent en tête de liste. Une portion égale à 125 g de brocolis par jour protège contre nombre de cancers – notamment les cancers du poumon, de l'estomac, du côlon et du rectum – ce qui explique que le brocoli arrive en première position sur la liste des super-aliments émise par le National Cancer Institute.

Les brocolis sont les légumes qui diminuent le plus le risque de développer un cancer du côlon, notamment chez les fumeurs de moins de 65 ans. Si vous fumez ou si vous avez fumé, mangez des brocolis. Ne pas fumer reste toutefois la meilleure voie de prévention.

Si les brocolis ont des propriétés « anticancéreuses », c'est en partie parce qu'ils contiennent des composés soufrés, notamment du sulforaphane et des indoles. La forte odeur que dégagent les brocolis, les choux et autres crucifères est due à ces composés soufrés qui protègent, d'une part, la plante des agressions des insectes et des animaux et, d'autre part, votre organisme.

Le sulforaphane est une substance chimiopréventive très puissante. Ce micronutriment stimule la production d'enzymes qui contribuent à débarrasser l'organisme des carcinogènes en détruisant littéralement les cellules au comportement anormal et en contrôlant le processus d'oxydation – les agressions produites par les radicaux libres de l'oxygène sont la cause de nombreuses maladies chroniques – au niveau des cellules. Les indoles, quant à eux, bloquent les récepteurs œstrogéniques dans les cellules responsables du cancer du sein, inhibant la croissance de ce cancer hormonodépendant sensible aux œstrogènes. Les brocolis sont très riches en indole-3-carbinol (I3C), particulièrement efficace dans la prévention du cancer du sein. L'Institute for Hormone Research (New York) a étudié la corrélation existant entre l'alimentation et le développement d'un cancer. 60 femmes ont été réparties en trois groupes, le premier ayant une alimentation riche en I3C à raison de 400 ml par jour, le deuxième ayant une alimentation riche en fibres et le troisième ayant une alimentation placebo.

Les chercheurs ont découvert que les femmes appartenant au premier groupe avaient un taux nettement plus élevé d'œstronone, une forme d'œstrogène inoffensive, que les deux autres groupes. Et les chercheurs de conclure que l'I3C affecte le métabolisme de certains œstrogènes. L'I3C est aujourd'hui disponible sous la forme de complément nutritionnel. Néanmoins, les scientifiques n'ayant pas encore suffisamment de recul par rapport à ce produit, je vous conseille de consommer des aliments naturellement riches en I3C – notamment des brocolis –, plutôt que d'avoir recours à une supplémentation.

Les pousses de brocoli

Selon des chercheurs de l'université John Hopkins, les jeunes pousses de brocoli contiendraient dix à cent fois plus de substances chimiopréventives (notamment de sulforaphane) que les brocolis arrivés à maturation. Je vous recommande donc d'ajouter quelques jeunes pousses de brocoli dans vos salades composées. Même ceux qui, *a priori*, n'aiment pas les brocolis (les enfants sont nombreux dans ce cas) apprécient les jeunes pousses au goût moins prononcé.

Les brocolis renferment d'autres substances « anticancérigènes ». Nous savons que la vitamine C est un antioxydant particulièrement efficace, à certaines doses, dans la prévention du cancer. Or, les brocolis et les crucifères en général ont une teneur élevée en vitamine C.

250 g de brocolis cuits couvrent plus de 100 % des besoins en vitamine C des adultes (hommes et femmes) et 27 % de l'apport en bêta-carotène que je recommande à mes patients. Les brocolis sont également riches en fibres, substances qui elles aussi diminuent considérablement le risque de développer certains cancers.

Le sulforaphane présent dans les brocolis est efficace contre *Helicobacter pylori,* une bactérie qui vit dans le mucus de l'estomac et qui peut être à l'origine d'ulcères ou de cancers gastriques.

LES BROCOLIS ET VOTRE CAPITAL-SANTÉ

Que les brocolis agissent sur la prévention du cancer est un élément d'une importance capitale qui justifie leur place parmi les super-aliments. Or, ces crucifères présentent de nombreux autres bienfaits pour la santé.

Les brocolis et leurs substituts sont riches en folate, forme naturelle de la vitamine B9 qui prévient nombre de malformations congénitales, notamment le *Spina bifida,* anomalie du tube neural qui serait, entre autres, due à une carence en acide folique (forme synthétisée de la vitamine B9) en tout début de grossesse. Une portion égale à 250 g de brocolis crus émincés fournit à l'organisme plus de 50 mg de folate. Par ailleurs, le folate contribue à diminuer le taux d'homocystéine pouvant être à l'origine de maladies cardiovasculaires et joue un rôle dans la prévention du cancer. La carence en acide folique serait la carence en vitamine la plus courante.

Nous savons tous que la cataracte frappe un grand nombre de personnes âgées. Une fois encore, les brocolis peuvent faire des merveilles car ils sont riches en lutéine et zéaxanthine – deux caroténoïdes aux propriétés antioxydantes – et en vitamine C. La lutéine et la zéaxanthine sont concentrées dans le cristallin et la rétine. Une portion de brocolis crus émincés (soit 250 g) fournit 1,5 mg de lutéine et de zéaxanthine – l'apport nutritionnel recommandé est de 12 mg par jour. Selon une étude, les personnes qui mangent des brocolis plus de deux fois par semaine ont 23 % de risques en moins de souffrir de cataracte que les personnes qui en consomment moins d'une fois par mois. La lutéine, la zéaxanthine et la vitamine C protègent les yeux des radicaux libres qui sont produits par les ultraviolets et endommagent l'œil.

Les brocolis et autres crucifères favorisent la constitution du capital osseux. 250 g de brocolis crus fournissent 41 mg de calcium et 79 mg de vitamine C, substance qui favoriserait l'absorption du calcium. Même si l'apport en calcium n'est pas très élevé, les brocolis ont l'avantage de contenir d'autres nutriments indispensables à l'organisme tout en étant pauvres en calories. Ils ont donc un atout supplémentaire par rapport au lait et aux produits laitiers entiers qui certes sont plus riches en calcium mais qui ne contiennent pas de vitamine C tout en étant extrêmement riches en graisses saturées et en calories. Les brocolis sont également source de vitamine K. Cette vitamine est appréciée pour ses propriétés coagulantes et antihémorragiques et son rôle crucial dans la protection du capital osseux.

Les brocolis sont riches en flavonoïdes, en caroténoïdes, en vitamine C, en folate et en potassium, substances qui préviennent nombre de maladies coronariennes.

Ils renferment également une grande quantité de fibres, de vitamine E et de vitamines B6 qui protègent le système cardiovasculaire. Les brocolis comptent parmi les quelques rares légumes qui, avec les épinards, sont relativement riches en coenzyme Q10, un puissant antioxydant liposoluble qui favorise la production d'énergie dans l'organisme. L'administration de coenzyme Q10 est fréquente chez les personnes souffrant d'une maladie cardiaque.

Environ 25 % de la population n'apprécient pas le goût amer des crucifères. Si tel est votre cas, ajoutez une pincée de sel sur vos brocolis ou autres crucifères afin de diminuer l'acidité. Faites-les cuire à la poêle avec de la sauce de soja pauvre en sodium ou dans un ragoût. Les lasagnes aux brocolis, par exemple, sont un délice !

LES BROCOLIS DANS LA CUISINE

Bien que les brocolis soient largement commercialisés, nous n'en mangeons pas suffisamment. Une étude a révélé que seulement 3 % des Américains interrogés avaient consommé des brocolis dans les 24 h précédant l'enquête. Quels légumes et quels fruits mangeons-nous à la place des brocolis ? De la laitue, des tomates, des pommes de terre, des bananes et des oranges. Si les tomates, les oranges et les bananes ont des effets positifs sur le capital-santé, ce sont les pommes de terre à chair blanche (le plus souvent consommées sous forme de frites) qui, malheureusement, arrivent en tête sur la liste des légumes les plus consommés. Changer son alimentation n'est pas chose facile. Vous trouverez ci-après quelques idées qui vous aideront à intégrer les brocolis et autres crucifères dans vos menus.

Les brocolis se récoltent entre octobre et mai. Néanmoins, vous en trouvez tout au long de l'année au rayon des surgelés de votre supermarché. Même s'il va de soi que les brocolis achetés directement à un agriculteur renferment plus d'éléments nutritifs, les brocolis surgelés ne sont pas à proscrire. Lorsque vous achetez des brocolis frais, choisissez de préférence des jeunes pousses plus tendres et au goût moins prononcé que les brocolis plus matures. La couleur des brocolis varie du vert clair au vert très foncé. Certains brocolis ont des nuances de pourpre.

Le brocolini (hybride obtenu à partir du brocoli et du chou frisé) et le brocofleur (hybride obtenu à partir du brocoli et du chou-fleur) sont également à privilégier.

Au rayon des surgelés, vous trouverez principalement des fleurons particulièrement riches en caroténoïdes et autres éléments nutritifs. Une portion de brocolis surgelés fournit à l'organisme jusqu'à 35 % en plus d'éléments nutritifs qu'une portion de brocolis frais. Sachez, toutefois, que les feuilles des brocolis sont encore plus riches en caroténoïdes que les fleurons.

Soyez très vigilant(e) au moment de l'achat. Choisissez un brocoli ferme, aux fleurons compacts et très colorés (plus la couleur est foncée, plus la teneur en phytonutriments est élevée). Par ailleurs, en règle générale, plus la tête est petite, meilleur est le goût. Si les fleurons commencent à jaunir et/ou si les feuilles sur les tiges sont fanées, cela signifie que la récolte remonte à plusieurs jours. Les brocolis se conservent entre cinq et sept jours dans le bac à légumes du réfrigérateur. Ne lavez pas les brocolis si vous ne les cuisinez pas immédiatement sous peine qu'ils moisissent.

Lavez soigneusement les brocolis avant de les utiliser. S'il y a du sable ou de la poussière dans les fleurons, laissez-les tremper dans de l'eau froide. Ne jetez pas les feuilles riches en éléments nutritifs. Retirez la partie la plus dure de la tige et faites plusieurs incisions dans la partie de la tige conservée pour accélérer la cuisson (les fleurons cuisent plus vite que la tige). Pour préserver le maximum de nutriments, faites cuire les brocolis à la vapeur ou au micro-ondes avec très peu d'eau. Les brocolis cuits à la casserole perdent jusqu'à 50 % de leur teneur en vitamine C.

Quelques idées pour que les brocolis et les crucifères soient le plus souvent possible au menu :

• Ayez toujours des brocolis (frais ou congelés) à portée de la main que vous ferez revenir à la poêle.

• Écrasez à la fourchette les restes de brocolis cuits et mélangez-les avec des oignons légèrement dorés à la poêle. Mixez le tout avec du lait écrémé ou du lait de soja. Ajoutez 1 ou 2 pincées de noix de muscade. Un régal !

• Mélangez des brocolis crus coupés en lanières avec du chou rouge et des oignons rouges. Assaisonnez avec de la vinaigrette faite maison et quelques graines de pavot.

• Lorsque j'ai un petit creux, j'ouvre le réfrigérateur et je grignote des restes de brocolis cuits avec quelques graines de sésame grillées.

• Coupez des choux de Bruxelles en lanières et faites-les revenir à la poêle avec de l'ail emincé, de l'huile d'olive, des noix ou des pignons grillés hachés grossièrement, le tout arrosé de quelques gouttes de citron. Servez avec de la viande, du poisson ou des pâtes.

• Faites revenir à la poêle du chou coupé en lanières avec une cuillère à soupe d'huile de sésame. Le brocoli se marie merveilleusement avec un mets asiatique.

• Coupez en morceaux un brocoli ou un chou-fleur, arrosez d'huile d'olive et salez. Faites cuire au four (220°C) pendant 20 à 30 mn. Toute l'acidité des crucifères disparaît.

• Mangez des fleurons de brocolis crus avec de l'houmous.

• Dans pratiquement toutes mes salades composées, je mets du chou rouge coupé en lanières. Il n'est pas nécessaire d'en mettre beaucoup car ce légume est particulièrement riche en éléments nutritifs.

Attention, l'abus des bonnes choses peut nuire ! Les brocolis renferment des substances dites « goitrogènes », c'est-à-dire des éléments qui peuvent nuire à la fonction de la thyroïde. Mais pas de panique ! Vous pouvez consommer jusqu'à 500 g de choux de Bruxelles ou de brocolis cuits par jour sans courir le moindre risque.

En conclusion : les crucifères protègent notre capital-santé à condition d'être consommées avec modération.

L'avoine

Les substituts-vedettes : le germe de blé et les graines de lin moulues.

Les substituts : le riz complet (ou riz brun), l'orge, le blé, le sarrasin, le seigle, le millet, le boulgour, le quinoa, le kamut, le maïs, le riz sauvage, l'épeautre et la semoule.

Apport nutritionnel recommandé : 5 à 7 portions par jour.

L'avoine renferme :

- Beaucoup de fibres
- Peu de calories
- Des protéines
- Du magnésium
- Du potassium
- Du zinc
- Du cuivre
- Du manganèse
- Du sélénium
- De la thiamine

En 1997, l'avoine est placée sous les feux de la rampe alors que l'US Food and Drug Administration (FDA) autorise qu'apparaissent clairement sur les emballages des produits à base d'avoine (y compris les flocons d'avoine, le son d'avoine ou encore la farine d'avoine), la mention suivante : « Un régime alimentaire faible en graisses saturées et en cholestérol et riche en aliments céréaliers complets peut réduire le risque de maladies coronariennes. » En effet, selon nombre d'études, l'avoine diminuerait la teneur en cholestérol du sérum, notamment du « mauvais » cholestérol à l'origine de maladies cardiovasculaires qui, ne l'oublions pas, sont la première cause de mortalité dans les pays industrialisés.

Et la FDA de préciser que cet effet bénéfique serait, en partie, dû à la présence dans l'avoine d'une fibre soluble, le bêta-glucane. Cette découverte fit la une des journaux et, du jour au lendemain, l'avoine – et plus précisément le son d'avoine – devint l'ennemi numéro un du cholestérol. Malheureusement, des travaux complémentaires ont prouvé que le son de blé ne faisait pas autant chuter le taux de cholestérol que le laissaient supposer les premières études et nombre de consommateurs commencèrent à bouder le produit.

Aujourd'hui, l'avoine occupe à nouveau le devant de la scène. En effet, des découvertes récentes semblent confirmer les hypothèses émises par de nombreux scientifiques quant aux bienfaits de cette céréale sur le capital-santé. L'avoine est pauvre en calories, riche en fibres, protéines, magnésium, potassium, zinc, cuivre, manganèse, sélénium, thiamine et acide pantothénique (vitamine B5). L'avoine contient également des phytonutriments, notamment des polyphénols, des phyto-œstrogènes, des lignanes, des inhibiteurs de la protéase et de la vitamine E (plus précisément des tocotriénols et nombre de tocophérols, vitamines liposolubles appartenant à la famille des vitamines E). La synergie de tous ces nutriments augmente les bienfaits de chaque substance prise séparément et fait de l'avoine un super-aliment à part entière. Si l'avoine a le pouvoir de protéger notre capital-santé, sur le plan pratique, elle présente de nombreux avantages. Peu onéreuse, cette céréale est largement commercialisée et peut être consommée de différentes manières – ce qui est important lorsque l'on sait qu'il suffit de manger un bol de flocons d'avoine par jour pour améliorer sa santé.

L'avoine est une excellente source de glucides qui fournissent à l'organisme toute l'énergie dont il a besoin. Elle renferme deux fois plus de protéines que le riz complet tout en étant particulièrement riche en thiamine, en fer, en sélénium et phytonutriments supposés diminuer le risque de développer une maladie coronarienne ou certains types de cancers.

Toutefois, si tous les regards se sont tournés vers l'avoine, c'est parce qu'elle fait – grâce à la présence du bêta-glucane – baisser le taux de cholestérol. Nombre d'études ont prouvé, les unes après les autres, que les personnes qui ont un taux élevé de cholestérol (soit supérieur à 2,2 g/l) et qui ont un apport en bêta-glucane de 3 g/jour (ce qui correspond plus ou moins à un bol de flocons d'avoine) voient leur taux de cholestérol diminuer de 8 à 23 %. Sachant que, lorsque le taux de cholestérol baisse de 1 %, le risque de développer une maladie cardiaque est réduit de 2 %, nul ne peut nier cette découverte.

L'AVOINE ET LE TAUX DE SUCRE DANS LE SANG

C'est en 1913 que les chercheurs évoquent pour la première fois les effets bénéfiques de l'avoine sur le taux de sucre dans le sang mais il faudra attendre ces dernières années pour que soient clairement expliqués certains mécanismes responsables de ce phénomène. La fibre soluble, bêta-glucane, semble non seulement réduire le taux de cholestérol mais également être bénéfique aux patients souffrant de diabète de type II. En effet, ceux qui consomment des flocons d'avoine ou des produits riches en son d'avoine ont un taux de sucre dans le sang plus faible que lorsqu'ils mangent du riz raffiné ou du pain à base de farine blanche. Les fibres solubles empêchent les aliments de franchir trop rapidement la paroi du tube digestif et retardent l'absorption du glucose par l'organisme après un repas – ce qui est capital lorsque l'on sait que le but premier des diabétiques est de stabiliser leur taux de sucre dans le sang. Selon une étude récente parue dans le *Journal of the American Medical Association*, plus l'apport en fibres alimentaires est faible, plus il y a de risques de devenir diabétique. Et les auteurs de conclure : « Ces découvertes nous poussent à penser que nous ne devrions consommer que des céréales complètes ou tout au moins le moins raffinées possible afin de limiter les risques de souffrir de diabète mellitus (ou diabète sucré). » Dans la même étude, les chercheurs ont tenté de définir l'incidence de l'alimentation sur le diabète. Il est apparu que les petits déjeuners à base de céréales entières et de yaourt diminuent les risques de diabète alors que les boissons gazeuses, le pain blanc, le riz blanc, les pommes de terre et notamment les frites ont l'effet inverse. Plus vous mangez de produits raffinés, plus vous risquez d'avoir, un jour ou l'autre, du diabète.

Qu'entend-on par « portion » ?

Ne vous sauvez pas en courant si l'on vous recommande de consommer entre 5 et 7 portions de céréales complètes par jour. En effet, ne vous laissez pas impressionner par ces chiffres à première vue rédhibitoires. Choisissez de préférence des produits à base de céréales complètes particulièrement riches en fibres. Ci-après, quelques exemples de ce que l'on appelle « portion » :

- 1 tranche de pain, 1 petit pain rond ou 1 muffin
- 125 g de céréales, de riz ou de pâtes (aliments cuits)
- 5 ou 6 petits biscuits salés
- 1 pain pita (pain libanais) de 10 cm
- 1 petite tortilla
- 3 galettes de riz ou de maïs
- 1 portion de céréales entières (voir sur l'emballage ce qui correspond à 1 portion).

LES BIENFAITS DES PHYTONUTRIMENTS CONTENUS DANS L'AVOINE

Plusieurs études ont été menées afin d'identifier les phytonutriments contenus dans les graines d'avoine qui, à l'instar des fibres, jouent un rôle crucial dans la prévention de certaines maladies. Les flocons et le son d'avoine sont notamment riches en acide caféique et en acide férulique. Des tests effectués sur des animaux de laboratoire ont prouvé l'efficacité de l'acide férulique dans la prévention du cancer du côlon. En effet, ce puissant antioxydant est capable de détruire les radicaux libres et de protéger l'organisme des effets du dommage oxydatif. Il serait également capable d'inhiber la formation de certaines substances cancérigènes.

Ces caroténoïdes sont beaucoup plus concentrés dans le maïs jaune (maïs doux) que dans le maïs blanc.

Si j'ai choisi de vous présenter dans ce chapitre les effets bénéfiques de l'avoine, sachez que toutes les céréales offrent une multitude de bienfaits thérapeutiques.

L'avoine a deux substituts que je qualifierais de « super-substituts » que vous devez, selon moi, absolument inclure dans votre alimentation : à savoir les graines de lin et le germe de blé. Ces deux aliments sont si riches en nutriments qu'il n'est pas nécessaire d'en consommer d'énormes quantités. Il suffit d'ajouter chaque jour 2 cuillères à soupe de graines de lin moulues et 2 cuillères à soupe de germe de blé à vos céréales pour préserver votre capital-santé.

LES GRAINES DE LIN

Les graines de lin sont des super-substituts qui méritent toute notre attention. En effet, ces petites graines faciles à intégrer dans notre alimentation quotidienne comptent parmi les meilleures sources végétales d'acides gras oméga-3. Pour plus d'informations sur les acides gras oméga-3, reportez-vous au chapitre sur le saumon sauvage.

Les graines de lin sont très riches en fibres, protéines, magnésium, fer et potassium, des nutriments indispensables pour notre capital-santé. Elles ont également une forte teneur en lignanes, des phyto-œstrogènes qui interviennent dans la régulation hormonale et jouent un rôle clé dans la prévention du cancer du sein.

Les graines de lin sont des graines très brillantes, légèrement plus grosses et plus foncées – la couleur varie du rouge foncé au marron – que les graines de sésame. Les graines de lin sont commercialisées moulues ou entières. Si vous optez pour des graines de lin entières, il est fortement conseillé de les moudre dans un robot ou dans un moulin à café. En effet, l'organisme a plus de mal à assimiler les phytonutriments si les graines sont consommées entières. Afin de ne perdre aucun nutriment, écrasez-les juste avant de les consommer. Vous pouvez toutefois en moudre une quantité plus importante que vous conserverez quelques jours au réfrigérateur dans un pot hermétique. Pour ma part, j'achète des graines de lin moulues dans les magasins de produits diététiques que je conserve dans une boîte en plastique au réfrigérateur. Chaque jour, je mets 2 cuillères à soupe de graines de lin moulues dans des flocons d'avoine ou autres céréales, un yaourt ou un dessert lacté. Ajoutez des graines de lin moulues dans la pâte à crêpes, à muffins ou autres biscuits. L'apport nutritionnel recommandé est de 1 à 2 cuillères à soupe par jour de graines de lin moulues – ce qui est supérieur à l'apport en acide alpha-linolénique (acides gras oméga-3) recommandé par l'Institute of Medicine. 2 cuillères à soupe de graines de lin moulues par jour suffisent à couvrir vos besoins quotidiens ; et même si cet apport est légèrement supérieur à l'apport quotidien recommandé, aucune étude à ce jour ne laisse supposer le moindre effet délétère.

Un petit déjeuner complet

Pour bien commencer sa journée : un bol de flocons d'avoine avec du lait chaud, des raisins de Corinthe, des canneberges ou des myrtilles séchées, 2 cuillères à soupe de graines de lin moulues et 2 cuillères à soupe de germe de blé grillé.

En hiver, je mange toujours cette préparation très énergétique au petit déjeuner. En été, je me contente de mélanger des graines de lin, du germe de blé et des baies fraîches dans un yaourt.

LE GERME DE BLÉ

Depuis l'enfance, le germe de blé fait partie de mon alimentation quotidienne et m'apporte tous les bienfaits d'une céréale complète.

Cultivé depuis quelque 6000 ans, le blé était déjà l'aliment de base des chasseurs-cueilleurs. Le germe de blé est recueilli lors de la mouture des graines. N'ayant subi aucun traitement, il est extrêmement riche en éléments nutritifs. 2 cuillères à soupe de germe de blé fournissent à l'organisme seulement 52 calories pour 4 g de protéines, 2 g de fibres, 41 µg de folate, un tiers de l'apport journalier recommandé (AJR) en vitamine E, de la thiamine, du manganèse, du sélénium, de la vitamine B6, du potassium et, en moindre quantité, du fer et du zinc. Le germe de blé tout comme les graines de lin sont riches en acides gras oméga-3 d'origine végétale. 2 cuillères à soupe de germe de blé grillé – la portion quotidienne recommandée – fournissent à l'organisme 100 mg d'acides gras oméga-3.

Le germe de blé contient des phytostérols qui diminuent l'absorption du cholestérol. Selon une étude clinique récente portant sur des volontaires, un peu moins de 6 cuillères à soupe de germe de blé par jour diminueraient l'absorption du cholestérol de 42,8 %.

Ajoutez du germe de blé à vos yaourts et vos céréales (quelles qu'elles soient) mélangées à un liquide chaud ou froid. Mettez du germe de blé dans vos pâtes à crêpes, muffins ou autres biscuits. Quand on connaît les bienfaits que peuvent vous apporter ne serait-ce que 2 cuillères à soupe de germe de blé, comment imaginer que ce produit ne fasse pas encore partie de l'alimentation de base de tout un chacun ?

TOUTE LA VÉRITÉ SUR LES CÉRÉALES COMPLÈTES

Avant de m'étendre sur les effets bénéfiques des céréales complètes sur notre santé, je souhaiterais éclaircir certains points qui expliquent peut-être pourquoi vous avez soigneusement évité d'en consommer jusqu'à ce jour ou pourquoi vous avez toujours acheté des aliments à base de « mauvaises céréales complètes », pauvres en éléments nutritifs.

Il suffit de prononcer le mot « glucides » pour que ce soit la confusion la plus totale dans l'esprit du plus grand nombre. En effet, tout et son contraire a été dit sur les glucides. Montrés du doigt par les adeptes des régimes les plus farfelus, les glucides sont devenus synonymes de prise de poids et mis d'office dans la catégorie des mauvais produits. Aujourd'hui, les produits portant la mention « pauvres en glucides » ou « sans glucides » foisonnent à la plus grande joie des hommes et des femmes qui désirent perdre leurs kilos superflus et qui sont convaincus que les glucides sont leurs pires ennemis. Ce qu'ils ignorent, c'est que tous les glucides ne sont pas à bannir.

Les glucides sont présents dans nombre d'aliments en passant par le sucre, les légumes, les légumineuses et même les céréales. Lorsque vous mettez 1 cuillère à café de sucre dans votre thé, vous fournissez des glucides à votre organisme. Il en va de même lorsque vous mangez une tranche de pain aux céréales. Intuitivement, vous devinez ce qui est bon ou mauvais pour votre santé mais vous ne savez pas toujours l'expliquer. Le but de ce chapitre dédié aux céréales et plus précisément à l'avoine est de vous convaincre que non seulement les glucides – s'entend *les glucides contenus dans les céréales complètes* – ne sont pas nuisibles mais qu'en outre, ils sont indispensables pour vivre longtemps en bonne santé.

Apprendre à lire les étiquettes sur le pain et autres produits à base de céréales

Pour s'assurer qu'un produit est bon pour la santé, deux facteurs doivent être pris en compte :

• les céréales utilisées doivent être des céréales « complètes », qu'il s'agisse de pain, de biscuits salés, de bretzels, de céréales pour le petit déjeuner, etc.

• les « valeurs nutritives » doivent clairement figurer sur l'emballage. La teneur en fibres doit être *au minimum de 3 g par portion de pain ou de céréales*. Si elle est inférieure, mieux vaut ne pas acheter le produit.

Les céréales complètes diminuent les risques de développer une maladie coronarienne ou certains types de cancers, d'avoir une attaque cérébrale, du diabète, de l'hypertension artérielle ou encore de souffrir de diverticulose ou d'ostéoporose. Malgré tout ce que vous avez pu lire ou entendre jusqu'à ce jour, sachez que les glucides ne font pas grossir (à moins que vous vous gaviez – ce qui reste peu probable !). Si les glucides ont la réputation de faire grossir, c'est parce que les glucides que consomme la grande majorité des Occidentaux sont des *glucides raffinés*, notamment sous la forme de biscuits, de beignets et de gâteaux riches en sucre et en graisse, voire en acides gras trans. Ces glucides n'ont rien à voir avec les glucides que sont les céréales complètes. Malheureusement, rares sont les personnes qui font la différence entre les céréales complètes et les céréales raffinées. Alors que les premières *protègent votre capital-santé*, les secondes (pâtes, farine blanche, pain blanc et riz blanc) ont des effets délétères et favorisent le développement de nombreuses maladies, notamment les cancers du colorectum, du pancréas et de l'estomac.

Croyez-moi, si vous consommez exclusivement des céréales complètes, vous serez rapidement rassasié(e) et, de ce fait, vous ne prendrez pas le moindre gramme. Mieux encore : votre capital-santé sera protégé et il est possible que votre espérance de vie augmente.

Avant 1880, la farine blanche n'existait pas. En 1943, les entreprises agroalimentaires ont enrichi les farines blanches en éléments nutritifs – notamment en vitamines B et en fer – qui disparaissaient au cours des différentes phases de transformation. En 1998, les farines blanches sont enrichies en acide folique mais restent pauvres en vitamine E et en phytonutriments. Pour éviter toute carence, *consommez des céréales complètes* !

LES ENTREPRISES AGROALIMENTAIRES À LA PAGE

Certains d'entre vous croient peut-être encore dur comme fer que tous les produits à base de céréales sont à bannir car ce sont des glucides qui font grossir. J'espère très sincèrement qu'à la fin de ce chapitre vous aurez changé d'avis et que vous serez prêt(e) à inclure dans votre alimentation quotidienne des céréales complètes.

D'autres sont convaincus qu'ils consomment suffisamment de céréales complètes car ils achètent des produits qui, comme l'attestent les étiquettes sur les emballages, en contiennent. Sachez toutefois qu'aux États-Unis, 5 % seulement des aliments à base de céréales sont à base de céréales complètes contre 95 % à base de céréales raffinées. Mais dans quels produits trouve-t-on des céréales raffinées ? Dans des produits que vous consommez en pensant qu'ils sont riches en nutriments et, par conséquent, bénéfiques pour la santé. Ne vous laissez pas leurrer par des termes comme « miel et blé », « multi-céréales », « nutri-céréales », « barres de céréales énergétiques », etc. et gardez à l'esprit que, même si la valeur nutritive de ces produits reste correcte, ces appellations ne sont pas une garantie.

Les entreprises agroalimentaires commencent à réagir. Pour preuve : les différentes variétés de pain riches en fibres, à base de farine de soja ou de céréales complètes qui remplissent désormais les rayons des supermarchés et dont on vante les mérites. En choisissant un seul produit à base de céréales complètes, vous contribuez à la protection de votre capital-santé.

QU'EST-CE QU'UNE CÉRÉALE COMPLÈTE ?

Une céréale complète, qu'il s'agisse d'avoine, d'orge, de blé, de boulgour ou de toute autre céréale, contient les trois éléments qui constituent la graine, à savoir :

- Le son : indispensable pour le capital-santé. Cette enveloppe riche en fibres renferme des vitamines B, des minéraux, des oligoéléments, des protéines et autres phytonutriments.
- L'endosperme : couche au milieu de la graine riche en glucides et protéines. Contient une petite quantité de vitamines B.
- Le germe : partie interne de la graine la plus riche en nutriments, notamment en vitamines B et en vitamine E pour ne citer qu'elles.

C'est la synergie de ces trois éléments qui confère à la graine tous ses « pouvoirs » alors que les glucides raffinés dont je vous ai parlé précédemment en sont dénués. Lorsque les céréales sont « raffinées » pour donner de la farine blanche ou du riz blanc, par exemple, le son et le germe et par-delà tous les nutriments, les antioxydants et les phytonutriments qu'ils contiennent disparaissent au profit d'une substance blanche, l'amidon, qui est par rapport aux céréales complètes ce que les sodas sont par rapport aux jus de fruits 100 % naturels. En manger ne vous fera certes pas de mal mais ne vous fera pas non plus du bien !

Les aliments parmi lesquels vous devez choisir pour avoir un apport journalier en fibres égal à 15 g

- Des pétales de blé complet avec des graines de lin entières (250 g) .... 10 g
- 125 g de flocons d'avoine .... 9 g
- Des pétales et du son de blé complet (310 g) .... 8 g
- 2 cuillères à soupe de graines de lin .... 7 g
- 1 tranche de pain de son .... 5 g
- 60 g de son d'avoine (cru, non grillé) .... 4 g
- 2 cuillères à soupe de germe de blé (cru, non grillé) .. 2 g
- 125 g de riz brun cuit .... 2 g
- 125 g de maïs doux cuit .... 2 g

LES CÉRÉALES COMPLÈTES ET VOTRE SANTÉ

Les céréales complètes jouent un rôle crucial dans la protection du capital-santé. Elles fournissent à votre organisme des fibres, des vitamines, des minéraux, des oligoéléments, des phytonutriments et autres nutriments qui travaillent en parfaite synergie. Tous les régimes alimentaires sains et équilibrés prônent une alimentation riche en céréales complètes. Bien que les céréales complètes constituent la base de la plupart des pyramides alimentaires – ce qui prouve à quel point elles sont importantes –, la plupart des Américains ne mangent même pas une portion de céréales complètes par jour. En 1998, un rapport paru dans la revue spécialisée *Nutrition and Cancer* reprend les données de quarante études. La conclusion est sans équivoque : les hommes et les femmes qui consomment régulièrement des céréales complètes ont moins de risques que les autres de développer vingt types de cancers différents.

Pendant neuf années consécutives des chercheurs ont suivi plus de 34 000 femmes ménopausées vivant dans l'Iowa. Ils ont démontré que la consommation de céréales complètes a des effets bénéfiques sur le cœur. Il est ressorti de cette étude que les femmes qui mangent chaque jour une portion ou plus d'aliments à base de céréales complètes ont un taux de mortalité de 14 à 19 % inférieur au taux de mortalité de celles qui n'en consomment jamais. Qu'attendons-nous pour abandonner les céréales raffinées au profit des céréales complètes ? Si nous changions nos habitudes alimentaires, nous serions en bien meilleure forme. L'avoine diminue le taux de cholestérol, stabilise le taux de sucre dans le sang, protège contre les maladies coronariennes et certains types de cancers. Les chercheurs n'ont pas fini de se pencher sur les céréales qui, probablement, nous réservent encore bien des surprises.

Plus votre apport en vitamine E – puisée dans les aliments et non sous la forme de compléments nutritionnels – est élevé, moins vous avez de risques d'être frappé(e) par une attaque cérébrale. Or, les céréales complètes et les fruits à écale sont extrêmement riches en vitamine E.

La consommation de céréales complètes et la baisse du risque d'avoir une attaque cérébrale sont intimement liées. Avec moins de 8 % des adultes qui consomment plus de 3 portions de céréales par jour, il est clair qu'ils passent à côté de quelque chose de primordial.

Lorsqu'on sait qu'aux États-Unis, les attaques cérébrales comptent parmi les premières causes de décès et de handicaps lourds avec environ 700 000 cas par an, essayer de convaincre la population de consommer chaque jour ces super-aliments que sont l'avoine et les autres céréales complètes vaut grandement la peine.

Une étude parue dans le *Journal of the American Medical Association* a révélé que les jeunes adultes qui ont l'apport en fibres le plus élevé ont une tension artérielle diastolique faible. Or, l'hypertension artérielle est incontestablement le facteur de risque le plus important lorsque l'on parle d'attaque cérébrale. Les chercheurs estiment que, lorsque la tension artérielle diastolique baisse de 2 mm, les risques d'hypertension diminuent de 17 % et les risques d'attaque cérébrale de 15 %. Gardons à l'esprit que les céréales complètes contribuent à la diminution de la tension artérielle.

Les céréales complètes jouent également un rôle dans la prévention des maladies coronariennes.

Les céréales complètes renferment du folate qui favorise la diminution des taux d'homocystéine dans le sérum. Or, un taux élevé d'homocystéine augmente considérablement les risques de souffrir d'une maladie coronarienne précoce ou de troubles cérébro-vasculaires.

Bienvenue dans le vaste monde des céréales complètes

Parmi toutes les céréales complètes, l'avoine est le super-aliment n° 1, et ce pour plusieurs raisons. Cette céréale qui, on l'a vu, protège le capital-santé est, d'une part, largement commercialisée et, d'autre part, facile à intégrer dans le régime alimentaire. Toutefois, d'autres céréales complètes ont des propriétés similaires. Vous trouverez ci-après quelques céréales qui vous permettront de varier votre alimentation et de profiter de la synergie de nombre de nutriments :

Céréales complètes et teneur en fibres	*1 portion = 60 g*
Orge	8,0 g
Amarante	7,4 g
Son de blé (cru ou non grillé)	6,5 g
Seigle	6,2 g
Sarrasin	4,3 g
Germe de blé (cru ou non grillé)	3,8 g
Quinoa	2,5 g
Riz sauvage	1,5 g
Millet	1,5 g
Riz brun	0,9 g
Riz blanc enrichi	0,2 g

Acheter et cuisiner des céréales complètes

La demande pour les céréales complètes ne cessant d'augmenter, les supermarchés ont trouvé là un nouveau créneau. Si les céréales sont vendues en vrac, assurez-vous que le magasin écoule rapidement ses stocks et que les produits sont de première qualité. Les récipients contenant les différentes céréales doivent être propres et fermés hermétiquement.

Chez vous, conservez les céréales complètes dans un récipient hermétique à l'abri de la chaleur (si possible au réfrigérateur). L'avoine, par exemple, renferme beaucoup plus de lipides qu'on le croit, et si les grains restent trop longtemps à température ambiante, ils rancissent.

Pour accélérer la cuisson, laissez tremper au préalable les céréales dans de l'eau froide.

En règle générale, les céréales ont plus de saveur lorsqu'elles sont légèrement grillées. Mettez-les à feu doux dans une poêle antiadhésive. Retirez-les du feu dès qu'elles sont légèrement dorées et dégagent une odeur agréable.

Les céréales cuites se conservent au réfrigérateur pendant deux ou trois jours. Elles peuvent également être congelées en petites portions individuelles que vous utiliserez dans une soupe, un ragoût ou une salade composée.

Ci-après, quelques idées pour augmenter votre consommation de céréales :

- N'achetez que du pain aux céréales complètes.
- Remplacez le riz blanc par du riz brun (riz complet).
- Achetez des biscuits salés à base de céréales complètes.
- Lisez attentivement les étiquettes sur les paquets de céréales que vous consommez au petit déjeuner. Bannissez les produits raffinés particulièrement riches en sucres.
- Pour vos sandwiches, utilisez du pain complet.
- Mettez de l'avoine dans les farces, boulettes de viande et pâtés à la viande.
- Pour accompagner les viandes et les poissons, laissez-vous tenter par des céréales complètes « exotiques » comme le quinoa.
- Essayez les nouilles japonaises à base de farine de sarrasin que vous pouvez manger chaudes dans une soupe ou froides avec une sauce au sésame.

DESSERT À LA POMME ET À L'AVOINE
Pour 8 à 10 personnes

8 grosses pommes Granny Smith, épépinées et coupées en lamelles (mais non épluchées)
375 g de flocons d'avoine
125 g de cassonade
180 g de noix concassées
1 cuillère à café de sucre
50 g de beurre ramolli
3 cuillères à soupe de lait de soja

Disposez les pommes coupées en lamelles dans un plat allant au four. Dans un saladier, mélangez tous les ingrédients secs avec une fourchette. Coupez le beurre en petits morceaux et incorporez-le au mélange. Versez petit à petit le lait de soja sans cesser de remuer jusqu'à obtention d'une pâte friable. Mettez la pâte sur les pommes et couvrez avec du papier sulfurisé. Laissez cuire au four à 180°C pendant 45 mn. Retirez le papier sulfurisé et remettez au four jusqu'à ce que des petites bulles se forment dans le fond du plat. Servez avec un yaourt frais ou de la glace, ou mangez tel quel.

Les oranges

LES SUBSTITUTS : les citrons, les pamplemousses blancs et roses, les kumquats, les tangerines et les citrons verts.
APPORT NUTRITIONNEL RECOMMANDÉ : 1 portion par jour.

L'orange renferme :
- De la vitamine C
- Des fibres
- Du folate
- Du limonène
- Du potassium
- Des polyphénols
- De la pectine

Nombre d'entre vous s'étonneront de voir que l'orange figure sur la liste des super-aliments. En effet, longtemps vantée pour sa teneur en vitamine C, l'orange est un fruit juteux, au goût agréable, auquel on ne prête pratiquement plus d'attention même s'il est présent dans la plupart des foyers. Qui aujourd'hui s'émerveille encore à la vue d'une orange dans une soucoupe de fruits ? Heureusement, des études récentes ont remis les oranges – et les agrumes en général – sur le devant de la scène en révélant le rôle crucial que peuvent jouer ces fruits dans la prévention de nombre de pathologies, y compris les troubles cardiaques, certains cancers, les attaques cérébrales, le diabète et diverses maladies chroniques.

Cultivé en Asie depuis plus de 4000 ans, l'oranger donne des fruits juteux, sucrés et acidulés. À la fin du xve siècle, Christophe Colomb emporte lors de l'une de ses expéditions des graines qu'il plantera dans les îles des Caraïbes. Au xvie siècle, les explorateurs espagnols cultivent des orangers en Floride. Environ deux siècles plus tard, les missionnaires espagnols plantent les premiers orangers en Californie. Aujourd'hui, la Floride et la Californie sont les deux premiers producteurs d'oranges aux États-Unis.

LES MARINS DE SA MAJESTÉ SAUVÉS DU SCORBUT

Nous savons tous qu'à l'époque des grandes explorations, les marins de la flotte britannique ont échappé à la mort grâce aux citrons verts et plus précisément à la vitamine C contenue dans ces fruits. Cette histoire prouve, une nouvelle fois, à quel point l'alimentation joue un rôle crucial dans la protection du capital-santé. Aux xve et xvie siècles, les marins parcourent les mers et les océans durant des mois, voire des années. Nombre d'entre eux meurent alors qu'*a priori* ils mangent à leur faim. Dans les années 1490, l'explorateur portugais Vasco de Gama voit la moitié de son équipage mourir du scorbut alors qu'il tente de doubler pour la première fois le cap de Bonne-Espérance. Ce n'est que vers le milieu du xviiie siècle que James Lind, un chirurgien britannique embarqué sur l'un des navires de Sa Majesté, découvre que les marins qui mangent une ration d'agrumes, notamment de citrons, de citrons verts et d'oranges, par jour ne sont pas atteints par le scorbut. À partir de ce jour, plus aucun marin britannique ne décédera de cette maladie.

Mais pourquoi reparler de cette histoire ancienne aujourd'-hui ? Tout simplement parce que 20 à 30 % des Américains d'âge adulte ont des taux aléatoires de vitamine C dans le sang et que 16 % de cette même population affichent un déficit d'apport en vitamine C. Les humains ne synthétisent pas naturellement la vitamine C. Soluble dans l'eau, cette vitamine n'est pas stockée dans l'organisme – ce qui explique qu'il faille constamment consommer des aliments qui en contiennent afin que le taux à l'intérieur des cellules et dans le sang reste stable. Des études ont prouvé qu'aux États-Unis, nombre d'enfants ne consomment pas suffisamment d'aliments riches en vitamine C. L'apport journalier recommandé (AJR) par les autorités sanitaires américaines est de 90 mg par jour pour les hommes et de 75 mg par jour pour les femmes – ce qui, à mon sens, est insuffisant. Je pense, en effet, que pour un adulte l'apport nutritionnel quotidien devrait être au minimum égal à 350 mg ; or, près d'un tiers de la population américaine consomme *moins de* 60 mg de vitamine C par jour.

Comment expliquer que dans une société où la nourriture est en surabondance autant de personnes puissent avoir des carences en vitamine C ? Si nous n'entendons plus aujourd'hui parler du scorbut lié à une carence en vitamine C, nous assistons à une recrudescence de certaines pathologies, notamment les maladies coronariennes, l'hypertension artérielle et le cancer liés à un déficit d'apport en vitamine C.

Or, la vitamine C mais aussi les autres éléments nutritifs contenus dans les agrumes peuvent incontestablement nous aider à lutter contre ces maladies chroniques. Qu'attendons-nous alors pour réagir ?

> Les réserves en vitamine C dans l'organisme sont très rapidement épuisées. Il faut donc, jour après jour, consommer des aliments riches en vitamine C.

Au cours des vingt dernières années, l'apport quotidien en vitamine C n'a cessé de diminuer, et ce pour des raisons souvent inexpliquées. L'une des hypothèses avancées serait que beaucoup – si ce n'est la majorité – des consommateurs ont abandonné le jus d'orange 100 % naturel au profit de jus à base de concentré d'orange. Lorsque l'on sait que le jus d'orange est, dans notre alimentation de tous les jours, la première source de vitamine C et que le produit 100 % naturel est celui qui offre la plus haute teneur en vitamine C, on comprend que certaines personnes souffrent de déficit d'apport.

En règle générale, nous ne mangeons pas suffisamment d'aliments riches en vitamine C pour couvrir les besoins de notre organisme. Nous devons donc être particulièrement vigilants quant à notre consommation d'oranges et de jus d'orange, sources de vitamine C mais aussi d'autres éléments nutritifs qui nous aident à lutter contre les effets du vieillissement et nombre de pathologies. J'incite mes patients à augmenter leur consommation d'agrumes et j'insiste sur le fait qu'un déficit d'apport en vitamine C est souvent associée à de nombreuses causes de mortalité, notamment le cancer et les maladies cardiovasculaires. Il suffit de manger une orange navel par jour (soit 64 calories) pour couvrir 24 % des 350 mg de vitamine C que je préconise au quotidien (ou 92 % de l'apport nutritionnel recommandé par les autorités sanitaires américaines pour les hommes contre 110 % pour les femmes). Comme vous pouvez le voir ci-après, seul un nombre limité de fruits et de légumes sont aussi riches en vitamine C :

Légumes	Teneur en vitamine C (en milligrammes)
1 gros poivron jaune	341
1 gros poivron rouge	312
1 gros poivron orange	238
1 gros poivron vert	132
250 g de brocolis crus coupés en morceaux	79

Fruits	Teneur en vitamine C (en milligrammes)
250 g de fraises coupées en lamelles	97
250 g de papayes coupées en cubes	87
1 orange navel	83
1 kiwi de grosseur moyenne	70

Jus de fruits	Teneur en vitamine C (en milligrammes)
200 ml de jus de myrtille (ou substitut)	350
200 ml de jus d'orange pressée	124
200 ml de jus d'orange concentrée surgelé	97

Parmi tous les aliments sources de vitamine C que consomment les Américains, le jus d'orange arrive en tête de liste. Les adultes qui ont un apport suffisant en vitamine C mangent plus de 1 portion par jour de fruits ou de légumes riches en vitamine C.

LE POUVOIR DES FLAVONOÏDES

Les flavonoïdes sont une sous-classe de polyphénols présente dans les fruits, les légumes, les légumineuses, les fruits à écale, les graines, les céréales, le thé et le vin. Plus de cinq mille flavonoïdes ont déjà été identifiés mais les scientifiques poursuivent leurs recherches qui débouchent chaque jour sur de nouvelles informations. Les effets bénéfiques des agrumes sur la santé sont, en partie, dus à la présence de flavonoïdes dans l'écorce, la peau blanche à l'intérieur du fruit, le jus et la pulpe – vous comprenez maintenant pourquoi les fruits sont meilleurs pour la santé que les jus de fruits. Seuls quelques rares végétaux renferment de la naringine et de l'hespéridine, deux flavonoïdes respectivement présents dans le pamplemousse et l'orange. Les flavonoïdes contenus dans les agrumes ont des propriétés antioxydantes et antimutagènes, c'est-à-dire qu'ils ralentissent, voire empêchent la mutation des cellules à l'origine des premières étapes du développement d'un cancer et de certaines maladies chroniques. Par ailleurs, les flavonoïdes sont capables d'absorber la lumière ultraviolette, de protéger l'ADN et ainsi de lutter contre les carcinogènes.

Ils inhibent la croissance des cellules cancéreuses, tonifient les vaisseaux capillaires, ont des propriétés anti-inflammatoires, antiallergiques et antimicrobiennes. Plus l'apport en flavonoïdes est élevé, plus le risque d'avoir une crise cardiaque, une attaque cérébrale ou une multitude d'autres maladies est réduit.

La rutine, flavonoïde présent dans les agrumes (et les cassis), est connue pour ses propriétés anti-inflammatoires et anti-virales. Elle augmente la résistance des parois des vaisseaux capillaires qui, au fil des ans, se fragilisent.

LES ORANGES ET LE SYSTÈME CARDIOVASCULAIRE

Les scientifiques sont unanimes : manger une orange par jour a des effets bénéfiques sur le système cardiovasculaire. Selon l'étude de Framingham (voir p. 11), boire un verre de jus d'orange par jour diminue d'environ 25 % le risque d'avoir une attaque cérébrale : observation confirmée par plusieurs études portant sur d'autres agrumes. Comme pour nombre de super-aliments, les chercheurs s'accordent à dire que c'est la synergie entre différents aliments et les éléments nutritifs contenus dans chacun d'eux qui augmente et met en exergue les bienfaits de chaque aliment pris séparément.

Par exemple, les oranges sont riches en vitamine C. Or, elles renferment également des flavonoïdes – notamment de l'hespéridine – qui renforce l'activité de la vitamine C. Une étude clinique a, par ailleurs, montré que le jus d'orange augmente le taux de « bon » cholestérol et, parallèlement, diminue le taux de « mauvais » cholestérol.

La pectine est une fibre alimentaire particulièrement concentrée dans la peau blanche à l'intérieur des agrumes appelée « albédo » ou « mésocarpe ». La pectine réduit le taux de cholestérol dans le sang. Lorsque j'épluche une orange ou une tangerine, je laisse toujours la peau blanche et un peu de peau orange riche en limonène.

Les fibres contenues dans les oranges ont également des effets bénéfiques sur le cœur. Les agrumes et plus particulièrement les tangerines sont très riches en pectine, une fibre alimentaire connue pour diminuer le taux de cholestérol et stabiliser le taux de sucre dans le sang. Une orange fournit à l'organisme 3 grammes de fibres – ce qui n'est pas négligeable lorsque l'on sait que les fibres alimentaires contribuent à la préservation du capital-santé. Environ 35 % des Américains ne consomment des agrumes que sous la forme de jus de fruits. S'ils mangeaient les fruits en entier, leur apport en fibres serait considérablement augmenté.

Les effets bénéfiques de la pulpe sur la santé

La peau et le jus contiennent respectivement deux fois et dix fois moins de vitamine C que la pulpe. Un conseil : mangez la pulpe des agrumes et achetez des jus de fruits 100 % naturels.

Les oranges renferment du folate qui diminue les risques de maladies cardiovasculaires. Le folate ou vitamine B9 prend le nom d'« acide folique » sous la forme synthétisée que l'on retrouve dans les compléments nutritionnels et les aliments enrichis. Selon plusieurs études scientifiques, l'apport quotidien en acide folique est, pour la majorité d'entre nous, inférieur à l'apport journalier recommandé par les autorités sanitaires et nombre de personnes souffrent de carences plus ou moins importantes. J'en profite pour souligner que la carence en acide folique est l'une des carences vitaminiques les plus répandues dans le monde – ce qui est très inquiétant lorsque l'on connaît les bienfaits de cette substance sur l'organisme. Le folate puisé dans les aliments empêche la mutation de l'ADN et protège contre les maladies cardiovasculaires, les cancers du côlon, du col de l'utérus et vraisemblablement du sein.

Le folate diminue également le taux d'homocystéine dans le sang. Cet acide aminé soufré introduit dans l'organisme par les protéines d'origine alimentaire (les protéines végétales sont plus riches en homocystéine que les protéines animales) favorise le développement des maladies coronariennes et les problèmes vasculaires au niveau de l'œil. Selon une étude réalisée par des chercheurs d'Harvard, les hommes ayant un taux d'homocystéine relativement élevé ont trois fois plus de risques d'avoir une crise cardiaque que ceux ayant un taux normal. En 2002, une étude en grande partie financée par le gouvernement américain a mis en évidence que plus l'apport en folate est important, plus le risque d'avoir une crise cardiaque ou une attaque cérébro-vasculaire est faible.

La synergie entre le folate et les vitamines B, notamment les vitamines B12 et B6 favoriserait l'élimination de l'homocystéine du système circulatoire. L'homocystéine endommage les vaisseaux sanguins et favorise les maladies coronariennes précoces et les attaques cérébrales. Par ailleurs, il semblerait qu'un apport en folate améliore le système cardiovasculaire des personnes souffrant d'une maladie cardiaque.

Lorsque l'apport en vitamine C est insuffisant, les risques de fractures de la hanche sont plus importants.

LES ORANGES ET LE CANCER

Des chercheurs ont récemment démontré que les oranges peuvent jouer un rôle crucial dans la prévention du cancer. Nous savons, par exemple, que le régime méditerranéen très riche en agrumes réduit considérablement les risques de développer un cancer du sein, du poumon, du pancréas, du côlon, du rectum ou du col de l'utérus. En effet, les agrumes – peut-être plus que tout autre aliment – renferment une multitude d'agents anticancérigènes. Si on se réfère au National Cancer Institute, les oranges sont des inhibiteurs du cancer par excellence. Comme vous pouvez vous en douter, les propriétés anticancérigènes des agrumes sont d'autant plus importantes que vous mangez le fruit en entier car, une fois encore, l'association des différents composés accentue les bienfaits de chacun d'eux pris individuellement. La pectine qui protège le système cardiovasculaire a également des propriétés anticancéreuses. Cette fibre soluble renferme des substances qui luttent contre les facteurs de croissance des tumeurs et qui pourraient même (mais cela doit être confirmé par des études complémentaires) empêcher les tumeurs de se développer. Des études menées sur des animaux de laboratoire ont montré que la pectine inhibe les métastases des cancers de la prostate et du mélanome.

Appel aux consommateurs

Exigez des professionnels de l'agroalimentaire qu'ils ne fabriquent que des jus de fruits riches en pulpe et de la limonade riche en limonène (substance concentrée dans l'écorce du citron).

Très récemment, les chercheurs se sont intéressés au limonène, un phytonutriment aux multiples bienfaits pour la santé. L'huile essentielle contenue dans la peau des oranges, des mandarines, des citrons et des citrons verts est particulièrement riche en limonène. Malheureusement, nous profitons peu des bienfaits de cette substance dans la mesure où nous épluchons les agrumes avant de les manger. Heureusement, la pulpe en contient également mais en plus faible quantité. Le limonène stimule l'activité des enzymes antioxydantes et empêche le développement, voire la formation des cellules cancéreuses. Savoir qu'une substance chimiopréventive naturellement présente dans les aliments peut nous protéger dès les toutes premières phases de la carcinogenèse est on ne peut plus rassurant. Le limonène réduit également l'activité des protéines favorisant le développement des cellules au comportement anormal. Des tests effectués sur des animaux de laboratoire ont montré que le limonène ralentit puis stoppe la prolifération délétère des cellules cancéreuses et fait même régresser les tumeurs. Selon une étude clinique réalisée en Arizona, les personnes qui parfument leurs mets avec des zestes d'agrumes ont 50 % de risques en moins de développer un carcinome squameux. Les chercheurs ont observé depuis longtemps que les populations méditerranéennes sont moins touchées par certains cancers : phénomène qu'ils expliquent aujourd'hui par une consommation régulière du zeste des agrumes. Protégez-vous et essayez la recette p. 97 très riche en limonène. Le jus d'orange contient du limonène mais beaucoup moins que la peau d'orange ; c'est pourquoi je vous recommande de presser des oranges fraîches afin d'extraire le maximum de limonène et bénéficier des autres nutriments. Le jus d'orange avec de la pulpe contient 8 à 10 % de limonène en plus que le jus d'orange sans pulpe.

La peau des agrumes est riche en éléments nutritifs. Si vous mangez la peau des agrumes, lavez-la soigneusement avec de l'eau chaude et un peu de savon liquide ou, mieux, achetez des agrumes bio. Chez certains sujets, le limonène contenu dans la peau des agrumes peut donner lieu à une dermatite de contact.

La vitamine C, très abondante dans les oranges, joue un rôle actif dans la prévention de certains cancers. En fait, plus l'apport en vitamine C est important, plus le risque de développer un cancer de l'estomac, de la cavité buccale ou de l'œsophage est faible – ce qui se comprend aisément dans la mesure où la vitamine C protège l'organisme des nitrosamines, agents cancérigènes présents dans les aliments supposés être à l'origine des cancers de la bouche, de l'estomac et du côlon. Une étude portant sur des hommes de nationalité suisse a montré que les sujets qui mouraient des suites d'un cancer avaient dans l'organisme un taux de vitamine C inférieur d'environ 10 % au taux enregistré chez les personnes dont le décès avait une autre cause.

La pectine alimentaire diminue l'absorption du glucose et, par conséquent, la production d'insuline chez les personnes atteintes de diabète de type II, maladie en recrudescence dans les pays développés. La pectine contribue à stabiliser les taux de sucre dans le sang.

LES AGRUMES ET LES ACCIDENTS CÉRÉBRO-VASCULAIRES

Les agrumes offriraient une protection contre les attaques cérébrales. Dans une étude de suivi américaine visant à mettre en évidence la corrélation existant entre les fruits et les légumes et la diminution du risque d'avoir une attaque cérébrale, les agrumes et les jus d'agrumes ont remporté un franc succès. Un verre de jus d'orange par jour diminuerait le risque d'être frappé par une attaque cérébrale de 25 % chez les hommes en bonne santé contre seulement 11 % pour les jus à base d'autres fruits. Par ailleurs, la vitamine C administrée sous la forme de complément nutritionnel serait *beaucoup moins* bénéfique pour ce qui est de la prévention des attaques cérébrales que la vitamine C puisée dans les aliments – ce qui laisse à penser que d'autres composés présents dans les fruits interviennent à ce niveau. L'hypothèse avancée par les chercheurs est que ce sont les polyphénols contenus dans les agrumes qui font toute la différence. Une autre raison qui doit nous pousser à manger des agrumes ! *A contrario*, la vitamine C administrée sous la forme de complément nutritionnel à raison de 350 à 400 mg par jour sur une période de dix ans au minimum semble considérablement diminuer les risques de développer une cataracte. (Un exemple qui prouve l'efficacité de la supplémentation).

LA SUPPLÉMENTATION EN VITAMINE C

Pour ma part, je préfère consommer des aliments naturellement riches en nutriments plutôt que d'avoir recours à des compléments nutritionnels. Toutefois, dans la mesure où même les adultes qui mangent 5 portions de fruits et de légumes par jour ont un apport en vitamine C souvent inférieur à 100 mg – ce qui est, certes, supérieur à l'apport quotidien recommandé par les autorités sanitaires mais en deçà des 350 mg, que je préconise – je comprends parfaitement que vous ayez recours à une supplémentation si vous le jugez nécessaire. Si l'organisme est incapable de faire la différence entre la vitamine C présente dans les aliments et l'acide ascorbique fabriqué en laboratoire, n'oubliez pas que les effets bénéfiques de la vitamine C sont accentués par les polyphénols (bioflavonoïdes). De ce fait, si vous optez pour une supplémentation, choisissez de l'acide ascorbique avec des bioflavonoïdes ajoutés qui aura de meilleurs pouvoirs antioxydants. L'organisme ne peut pas absorber une trop forte quantité de vitamine C à la fois, c'est pourquoi mieux vaut prendre une supplémentation de 250 mg le matin et une autre de 250 mg l'après-midi qu'une supplémentation de 500 mg ou de 1 g en une seule prise. Attention à ne pas dépasser la dose maximale de 2 g par jour définie par les autorités sanitaires. Selon moi, une supplémentation quotidienne de 1 g est amplement suffisante voire excessive pour augmenter les bienfaits de la vitamine C sur notre capital-santé.

Appel aux consommateurs

Faites pression auprès des laboratoires pharmaceutiques afin qu'ils fabriquent des compléments nutritionnels en vitamine C enrichis en bioflavonoïdes de 100 à 250 mg. En effet, la plupart des marques ne proposent que des doses comprises entre 500 mg et 1 g.

LES ORANGES DANS LA CUISINE

Les agrumes tout comme les cerises, les raisins et dix autres fruits ne mûrissent pas après la récolte. Par ailleurs, ce n'est pas parce que la peau des fruits est orange vif ou rouge que le fruit est mûr. La peau des oranges est souvent colorée artificiellement afin d'attirer les consommateurs. Par ailleurs, les petites taches vertes parfois visibles sur la peau des oranges ne veulent pas dire que les fruits sont abîmés.

Plus il est lourd et petit (et plus la peau est fine), plus le fruit est juteux. Pour extraire le maximum de jus d'une orange ou d'un citron, laissez le fruit à température ambiante et faites-le rouler sur une surface lisse en appuyant légèrement dessus.

Les oranges se conservent soit dans le bac à légumes du réfrigérateur, soit à température ambiante pendant environ deux semaines. Ne les mettez pas dans des sacs en plastique car elles pourriront.

La teneur en vitamine C dans 150 ml de jus d'orange peut varier de 80 à 140 mg environ en fonction de la variété, de la maturité, du pressurage et du mode de transport vers les centres de distribution. La chaleur – y compris la pasteurisation – détruit une partie des éléments nutritifs contenus dans le jus. Avant d'acheter une bouteille de jus de fruits, vérifiez la date de péremption. Le jus de fruits doit être consommé dans les deux à quatre semaines suivant l'ouverture de la bouteille. Au moment du pressurage, la teneur en vitamine C – et autres éléments nutritifs – diminue considérablement. Toutefois, le jus est si riche en vitamine C que, tant qu'il est frais, il couvre les besoins de l'organisme. Pour augmenter la teneur en vitamine C, versez le jus d'un citron dans la bouteille entamée.

Lisez attentivement les étiquettes car certains jus de fruits contiennent plus de sucre ou de sirop de maïs que de jus. N'achetez que des jus de fruits 100 % naturels.

Dans le tableau ci-après, comparez la teneur en nutriments de deux substituts de l'orange, à savoir le pamplemousse blanc et le pamplemousse rose :

	1/2 pamplemousse blanc	1/2 pamplemousse rose
Calories	39	37
Vitamine C	39 mg	47 mg
Potassium	175 mg	159 mg
Lycopène	0	1,8 mg
Bêta-carotène	des traces	0,7 mg
Bêta-cryptoxanthine	0	des traces
Lutéine/zéaxanthine	0	des traces
Alpha-carotène	des traces	des traces
Flavonoïdes	présents	présents

Le jus de pamplemousse augmente la biodisponibilité de certaines substances médicamenteuses du fait de la présence de l'un des flavonoïdes – probablement la naringine. Si vous suivez un traitement, assurez-vous auprès de votre médecin traitant que le jus de pamplemousse ne peut pas interférer avec les médicaments prescrits.

Si les fruits sont les sources les plus riches en nutriments, ne négligez pas les produits dérivés, notamment les marmelades et les confitures d'agrumes. En effet, à l'instar de la plupart des antioxydants et des liminoïdes, les flavonoïdes contenus dans les agrumes qui, on l'a vu, tonifient les capillaires et accentuent les effets de la vitamine C ne sont pas détruits lors des différentes étapes de la fabrication de la confiture ou de la marmelade. Par ailleurs, la pectine – fibre soluble présente dans les agrumes qui fait que la confiture « prend » – diminue le taux de « mauvais » cholestérol dans le sang. Dans la mesure du possible, étalez sur vos tartines de la confiture plutôt que du beurre !

Quelques conseils qui vous permettront d'augmenter votre consommation d'agrumes :

• Mangez une orange, une tangerine ou une clémentine par jour.

• Dans une salade d'épinards et d'oignons rouges, ajoutez quelques quartiers de mandarine.

• Coupez un pamplemousse en deux et saupoudrez chaque moitié de cassonade. Faites dorer au gril.

• Mettez du jus d'orange dans les desserts lactés.

• Congelez des zestes d'orange et de citron que vous utiliserez dans des gâteaux, muffins ou boissons afin d'ajouter des nutriments et donner du goût à vos préparations. Râpez un zeste de citron ou d'orange et saupoudrez les yaourts, les salades de fruits ou même une salade de poulet. Ajoutez un zeste de citron dans votre tasse de thé. Le jus des agrumes parfume merveilleusement les plats de volaille et de poisson.

• Avant de disputer un match ou de faire de la gymnastique, mangez une orange afin de fournir à votre organisme des antioxydants et de la vitamine C. Après avoir fait du sport, désaltérez-vous avec du jus d'orange.

Les kumquats sont les plus petits des agrumes. J'ai la chance d'avoir deux petits arbustes dans mon jardin et, lorsque les fruits sont mûrs, j'en mange un ou deux chaque jour. La chair et l'écorce sont riches en phytonutriments. Les kumquats se récoltent au début de l'hiver. Pincez légèrement le fruit entre vos doigts avant de le manger afin d'extraire le maximum de jus. Si ce n'est déjà fait, découvrez son goût à la fois sucré et légèrement acidulé.

Alors qu'elle voulait utiliser le zeste d'un citron, une Canadienne a emprunté un rabot à son mari. La râpe à zeste était née. Râpez le zeste de vos citrons et autres agrumes et conservez-les dans des petits sacs en plastique stockés dans le congélateur. Vous les aurez toujours à portée de la main pour donner de la saveur à vos mets. Pour râper le zeste des agrumes, vous pouvez également utiliser une râpe à fromage à grille fine.

MUFFINS À L'ORANGE, À L'AVOINE ET AUX GRAINES DE LIN
Pour 24 muffins

375 g de son d'avoine
250 g de farine ménagère
250 g de graines de lin moulues
250 g de son naturel
1 cuillère à soupe de levure chimique
1/2 cuillère à café de sel
2 oranges lavées, coupées en quartiers et épépinées
180 g de cassonade
200 ml de babeurre
100 ml d'huile de canola
2 œufs
1 cuillère à café de bicarbonate de soude
375 g de raisins de Corinthe ou de pépites de chocolat blanc

Dans un grand saladier, mélangez le son d'avoine, la farine, les graines de lin, le son naturel, la levure chimique et le sel. Réservez. Dans un mixer, mélangez les oranges, la cassonade, le babeurre, l'huile de canola, les œufs et le bicarbonate de soude jusqu'à obtention d'une préparation lisse que vous verserez sur les ingrédients secs. Mélangez soigneusement puis ajoutez les raisins de Corinthe ou les pépites de chocolat. Mettez du papier aluminium dans les moules à muffin et versez dans chacun d'eux la préparation jusqu'en haut du moule. Faites cuire au four à 200°C pendant 18 à 20 mn. Vérifiez la cuisson à l'aide d'un cure-dent qui doit ressortir bien sec. Laissez refroidir 5 mn environ puis démoulez et laissez refroidir sur une plaque métallique.

BOISSON À L'ORANGE : IDÉALE POUR ÉTANCHER SA SOIF
Pour 12 verres de 150 ml

500 ml d'eau
250 g de sucre (ou moins si vous n'aimez pas les boissons sucrées)
2 cuillères à soupe de zeste d'orange
2 cuillères à soupe de zeste de citron
300 ml de jus d'orange frais, soit environ le jus de 5 oranges
300 ml de jus de citron, soit environ le jus de 8 citrons
De l'eau
Des glaçons
Des rondelles d'agrumes (facultatif)

Dans une casserole de taille moyenne, versez l'eau et le sucre. Faites chauffer à feu modéré en remuant de temps à autre avec une spatule jusqu'à ce que le sucre soit dissous. Retirez du feu et laissez refroidir. Versez les zestes et les jus d'orange et de citron dans l'eau sucrée. Couvrez et laissez reposer à température ambiante pendant 1 h. Puis conservez au réfrigérateur dans un récipient fermé jusqu'au moment de servir.

Versez la préparation dans des verres jusqu'à mi-hauteur. Complétez avec de l'eau. Servez avec des glaçons et des rondelles d'agrumes.

Les potirons

LES SUBSTITUTS : les carottes, les courges musquées, les patates douces et les poivrons orange.

APPORT NUTRITIONNEL RECOMMANDÉ : 125 g plusieurs fois par semaine.

Les potirons renferment :

- De l'alpha-carotène
- Du bêta-carotène
- Beaucoup de fibres
- Peu de calories
- Des vitamines C et E
- Du potassium
- Du magnésium
- De l'acide pantothénique

« Mais pourquoi manger des potirons ? » me demandent mes patients interloqués de voir ces plantes potagères figurer parmi les super-aliments. En effet, la majorité d'entre eux achètent des potirons pour célébrer Halloween et les jettent dès que la fête est terminée. Une fois par an, pour Thanksgiving, ils dégustent la traditionnelle tarte au potiron et, le reste de l'année, ils oublient de consommer ce fruit (eh oui ! les potirons sont des fruits et non des légumes qui comme les melons font partie de la famille des cucurbitacées) particulièrement riche en nutriments.

Pourtant, les potirons présentent de nombreux avantages. Ces fruits utilisés dans nombre de recettes sont très riches en fibres, pauvres en calories et sont commercialisés dans la majorité des magasins à un prix très modique. Que dire de plus pour vous convaincre que les potirons ont tout à fait leur place parmi les super-aliments ?

Les Amérindiens appréciaient les bienfaits des potirons dont ils consommaient la chair (crue, cuite ou séchée) et les graines (utilisées comme remèdes). Lorsque les pèlerins britanniques arrivent aux États-Unis en décembre 1620, les Indiens leur donnent des graines de maïs à planter afin qu'ils aient de quoi survivre. L'année suivante, la récolte est bonne et les pèlerins célèbrent la moisson avec les Indiens. Depuis lors, le dernier jeudi du mois de novembre, les Américains fêtent Thanksgiving et dégustent une dinde accompagnée de sauce d'airelle et une tarte au potiron. En fait, à l'origine, les pèlerins mangeaient un pudding au potiron, dont ma femme Patty s'est inspirée pour la recette présentée p. 107. Ils creusaient un potiron pour récupérer la chair qu'ils mélangeaient avec du lait, des épices et du miel. Ils versaient ensuite la préparation dans l'écorce et laissaient cuire le tout dans les cendres chaudes.

Les caroténoïdes : apport journalier recommandé

Aux États-Unis, le Food and Nutrition Board of the Institute of Medicine of the National Academy of Sciences (département de diététique et de nutrition au sein de l'Académie des sciences américaine) est en charge de définir l'apport journalier recommandé (AJR) pour les différents éléments nutritifs. Bien qu'il soit établi que « plus la teneur en bêta-carotène et autres caroténoïdes (s'entend les caroténoïdes puisés dans l'alimentation) dans le sang est élevée, plus le risque de développer une maladie chronique est réduit », les autorités américaines ne sont pas parvenues à ce jour à définir un apport journalier. En me référant aux études scientifiques publiées par mes pairs, je vous conseille donc de respecter les recommandations suivantes (une fois encore, je ne parle pas là de supplémentation mais de caroténoïdes puisés dans les aliments consommés) :

Alpha-carotène : 2,4 milligrammes ou plus
Bêta-carotène : 6 milligrammes ou plus
Lycopène : 22 milligrammes ou plus
Lutéine/zéaxanthine : 12 milligrammes ou plus
Bêta-cryptoxanthine : 1 milligramme ou plus

Comme indiqué précédemment, les potirons sont des super-aliments à part entière. Extrêmement riches en fibres et pauvres en calories, ils renferment des éléments nutritifs, notamment du potassium, de l'acide pantothénique, du magnésium et des vitamines C et E qui protègent l'organisme contre moult maladies.

Toutefois, l'élément qui place les potirons parmi les premiers sur la liste des super-aliments est la synergie qui existe entre les différents caroténoïdes. Le potiron est l'une des sources les plus riches en caroténoïdes biodisponibles identifiés à ce jour. Une portion égale à 125 g de potiron vous garantit un apport en alpha-carotène *deux fois supérieur* à l'apport quotidien que je préconise et un apport en bêta-carotène couvrant 100 % de nos besoins. Sans nul doute, vous réalisez maintenant pourquoi le potiron est un super-aliment par excellence.

Les caroténoïdes sont des pigments végétaux – orange foncé, jaunes ou rouges – liposolubles présents dans nombre de végétaux. Les caroténoïdes protègent les végétaux des agressions du soleil. Ils attirent les oiseaux et les insectes – ce qui favorise la pollinisation. À ce jour, les chercheurs ont identifié environ six cents caroténoïdes dont une cinquantaine présents dans les aliments que nous consommons au quotidien. Les caroténoïdes alimentaires ne sont pas tous absorbés de la même façon par l'organisme – ce qui explique que seulement trente-quatre sont couramment détectés dans le sang et le lait maternel. Parmi les six caroténoïdes le plus couramment identifiés dans les tissus humains figurent le bêta-carotène, le lycopène, la lutéine, la zéaxanthine, l'alpha-carotène et la bêta-cryptoxanthine. L'alpha-carotène, le bêta-carotène et la bêta-cryptoxanthine sont connus sous l'appellation de « provitamine A » c'est-à-dire qu'ils peuvent être convertis en vitamine A par l'organisme. À la différence de la vitamine A puisée dans des aliments de source animale, la vitamine A d'origine végétale ne peut jamais atteindre des doses toxiques. Dans le corps humain, les caroténoïdes sont absorbés par une multitude de tissus qu'ils protègent efficacement contre les attaques des radicaux libres. Ils stimulent la réponse immunitaire, favorisent la communication entre les cellules et la production d'enzymes antioxydantes. Les caroténoïdes protègent également la peau et les yeux des effets néfastes de la lumière ultraviolette.

Des études ont montré que les aliments riches en caroténoïdes préservent le capital-santé et aident l'organisme à lutter contre nombre de maladies. Ils diminuent le risque de développer certains types de cancers, notamment les cancers du poumon, du côlon, de la vessie, du col de l'utérus, du sein et de la peau. Selon l'étude de Framingham (voir p. 11), les femmes ayant une alimentation particulièrement riche en caroténoïdes ont les risques les plus faibles de développer un cancer du sein.

Des aliments riches en caroténoïdes

Pour couvrir vos besoins en caroténoïdes, mangez chaque jour une orange ou un poivron rouge, des carottes pelées (crues ou cuites à la vapeur ou au micro-ondes), une poignée d'abricots frais ou séchés, une poignée de pruneaux, une tranche de cantaloup, de pastèque ou de mangue, ou un kaki. Et pour les plus gourmands : un sorbet à la mangue Häagen-Dazs !

Les caroténoïdes ont également une incidence sur les maladies coronariennes. Dans une étude menée durant treize années consécutives, des scientifiques ont établi une forte corrélation entre une faible concentration de caroténoïdes dans le sang et un taux élevé de maladies cardiaques. Par ailleurs, lorsque l'apport en caroténoïdes (bêta-carotène mais également tout autre caroténoïde) est augmenté, les risques de développer ce type de maladies sont moindres.

L'apport en caroténoïdes diminue également les risques de cataracte et de dégénérescence maculaire.

Les potirons sont particulièrement riches en bêta- et alpha-carotènes, deux phytonutriments ayant de nombreuses propriétés thérapeutiques.

Le bêta-carotène qui fut l'objet de nombreuses études scientifiques dans les années 1980 est l'un des antioxydants qui attisent le plus la curiosité des chercheurs dans le monde. L'appellation « caroténoïde » qui vient du mot *carotte* est due à la couleur jaune orangé de ces substances identifiées en premier lieu dans les carottes. Les carottes (et les patates douces) sont très riches en bêta-carotène. On sait aujourd'hui que ce caroténoïde présent dans nombre de fruits et de légumes protège l'organisme contre certaines maladies dont le cancer du poumon. C'est la corrélation entre le bêta-carotène et le cancer du poumon qui a poussé les chercheurs à poursuivre leurs recherches pour arriver à la conclusion suivante : la supplémentation n'est pas l'unique manière de se protéger de la maladie et certains aliments – en l'occurrence les super-aliments présentés dans cet ouvrage – ont un rôle important à jouer pour préserver le capital-santé.

Des chercheurs sont partis de l'hypothèse suivante : si le bêta-carotène contenu dans les aliments protège du cancer du poumon, il y a de fortes chances pour que les compléments alimentaires aient les mêmes effets. Or, contre toute attente, deux études très approfondies ont démontré le contraire. En effet, chez les fumeurs qui prenaient des compléments à base de bêta-carotène, le taux de cancers de poumon était plus élevé.

Ces deux études firent la une des journaux.

• En 1996, les résultats d'une étude menée par des chercheurs finlandais sur 29 000 fumeurs (uniquement des sujets masculins) sont publiés dans le *New England Journal of Medicine*. Il apparaît que les fumeurs qui ont un apport en bêta-carotène sous la forme de compléments alimentaires ont 18 % de risques *en plus* de développer un cancer du poumon que ceux qui n'en prennent pas.

• Aux États-Unis, l'étude intitulée *Carotene and Retinal Efficacy Test (CARET)* publiée dans le *Journal of National Cancer Institute* fut arrêtée deux ans plus tôt que prévu car les fumeurs ayant recours à des compléments en bêta-carotène et en vitamine A avaient des problèmes de santé que n'avaient pas les sujets auxquels les chercheurs administraient un placebo.

Ces résultats, on ne peut plus surprenants, ont consterné tous ceux qui jusqu'à ce jour étaient habitués à lire des rapports scientifiques vantant les bienfaits des micronutriments sur la santé. Pourquoi la situation était-elle différente avec le bêta-carotène ? La réponse ne se fit pas attendre. Lorsque le bêta-carotène présent dans un aliment travaille en synergie avec les autres nutriments contenus dans ce même aliment, il a de meilleurs effets sur l'organisme que lorsqu'il est isolé. Les caroténoïdes, comme la plupart des nutriments, sont plus performants lorsqu'ils travaillent en équipe et, si l'équipe est détruite, nul ne peut préjuger du résultat.

De plus, le dosage d'un nutriment sous la forme d'un complément nutritionnel et le dosage de ce même nutriment présent naturellement dans un aliment sont totalement différents. Par exemple, un apport quotidien de 10 mg de bêta-carotène puisé dans des carottes est bon pour la santé et protège contre certaines maladies alors que, si vous donnez 20 mg de bêta-carotène à quelqu'un sous la forme d'une gélule, le produit agit plus comme un médicament que comme un nutriment et peut, dans certains cas extrêmes, être une menace pour la santé. Pourquoi ? Parce que le taux d'absorption du bêta-carotène dans des carottes crues est de seulement 10 % contre près de 29 % pour des carottes cuites. Par conséquent, si vous mangez des carottes, votre organisme n'absorbera qu'une partie du bêta-carotène et il faudrait que vous mangiez plusieurs kilos de carottes pour que la dose soit toxique.

Vous ne risquez donc, *a priori*, absolument rien lorsque vous mangez des carottes, des potirons ou tout autre aliment riche en caroténoïdes, et le seul effet que vous puissiez regretter (effet qui ne présente aucun danger) est de voir votre peau devenir orange (du fait du bêta-carotène) ou rougeâtre (du fait du lycopène). Mais si vous optez pour des compléments nutritionnels à base de bêta-carotène, votre organisme va absorber un pourcentage beaucoup plus élevé de bêta-carotène que lorsque vous consommez des carottes ou des potirons. L'équilibre entre le bêta-carotène et les autres nutriments est alors rompu – ce qui peut avoir des effets délétères sur la santé.

Les caroténoïdes présents dans les aliments – par exemple, les poivrons – ont un rôle crucial à jouer dans la prévention de certaines maladies. Plus le taux de bêta- et d'alpha-carotène dans le sang est élevé, moins il y a de risques de développer une maladie chronique. Des études en laboratoire ont révélé les propriétés antioxydantes et anti-inflammatoires du bêta-carotène. Le bêta-carotène empêche l'oxydation du cholestérol – ce qui est primordial lorsque l'on sait que le cholestérol oxydé endommage les artères et augmente les risques d'avoir une crise cardiaque ou une attaque cérébrale. De plus, le bêta-carotène que fournissent les aliments à l'organisme contribue à ralentir, voire stopper la progression de l'athérosclérose et prévenir certaines maladies cardiovasculaires.

À l'instar d'autres caroténoïdes, le bêta-carotène protège l'organisme des agressions des radicaux libres qui, à long terme, peuvent être à l'origine de complications chez les diabétiques et les personnes souffrant de maladies cardiovasculaires.

Selon plusieurs études, le bêta-carotène diminue également le risque de développer un cancer du côlon, notamment en protégeant les cellules du côlon des effets délétères de certaines substances cancérigènes.

Si l'on sait depuis longtemps que le bêta-carotène est une garantie pour le capital-santé, c'est sa teneur en alpha-carotène qui confère au potiron son titre de super-aliment. Lorsqu'il est associé à d'autres éléments nutritifs dans l'organisme, le processus du vieillissement biologique est ralenti. En d'autres termes, plus l'apport en alpha-carotène est important, moins notre physique est affecté par le temps qui passe. Une bonne nouvelle qui réjouira de nombreux lecteurs ! L'alpha-carotène nous protège également de certains types de cancers et de la cataracte. De plus, l'association des caroténoïdes, du potassium, du magnésium et du folate présents dans le potiron favorise la prévention des maladies cardiovasculaires.

Le potiron est extrêmement riche en fibres – ce qu'ignorent nombre de personnes. 125 g de potiron fournissent à l'organisme 5 g de fibres – ce qui est nettement supérieur à la quantité de fibres que nous absorbons lorsque nous mangeons des céréales en vente dans les supermarchés.

Aliments extrêmement riches en alpha-carotène

Potiron (cuit, 250 g) : 11,7 mg
Carottes (cuites, 250 g) : 6,6 mg
Courge musquée (cuite, 250 g) : 2,3 mg
Poivron orange (250 g) : 0,3 mg

Aliments extrêmement riches en bêta-carotène

Patates douces (cuites, 250 g) : 23,0 mg
Poivron (cuit, 250 g) : 17,0 mg
Carottes (cuites, 250 g) : 13,0 mg
Épinards (cuits, 250 g) : 11,3 mg
Courge musquée (cuite, 250 g) : 9,4 mg

INTÉGRER LES POTIRONS DANS SON ALIMENTATION

S'il ne fait plus aucun doute que nous avons tous intérêt à consommer du potiron, il reste toutefois un problème à résoudre. En effet, si ce gros fruit orange est largement commercialisé de la fin septembre aux premiers jours de février, le reste de l'année il déserte les rayons. Heureusement, les potirons en conserve pallient ce manque. À la maison, quelle que soit la saison, ma femme, Patty, fait son fameux pudding au potiron dont raffolent nos enfants. Même les amis les plus sceptiques se sont un jour ou l'autre laissé tenter et en redemandent !

Les potirons en conserve font partie de ces produits qui remettent en question le fait que les aliments frais sont les aliments les plus sains qui soient. En effet, les conserves de potirons, qui ont l'avantage d'être commercialisées tout au long de l'année, sont *plus* nutritives que les potirons frais (mis à part les graines de citrouille – voir encadré p. 106). Avant d'acheter des potirons en conserve, vérifiez la teneur en sel et en sucre.

Les potirons sont pauvres en calories. Une portion égale à 250 g de potiron fournit 83 calories mais plus de 400 % de l'apport en alpha-carotène que je préconise et près de 300 % de l'apport en bêta-carotène et couvre près de la moitié des besoins en fer pour un homme adulte et une femme ménopausée.

LES AUTRES COURGES D'HIVER

Les potirons ne sont pas les seules courges d'hiver riches en carotène. De nombreuses autres variétés commercialisées une grande partie de l'année présentent les mêmes valeurs nutritives que les potirons.

Soyez particulièrement vigilant(e) au moment de l'achat et privilégiez les marchés campagnards où les agriculteurs vendent les fruits de leur récolte et vous garantissent des produits frais. Ci-dessous, quelques conseils qui vous aideront à faire votre choix :

• Une courge d'hiver doit être dure comme de la roche. Dans le cas contraire, soit elle n'est pas encore arrivée à maturité, soit elle a été récoltée il y a plusieurs jours, voire plusieurs semaines. Si vous pouvez faire une entaille dans la peau avec votre ongle, c'est que la courge n'est pas assez mûre.

• Choisissez des courges dotées d'une queue qui empêche les bactéries de pénétrer et de se développer à l'intérieur du fruit.

• La peau doit être relativement terne. Si elle est très brillante, la courge n'est pas assez mûre ou le producteur a passé de la cire.

• Si la courge est mûre, la couleur est assez soutenue. Si la peau est vert foncé, les parties ayant été en contact avec le sol doivent être d'un vert assez soutenu.

• Les couleurs les plus vives sont au moment de la récolte, soit à la fin de l'été et au début de l'automne. Dans les semaines qui suivent la récolte, les couleurs perdent de leur éclat mais la chair a un goût plus prononcé.

Mélangez des potirons en conserve avec un yaourt pauvre en matière grasse ou une compote à la pomme. Ajoutez du miel de sarrasin et quelques raisins secs. Utilisez des potirons en conserve pour faire des soupes, des gâteaux ou des muffins.

LES SUBSTITUTS DU POTIRON

Si le potiron est un super-aliment par excellence, ses substituts eux aussi très riches en caroténoïdes et autres éléments nutritifs doivent avoir une place d'honneur à votre table. C'est notamment le cas des carottes dont la biodisponibilité des nutriments est accrue après la cuisson. Si les carottes peuvent être mangées crues, sachez qu'elles ont plus de propriétés nutritives lorsqu'elles sont cuites.

Les graines de citrouille

Nombre de magasins vendent des graines de citrouille séchées, les « pepitas » (petites graines) dont raffolent les Espagnols. Lorsque vous achetez un potiron, vous pouvez également récupérer les graines et les faire griller. Les graines de citrouille sont riches en vitamine E, en fer, en magnésium, en potassium et en zinc. Elles renferment également des acides gras essentiels oméga-3 et oméga-6. Retirez toute la chair et la partie filandreuse collées sur les graines et passez-les sous l'eau froide. Laissez-les sécher à température ambiante toute une nuit, puis enduisez-les d'huile d'olive et humidifiez-les légèrement avec de l'eau salée. Faites-les cuire au four 15 à 20 mn à 180° C. Sortez-les du four et saupoudrez-les de curry ou de chili en poudre (facultatif). Laissez-les refroidir puis conservez-les au réfrigérateur dans une boîte hermétique.

Les patates douces sont également riches en caroténoïdes. Si vous êtes pressé(e), faites des trous dans les patates douces avec une fourchette et mettez-les au four à micro-ondes pendant environ 5 mn. Si vous les faites cuire au four, sachez qu'elles caraméliseront. Les patates douces se mangent sans beurre avec juste un peu de sel et de poivre.

Si nous faisons cuire des patates douces pour le dîner, j'en mets une ou deux de côté que je mange froides le lendemain sur mon lieu de travail (les patates douces peuvent être réchauffées au four à micro-ondes).

Une autre recette facile et succulente : coupez les patates douces en fines lamelles dans un plat allant au four, versez dessus un peu d'huile d'olive et saupoudrez de gros sel ; enfournez et laissez cuire 20 mn à 210°C ; retournez les patates douces plusieurs fois au cours de la cuisson (plus les tranches sont fines, plus elles cuisent vite).

LE PUDDING AU POTIRON DE PATTY

125 g de sucre
1 cuillère à café de cannelle
1/2 cuillère à café de sel
1/2 cuillère à café de gingembre moulu (facultatif)
1/2 cuillère à café de clous de girofle moulus (facultatif)
2 gros œufs (si possible enrichis en acides gras essentiels oméga-3 – à vérifier sur l'étiquette)
1 boîte de 450 g de potiron 100 % naturel
1 boîte de 360 ml de lait écrémé concentré (ou de lait évaporé à 2 %)

Mélangez le sucre, la cannelle, le sel, le gingembre et les clous de girofle dans un petit saladier. Battez les œufs dans un grand saladier puis incorporez le mélange sucre-épices et le potiron. Ajoutez, sans cesser de mélanger, le lait jusqu'à obtention d'une pâte lisse. Versez la préparation dans un plat peu profond allant au four. Préchauffez le four à 180°. Enfournez et laissez cuire pendant environ 40 mn. Surveillez la cuisson afin que le milieu du gâteau reste moelleux. Laissez le pudding refroidir à température ambiante ou mettez-le au réfrigérateur quelques heures avant de le déguster.

COURGE MUSQUÉE AU MIEL DE SARRASIN
Pour 2 personnes

À servir avec de la dinde ou du saumon.

Huile de canola
1 courge musquée de taille moyenne, coupée en 2 dans le sens de la longueur
1 cuillère à soupe de beurre
2 cuillères à soupe de miel de sarrasin
Du sel et du poivre noir fraîchement moulu

Préchauffez le four à 210°C. Recouvrez une plaque de cuisson avec du papier sulfurisé enduit d'huile de canola. Enlevez les graines et la partie filandreuse de la courge et posez les deux moitiés sur le papier sulfurisé, la peau sur le dessus. Enfournez et laissez cuire entre 45 et 55 mn. Prenez une brochette. Si elle s'enfonce facilement dans la courge, c'est que celle-ci est cuite. Pendant ce temps, faites fondre le beurre puis ajoutez le miel. Assaisonnez avec le sel et le poivre. Sortez la courge du four et retournez les deux moitiés afin que la peau soit en dessous. Étalez le mélange miel-beurre sur la chair et remettez au four pendant environ 5 mn. Coupez la courge en morceaux et servez.

Il y a environ 10 mg de polyphénols dans 4 cuillères à soupe de miel de sarrasin. Si, *a priori*, ce n'est pas énorme, sachez qu'une étude portant sur 25 hommes en bonne santé a montré qu'après avoir bu un verre d'eau chaude dans lequel ils avaient versé 4 cuillères à soupe de miel de sarrasin, leur taux de sérum antioxydant augmentait de 7 %.

Le saumon sauvage

LES SUBSTITUTS : le flétan d'Alaska, le thon albacore en conserve, les sardines, le hareng, la truite, le bar, les huîtres et les praires.

APPORT NUTRITIONNEL RECOMMANDÉ : du poisson 2 à 4 fois par semaine.

Le saumon sauvage renferme :

- Des acides gras essentiels oméga-3 d'origine marine
- Des vitamines B
- Du sélénium
- De la vitamine D
- Du potassium
- Des protéines

Un beau jour (il n'y a pas très longtemps de cela), des personnes ont décrété que les graisses étaient nos ennemies jurées et que les régimes les plus sains devaient être dépourvus de graisses, et ce quelles qu'elles soient. La guerre aux matières grasses en tout genre était déclarée. On ne parlait plus que de sauces de salade et autres assaisonnements allégés, de gâteaux et de biscuits sans matières grasses, de soupes et de ragoûts maigres. Même les étiquettes sur certaines bouteilles de jus de fruits portaient la mention « sans graisse » comme s'il y avait des graisses dans le jus de myrtille ! Mais comment expliquer cette véritable psychose face aux graisses ? En vérité, tout est parti d'une campagne menée par des personnes au demeurant bien intentionnées. En effet, la seconde moitié du xxᵉ siècle a vu une recrudescence du nombre des maladies coronariennes.

Les études scientifiques se sont alors multipliées afin de tenter d'expliquer ce phénomène alarmant. Rapidement, les chercheurs furent unanimes. Le tabagisme, une vie sédentaire et un régime alimentaire riche en graisses augmentaient les risques de développer une maladie cardiovasculaire. La solution semblait couler de source. Pour éviter les problèmes cardiaques, il fallait absolument consommer le moins de graisses possible. Le mot « cholestérol » revenait dans toutes les conversations et les Occidentaux ont eu une véritable phobie des graisses.

Il faudra attendre des années avant que la raison reprenne le dessus et que chacun accepte de faire la part des choses. Les scientifiques ont publié des études stipulant que toutes les graisses ne présentaient pas un danger pour la santé. Des campagnes ont vu le jour afin que le grand public se débarrasse de toutes ces idées fausses qui couraient. C'est ainsi que nous avons appris que les aliments étaient sources de quatre types de graisses : les graisses saturées, les acides gras trans (huiles partiellement hydrogénées), les graisses mono-insaturées et les graisses poly-insaturées. Les chercheurs n'ont rien découvert qu'ils ne savaient déjà sur les graisses saturées présentes essentiellement dans la viande rouge, les produits laitiers entiers et certaines huiles tropicales. Les graisses saturées ont des effets délétères sur la santé augmentant les risques de diabète, de maladies coronariennes, d'attaque cérébrale, de certains types de cancers et d'obésité. Dans le *Journal of the American Dietetic Association* (Association américaine de diététique), un scientifique a publié un article dont la conclusion est la suivante : « Le fait de réduire l'apport en acides gras saturés peut protéger des milliers de personnes contre les maladies coronariennes et par-delà faire économiser à la société américaine des milliards de dollars. » Les graisses saturées ont des effets positifs si minimes sur l'organisme qu'elles ne devraient, idéalement, pas dépasser 7 % de l'apport calorique quotidien.

Les acides gras trans – qui se cachent sous l'appellation « huiles végétales partiellement hydrogénées » – sont aussi mauvais, voire pires que les graisses saturées. Les acides gras trans sont de purs produits de laboratoire mis au point par des chimistes en quête de graisses se conservant mieux que les graisses d'origine animale, le but étant de prolonger la durée de vie de certains produits alimentaires.

S'il existe de mauvaises graisses, n'oublions pas les bonnes graisses et notamment les graisses mono-insaturées présentes entre autres dans les huiles d'olive et de canola. Les graisses mono-insaturées protègent le système cardiovasculaire, diminuent les risques de résistance à l'insuline pouvant donner lieu à du diabète ou favoriser le développement de certains cancers.

L'apport moyen en acides gras trans sous la forme d'huiles végétales partiellement hydrogénées représente environ 3 % de l'apport calorique quotidien. À l'heure actuelle, nul n'est à même de dire dans quelles limites nous pouvons sans danger consommer ces produits. Selon l'étude de Framingham (voir p. 11), le risque d'avoir du diabète (diabète de type II) serait réduit de 40 %, voire plus si ces huiles végétales étaient consommées sans avoir, au préalable, subi d'hydrogénation.

Passons maintenant aux graisses poly-insaturées. Les acides gras oméga-6 (ex. : l'acide linoléique/AL) et oméga-3 (ex. : l'acide alpha-linolénique/AAL) sont des acides gras dits « essentiels » (AGE). L'organisme ne peut pas les fabriquer et doit donc puiser ces acides essentiels (à la vie) dans les aliments. Le régime alimentaire traditionnel des Occidentaux est particulièrement riche en acides gras oméga-6 – ce qui explique que rares sont les personnes qui souffrent d'une carence. Les huiles de maïs, de carthame, de coton et de tournesol ont une teneur élevée en acides gras oméga-6. Lisez les étiquettes figurant sur les produits prêts à consommer et vous serez surpris(e) de retrouver presque immanquablement l'une ou l'autre de ces huiles parmi les ingrédients cités.

Les acides gras oméga-3 sont présents dans les produits d'origine végétale (acide alpha-linolénique) et d'origine marine (EPA ou acide eicosapentaénoïque et DHA ou acide docosahexaénoïque). Tous les mois, de nouvelles études vantent les bienfaits des acides gras oméga-3 sur la santé. Malheureusement, nombre d'Occidentaux souffrent d'un déficit d'apport en oméga-3 – qui font du saumon un super-aliment – en partie parce qu'ils sont mal informés sur les vertus de ces acides gras essentiels qui, par ailleurs, sont encore rares dans notre régime alimentaire de base. Les diététiciens craignent qu'à long terme, ce déficit en oméga-3 mette en péril notre santé. Dans un article paru dans l'*American Journal of Clinical Nutrition*, William S. Harris, directeur du Metabolism and Vascular Laboratory à l'hôpital St. Luke (Kansas City), écrit : « Si l'on considère leur impact sur la santé, les oméga-3 devraient un jour compter parmi les éléments les plus importants dans l'histoire de la diététique moderne occidentale », alors que de son côté le docteur Evan Cameron de l'Institut Linus Pauling affirme que « la recrudescence du nombre des maladies cardiaques et des cancers est vraisemblablement le résultat d'une carence en huile de poisson telle que nous avons peine à le croire ». Pour que cette situation cesse, il est impératif que nous options pour une alimentation riche en acides gras essentiels oméga-3 qui protégera notre capital-santé.

Mangez du saumon ! Ce poisson très savoureux est l'un des aliments les plus riches en acides gras oméga-3 d'origine marine. En incluant dans votre régime alimentaire du saumon (ou l'un de ses substituts) 2 à 4 fois par semaine (voir encadré sur le thon p. 115), vous vous protégerez contre nombre de maladies favorisées par un déficit en oméga-3.

LES AGE : UN ÉQUILIBRE ENTRE LES ACIDES GRAS OMÉGA-3 ET -6

Comme toujours lorsque l'on parle de santé, tout est une question d'équilibre. Votre organisme ne pourra jamais fonctionner comme il se doit si l'équilibre entre les AGE n'est pas respecté. Pour ce qui est des oméga-6 et des oméga-3, l'équilibre devrait – idéalement – être compris entre 1 pour 1 et 4 pour 1. Malheureusement, les Occidentaux consomment entre 14 et 25 fois plus d'acides gras oméga-6 que d'acides gras oméga-3 – ce qui entraîne une multitude de réactions biochimiques ayant des effets délétères sur la santé. Par exemple, trop d'oméga-6 (provenant d'huiles végétales) favorisent un état inflammatoire qui augmente les risques de coagulation et de rétrécissement des vaisseaux sanguins.

Oméga-3 et oméga-6 : un équilibre retrouvé

- Consommez des œufs enrichis en oméga-3.
- Cuisinez avec de l'huile de canola plutôt que de l'huile de maïs ou de carthame.
- Mangez des graines de soja et des noix.
- Saupoudrez du germe de blé sur vos céréales et vos yaourts. Le germe de blé a sa place dans nombre de recettes.
- Mangez du saumon sauvage ou l'un de ses substituts 2 à 4 fois par semaine.
- Achetez des assaisonnements à base d'huile de graine de soja ou d'huile de canola.
- Pour assaisonner vos salades, utilisez de l'huile de graine de lin (à conserver dans une bouteille en verre teinté au réfrigérateur au maximum deux mois après ouverture).
- Mettez des graines de lin moulues dans vos muffins, gâteaux et crêpes.
- Évitez au maximum les produits transformés, y compris les gâteaux, les biscuits ou plats cuisinés prêts à consommer.

Nous savons, aujourd'hui, que, si notre apport quotidien en oméga-3 est insuffisant, notre organisme ne peut pas fonctionner correctement, notamment pour ce qui est du processus de formation de la membrane cellulaire. Or, un défaut au niveau de la membrane se traduit par un dysfonctionnement au niveau de la cellule – ce qui ouvre la porte à nombre de pathologies, y compris les attaques cérébrales, les crises cardiaques, l'arythmie cardiaque, certains types de cancers, la résistance à l'insuline (et, par conséquent, le diabète), l'asthme, l'hypertension artérielle, la dégénérescence maculaire liée à l'âge, la maladie pulmonaire obstructive chronique (MPOC), les troubles auto-immunitaires, le déficit d'attention et/ou l'hyperactivité, et la dépression.

L'huile de foie de morue : pour ou contre ?

Mes patients me demandent parfois s'il suffit de prendre 1 cuillère à soupe d'huile de foie de morue pour que le taux d'acides gras oméga-3 augmente. Oui et non. En effet, si l'huile de foie de morue est relativement riche en acides gras oméga-3 (ce qui pourrait expliquer pourquoi nos ancêtres étaient épargnés par certaines maladies), elle a non seulement un très mauvais goût mais en plus elle peut être contaminée par du mercure et des biphényles polychlorés, composés chimiques plus ou moins toxiques.

Vous noterez que cette liste regroupe les maladies typiques du XXᵉ siècle. Pour certains chercheurs, la recrudescence de ces troubles serait – tout au moins en partie – due à une alimentation pauvre en acides gras oméga-3.

Selon un rapport, près de 99 % des Américains auraient un apport quotidien en oméga-3 insuffisant et 20 % d'entre eux auraient dans l'organisme un taux d'acides gras essentiels oméga-3 si faible qu'il serait pratiquement indétectable. Une carence en AGE passe souvent inaperçue car les symptômes ne sont pas clairement définis. Assèchement de la peau, fatigue aiguë, ongles et de cheveux cassants, constipation, frilosité, problèmes de concentration, dépression et douleurs articulaires sont autant de signes attestant d'un déficit en acides gras oméga-3. Nombreux sont ceux qui parmi nous ressentent l'un ou l'autre de ces troubles sans toutefois se douter qu'ils dissimulent une carence en acides gras essentiels pouvant entraîner une maladie chronique grave, parfois mortelle.

L'huile de foie de morue : pour ou contre ?

Mes patients me demandent parfois s'il suffit de prendre 1 cuillère à soupe d'huile de foie de morue pour que le taux d'acides gras oméga-3 augmente. Oui et non. En effet, si l'huile de foie de morue est relativement riche en acides gras oméga-3 (ce qui pourrait expliquer pourquoi nos ancêtres étaient épargnés par certaines maladies), elle a non seulement un très mauvais goût mais en plus elle peut être contaminée par du mercure et des biphényles polychlorés, composés chimiques plus ou moins toxiques.

UNE ALIMENTATION QUI LAISSE DE PLUS EN PLUS À DÉSIRER

Pour comprendre pourquoi notre alimentation est de moins en moins riche en acides gras oméga-3, un petit rappel historique s'impose. Jusqu'au XXe siècle, les aliments étaient riches en acides gras oméga-3. Certains scientifiques prétendent même que c'est l'ingestion d'AGE et notamment d'oméga-3 qui a favorisé l'évolution du cerveau humain. Les principales sources d'acides gras oméga-3 étaient les poissons vivant en eau froide, les légumes verts à feuilles (notre consommation de légumes verts a baissé des deux tiers par rapport à la consommation de nos ancêtres) et la viande d'animaux nourris au fourrage (beaucoup plus riche en acides gras oméga-3 que la viande d'animaux nourris au grain que nous mangeons aujourd'hui).

Puis sont arrivés sur le marché les produits transformés qui, au fil du temps, allaient être de plus en plus pauvres en acides gras oméga-3 et de plus en plus riches en acides gras oméga-6 pour atteindre le ratio que nous connaissons aujourd'hui. En fait, il y a soixante-dix ans, avant que les huiles végétales soient extraites par solvant et que les animaux soient élevés en batterie et nourris au grain, les populations n'étaient pas autant exposées aux acides gras oméga-6 qu'elles le sont aujourd'hui. Comme le disait un chercheur : « Il se pourrait bien que nous soyons aujourd'hui confrontés au *paradoxe de l'acide linoléique* dans la mesure où un acide gras soi-disant bon pour la santé (puisqu'il fait baisser le taux de cholestérol total) serait depuis plusieurs décennies en partie responsable du nombre croissant des cancers, des maladies inflammatoires et cardiovasculaires. Ce paradoxe serait aggravé et compliqué par un apport insuffisant en acide alpha-linolénique (acide gras oméga-3 d'origine végétale) et une carence en huile de poisson riche en acides gras oméga-3. »

Les personnes qui ont une alimentation équilibrée en acides gras oméga-3 et acides gras oméga-6 sont moins sujettes aux troubles précédemment cités. C'est en observant les Esquimaux du Groenland que les chercheurs se sont interrogés sur les graisses présentes dans les aliments. En effet, alors qu'ils ont une alimentation riche en graisses (40 % de leur apport calorique quotidien dont 10 g d'EPA et de DHA), les Esquimaux sont peu touchés par les maladies coronariennes. Dans l'étude de Lyon, le cardiologue français Michel de Lorgeril compare les effets d'un régime alimentaire crétois modifié – car enrichi en acides gras oméga-3 – et ceux du régime alimentaire préconisé par l'American Heart Association. Cette étude qui a marqué le monde de la diététique a montré qu'une alimentation riche en AAL diminuait de 56 % les risques de mortalité et de 61 % les risques de développer un cancer. Les Japonais qui consomment beaucoup de poisson sont moins touchés par les maladies cardiovasculaires que leurs voisins qui mangent plus de viande et moins de poisson. Notons que les populations qui consomment des poissons riches en acides gras oméga-3 souffrent moins de dépression que celles dont l'alimentation est riche en acides gras oméga-6. Une étude épidémiologique de grande envergure a montré que le fait de ne pas consommer du poisson est un élément déterminant chez les sujets dépressifs ou souffrant d'une maladie coronarienne.

En conclusion : le ratio entre les acides gras oméga-3 et les acides gras oméga-6 doit absolument être équilibré, tout comme doit l'être le ratio entre les AGE et les minéraux, les oligoéléments, les vitamines, les phytonutriments, les fibres, les antioxydants et les électrolytes. Seul cet équilibre permettra de mettre fin à la recrudescence de nombreuses maladies dégénératives qui, aujourd'hui, frappent les populations occidentales.

Le thon : petit récapitulatif

Le thon en conserve est particulièrement riche en acides gras essentiels oméga-3.

Ce qu'il faut savoir :

• Le thon pouvant être contaminé par du mercure, les adultes ne doivent pas consommer plus d'une boîte de thon par semaine.

• Le thon albacore est le thon dont la teneur en acides gras oméga-3 est la plus élevée.

• Achetez du thon conditionné dans des boîtes contenant de l'eau de source afin d'éviter tout surplus de graisse.

• Vérifiez sur les étiquettes que la teneur en sodium n'est pas trop élevée.

Les bienfaits des acides gras essentiels oméga-3

Ci-après, ce qui changera dans votre vie si vous augmentez votre apport en acides gras oméga-3, notamment en consommant régulièrement du saumon sauvage et autres poissons d'eau froide :

• Diminution du risque de développer une maladie cardiovasculaire. Les acides gras essentiels oméga-3 augmentent le « bon » cholestérol, diminuent la tension artérielle et stabilisent le rythme cardiaque. Nous sommes alors mieux protégés contre l'arythmie cardiaque souvent à l'origine de crises cardiaques. Les acides gras essentiels oméga-3 fluidifient le sang et inhibent l'agrégation des plaquettes pouvant être à l'origine de la formation de caillots et d'attaques cérébrales. Dans une étude portant sur des personnes ayant eu une crise cardiaque, il est apparu que le risque de mortalité (toutes causes confondues) était diminué de 20 %, que le risque de mortalité due à une maladie cardiovasculaire était réduit de 30 % et que le risque de mourir soudainement était réduit de 45 % chez les personnes auxquelles on administrait 1 gramme par jour d'acides gras essentiels oméga-3 par rapport aux sujets auxquels on ne donnait rien ou seulement de la vitamine E.

• Contrôle de l'hypertension artérielle. Plus votre apport en acides gras oméga-3 est élevé, moins vous avez de risques d'avoir de l'hypertension. En effet, les acides gras oméga-3 préservent l'élasticité des parois artérielles. En 1993, une méta-analyse étudiant les effets de l'huile de poisson sur la tension artérielle a montré que les personnes qui consomment du poisson d'eau froide 3 fois par semaine voient leur tension artérielle diminuer tout autant que lorsqu'elles prennent à forte dose des supplémentations à base d'huiles de poisson.

• Prévention du cancer. Selon des études préliminaires récentes, les acides gras oméga-3 pourraient participer à la prévention des cancers du sein et du côlon.

• Prévention de la dégénérescence maculaire liée à l'âge. Dans l'étude de Framingham (voir p. 11), il apparaît que les infirmières qui mangent du poisson au minimum 4 fois par semaine ont moins de risques de souffrir de dégénérescence maculaire liée à l'âge que celles qui n'en consomment que 3 fois par mois au maximum. Le

DHA est l'un des composants essentiels de la rétine ; or, les principales sources alimentaires de cet acide gras sont le saumon et autres poissons supposés avoir des effets bénéfiques sur le cœur. Le DHA pourrait également diminuer certains des effets néfastes de la lumière du soleil sur les cellules rétiniennes.

• Soulagement de certaines maladies auto-immunitaires comme le lupus, l'arthrite rhumatismale et la maladie de Raynaud. Les acides gras oméga-3 auraient des propriétés anti-inflammatoires et atténueraient les symptômes des troubles auto-immunitaires tout en augmentant la durée de vie des patients. Plusieurs études confirment ces hypothèses.

• Atténuation des troubles liés à la dépression et autres maladies mentales. Le fait que les acides gras oméga-3 puissent avoir une influence sur certaines maladies mentales comme la dépression, le déficit d'attention, l'hyperactivité, la démence, la schizophrénie, le trouble bipolaire et la maladie d'Alzheimer laisse entrevoir des possibilités prometteuses pour le futur. Les acides gras oméga-3 aident le cerveau composé à 60 % de graisses à réguler les signaux relatifs à l'humeur. Les acides gras oméga-3 qui, je le rappelle, jouent un rôle clef dans le processus de formation des membranes cellulaires, y compris les membranes cellulaires du cerveau, sont indispensables au bon fonctionnement cérébral, à la stabilité de l'humeur, à l'attention et à la mémoire.

COMBIEN D'ACIDES GRAS OMÉGA-3 DEVRIONS-NOUS CONSOMMER CHAQUE JOUR ?

Les acides gras oméga-3 (AAL et EPA/DHA) ont des propriétés communes mais également des propriétés spécifiques à chacun d'eux. Pour un bienfait maximal, nous devrions consommer à la fois de l'acide alpha-linolénique et de l'EPA/DHA. À ce jour, aucune étude clinique n'est en mesure de dire quel est le ratio idéal entre l'apport en ALA et en EPA/DHA. Dans l'attente de résultats complémentaires, je vous recommande de veiller à avoir une alimentation riche en AAL et en EPA/DHA.

Mais attention ! comme toujours, il ne faut pas abuser des bonnes choses. En effet, une dose trop élevée d'acides gras oméga-3 peut favoriser les risques d'attaque cérébrale du fait d'une fluidification excessive du sang.

Lorsque l'apport en acides gras oméga-3 est supérieur à 3 g par jour, le temps de saignement est augmenté. Au Groenland, les Esquimaux qui consomment environ 10,5 g d'acides gras oméga-3 par jour sont menacés par les hémorragies cérébrales. Des doses trop élevées peuvent également avoir des effets néfastes sur le système immunitaire. Toutefois, selon une étude publiée en mai 2003 dans l'*American Journal of Clinical Nutrition*, un apport de 9,5 g ou moins d'acide alpha-linolénique ou de 1,7 g ou moins d'EPA/DHA n'affecterait pas l'activité fonctionnelle des trois principales cellules impliquées dans l'inflammation et l'immunité. Les personnes qui ont recours à des fluidifiants sanguins et/ou à de l'aspirine doivent impérativement tenir compte de ce facteur lorsqu'elles modifient leur apport en acides gras oméga-3 et en informer leur médecin traitant.

Selon les recommandations du Food and Nutrition Board of the Institute of Medicine et du National Academies, l'apport quotidien en acide alpha-linolénique (oméga-3 de source végétale) devrait être de 1,6 g pour un homme et de 1,1 g pour une femme. Pour ce qui est des autres acides gras oméga-3, ces organismes recommandent 160 mg par jour d'EPA/DHA pour un homme contre 110 mg par jour pour une femme – ce qui, selon moi, est insuffisant. J'essaye de consommer 1 g par jour d'EPA/DHA d'origine marine et de respecter la dose préconisée par le Food and Nutrition Board – ce qui correspond à la teneur en AAL d'1 cuillère à soupe de graines de lin.

LE SAUMON SAUVAGE À LA RESCOUSSE

Certains de mes patients ouvrent de grands yeux ronds lorsque je commence à leur parler du ratio idéal entre les acides gras oméga-3 et les acides gras oméga-6 et je me rends compte que la biochimie des graisses n'est pas leur principale préoccupation. La seule chose qui les intéresse est de savoir comment protéger, voire améliorer leur santé. Pour ce qui est des acides gras oméga-3, le saumon sauvage est la solution idéale. Je ne peux que le dire et le redire : mangeons du saumon sauvage. Bon au goût, riche en protéines, largement commercialisé (frais, congelé ou en conserve) et facile à cuisiner, ce poisson est l'une des principales sources alimentaires d'acides gras essentiels oméga-3. Si vous mangez du saumon ou tout autre poisson d'eau froide – par exemple, des sardines ou des truites – 2 à 4 fois par semaine et si vous respectez les recommandations regroupées dans ce chapitre concernant l'utilisation des huiles, vous « rééquilibrerez » le ratio des AGE dans votre organisme et, de ce fait, vous améliorerez considérablement la santé de vos cellules. Les études prouvant qu'une alimentation riche en saumon sauvage ou autre poisson d'eau froide a des effets bénéfiques à court terme mais aussi à long terme ne manquent pas.

Mais tout ne bascule pas du jour au lendemain et vous devrez attendre environ quatre mois pour que la concentration en acides gras oméga-3 dans votre organisme soit suffisante. L'American Heart Association recommande aux personnes n'ayant pas d'antécédents coronariens de manger 2 portions de poisson par semaine (de préférence des poissons gras comme le saumon) et aux personnes ayant ou ayant eu des problèmes cardiaques d'augmenter cette consommation. Je pense que 3 à 4 portions par semaine protègent contre nombre de maladies chroniques. Ne consommez pas toujours le même poisson.

LE DILEMME DE LA VITAMINE D

Aujourd'hui, la majorité de la population américaine souffre, sans le savoir, d'un déficit d'apport en vitamine D. D'une étude menée à Boston sur des hommes et des femmes en bonne santé âgés de 18 à 29 ans, il ressort que 36 % des sujets avaient une carence en vitamine D. Selon une autre étude, 42 % des femmes afro-américaines entre 15 et 49 ans et 4,2 % des femmes blanches dans la même fourchette d'âges souffrent d'une carence en vitamine D – ce qui est grave lorsque l'on sait qu'une carence en vitamine D augmente le risque de mortalité des suites d'un cancer du sein, du côlon, des ovaires ou de la prostate. Les Afro-Américains qui, pour la plupart, souffrent de carence chronique en vitamine D sont plus touchés par les cancers, y compris les cancers du sein et de la prostate, cancers qui, de plus, se développent rapidement. Il est important de préciser que, bien que nous l'appelions « vitamine », la vitamine D agit plus comme une hormone que comme une vitamine dans l'organisme. Des études ont montré que, chez les hommes qui sont régulièrement exposés à la lumière du soleil, le développement d'un cancer de la prostate peut être retardé de plus de cinq ans et que les enfants auxquels on administre une supplémentation en vitamine D dès l'âge de 1 an ont 80 % de risques en moins que les autres enfants de souffrir un jour de diabète de type I. Par ailleurs, un apport en vitamine D diminue les risques de fracture de la hanche due à l'ostéoporose chez les femmes ménopausées – ce que ne font pas – étude à l'appui – le lait ou les régimes alimentaires riches en calcium.

La vitamine D est synthétisée par les stérols de la peau lorsqu'ils sont exposés aux rayons ultraviolets. Les personnes qui vivent loin de l'équateur (et qui, par conséquent, sont moins exposées au soleil), qui utilisent des produits solaires à haut indice de protection ou qui ont une très forte pigmentation de la peau (la mélanine très concentrée dans la peau des Afro-Américains limite la synthèse de la vitamine D) risquent de souffrir, un jour ou l'autre, d'une carence en vitamine D. Les produits solaires à haut indice de protection réduisent la production de vitamine D d'environ 95 %. Je ne vous recommande pas, bien évidemment, de ne pas utiliser ce type de produits mais, si vous le faites, je vous conseille d'être vigilant(e) et d'augmenter parallèlement votre consommation d'aliments riches en vitamine D.

En Occident, le déficit en vitamine D est un phénomène relativement récent. Avant la révolution industrielle, rares étaient les personnes qui souffraient d'une carence en vitamine D. En effet, la majorité travaillait dehors et, de ce fait, était toujours exposée aux rayons ultraviolets. Avec l'industrialisation, les emplois dans les usines et les bureaux se sont multipliés avec sur l'organisme un effet auquel nul ne s'attendait. Les principales sources de vitamine D sont les poissons gras comme la sardine, le saumon et le thon, les aliments enrichis en nutriments, notamment les céréales et certains produits laitiers.

Que faire pour vous protéger d'une éventuelle carence en vitamine D ? Mangez du saumon sauvage, des sardines et du thon et essayez d'exposer vos bras et votre visage au soleil pendant environ 15 mn au moins 3 fois par semaine avant 10 h 00 et après 15 h 00 soit quand les rayons ultraviolets risquent le moins d'abîmer votre peau. Achetez de préférence des produits (céréales, laits de vache et de soja) enrichis en vitamine D. À ce jour, le Food and Nutrition Board n'est toujours pas en mesure de préconiser un apport quotidien en vitamine D. Les recommandations émises par les autorités sanitaires américaines sont les suivantes : pour les hommes et les femmes entre 19 et 50 ans, 200 UI par jour ; entre 51 et 70 ans, 400 UI par jour ; et au-delà de 70 an, 600 UI par jour. Si votre alimentation n'est pas suffisamment riche en vitamine D, optez pour des compléments mais, une fois encore, demandez conseil à votre médecin traitant afin d'éviter tout surdosage pouvant être toxique.

Appel aux consommateurs

Selon plusieurs études, en ce qui concerne le lait enrichi, la teneur en vitamine D est des plus variables. Idéalement, elle devrait être de 100 UI pour 160 ml. Vérifiez que les producteurs respectent cette concentration et demandez-leur de fabriquer des yaourts et des produits à base de lait fermenté enrichis en vitamine D.

Bon à savoir : plusieurs marques de jus de fruits viennent de commercialiser un jus d'orange enrichi en calcium et en vitamine D.

UNE HISTOIRE DE POISSON

Le saumon sauvage et autres poissons-substituts sont connus pour leurs excellentes propriétés nutritives. Dans leur habitat naturel, ces poissons se délectent avec du zooplancton (minuscules organismes unicellulaires) riche en oméga-3. Lorsque vous mangez du poisson, ces acides gras viennent nourrir les cellules de votre organisme. Malheureusement, les océans étant de moins en moins poissonneux et de plus en plus pollués, le tableau tend à changer.

Le saumon de l'Atlantique a totalement disparu. La majorité du saumon vendu sous l'appellation « saumon de l'Atlantique » aux États-Unis est en fait du saumon d'élevage. Pire encore du point de vue de la santé : certains poissons d'eau froide sont contaminés par du mercure. Évitez de consommer de l'espadon et du requin.

Environ 8 % des Américaines entre 16 et 49 ans ont un taux de mercure dans l'organisme supérieur à celui préconisé par l'US Environmental Protection Agency. En règle générale, dans le haddock, le saumon, la morue, le thon albacore, la sole et la plupart des crustacés, la concentration en mercure est relativement faible.

Aujourd'hui, les poissons d'élevage sont largement commercialisés notamment pour des raisons économiques. Il suffit de voir la différence entre le prix relativement bas du saumon d'élevage et le prix exorbitant du saumon d'Alaska frais. De nombreuses associations écologiques se battent contre l'élevage du saumon arguant que la teneur en acides gras oméga-3 – dans la mesure où les poissons ne sont pas nourris au fretin – est nettement inférieure à celle des poissons sauvages. Pour ma part, je pense que le meilleur des saumons est le saumon sauvage pêché dans les eaux au large de l'Alaska, qu'il soit frais, congelé ou en conserve. Le saumon MSC est un saumon qui répond aux exigences du Marine Stewarship Council qui garantit la qualité de certains poissons. Selon cet organisme américain indépendant, le saumon d'Alaska a une qualité quasi irréprochable.

Certaines questions étant toujours sans réponse, notamment au sujet de la présence éventuelle de toxines d'origine environnementale dans le saumon d'élevage et la menace que représentent vraisemblablement certains bassins d'élevage pour l'environnement, nul ne peut aujourd'hui recommander la consommation de saumon d'élevage (frais, congelé ou en conserve).

Avant d'acheter un poisson, vérifiez toujours son origine.

Pour plus d'informations sur ce sujet, consultez les sites des ministères de l'Agriculture et de la Santé publique.

Parmi les autres poissons et crustacés ne présentant, *a priori*, aucun risque pour la santé : l'omble de l'Arctique, le poisson-chat (d'élevage), les praires (d'élevage), le crabe, les écrevisses, le flétan (d'Alaska), le hareng, le mahi mahi, les moules (d'élevage), la morue charbonnière, les sardines, les coquilles Saint-Jacques et le bar rayé.

La majorité des Américains ne mangent pas suffisamment de poissons et de crustacés ou, tout au moins, ils ne consomment pas les bons fruits de mer (les crevettes grillées ne comptent pas). Ce phénomène est relativement simple à expliquer. En effet, trouver du bon poisson frais près de chez soi n'est pas toujours facile. Nous n'avons pas tous dans notre quartier un marché offrant des produits de qualité et, si nous devons faire plusieurs kilomètres pour en trouver un, je reconnais que cela peut être décourageant. Si tel est votre cas, optez pour du saumon d'Alaska et du thon albacore en conserve et/ou du poisson congelé.

En conserve, le saumon sauvage d'Alaska se garde plusieurs mois dans le placard de la cuisine. Le saumon rouge en conserve contient 203 milligrammes de calcium – ce qui couvre 17 % de nos besoins quotidiens –, voire plus si les arêtes n'ont pas été retirées. Pas de panique : le poisson étant cuit, les arêtes sont ramollies et se sentent à peine. Ajoutez du saumon dans une salade verte ou faites des burgers au saumon (vous m'en direz des nouvelles !). Le thon en conserve est également à privilégier même s'il est moins riche en calcium que le saumon. Achetez de préférence du thon albacore conditionné dans de l'eau de source et donc moins riche en graisse. Les sardines à l'huile sont sources d'acides gras oméga-3 (d'origine marine), de vitamine D et de calcium (contenu dans les arêtes). Optez pour des sardines à la sauce tomate riches en lycopène ou des sardines à l'huile d'olive ou à l'huile de graine de soja. Si vous n'avez pas l'habitude de manger des sardines, commencez par les sardines à l'huile d'olive au goût moins prononcé.

Si vous n'avez pas la possibilité de manger du poisson frais, optez pour du poisson congelé. Nombreux sont les grands magasins qui commercialisent des poissons congelés pêchés dans des eaux contrôlées du point de vue de la pollution et riches en AGE. Pour préserver le goût et la texture, sortez le poisson du congélateur et laissez-le décongeler lentement dans le réfrigérateur.

Cela ne veut aucunement dire que vous ne devez pas manger de poisson frais. Bien au contraire ! Régalez-vous avec du saumon sauvage, de la truite ou du bar qui viennent d'être pêchés.

Appel aux consommateurs

Exigez des spécialistes de l'agroalimentaire que les poissons en conserve soient pauvres en sodium. Vous pourrez toujours ajouter du sel si vos papilles gustatives en réclament !

Vous pensez que vous n'arriverez jamais à faire manger 2 ou 3 fois par semaine du poisson à votre petite famille. Ne baissez pas les bras. Aux États-Unis, une étude menée pendant onze années consécutives sur plus de 20 000 médecins hommes a montré que 1 portion de poisson par semaine diminue considérablement le risque de décès par maladie cardiovasculaire. Mieux vaut peu que pas du tout !

BURGERS AU SAUMON SAUVAGE D'ALASKA
Pour 4 personnes

1 boîte de 450 g de saumon sauvage d'Alaska
2 cuillères à soupe de jus de citron
1 et 1/2 cuillère à soupe de moutarde de Dijon
180 g de mie de pain dure
125 g d'oignons verts coupés en rondelles
2 œufs riches en oméga-3

Égouttez et émiettez le saumon. Mélangez le jus de citron et la moutarde. Mélangez le saumon émietté, la mie de pain, les oignons verts et la préparation « jus de citron / moutarde ». Incorporez les œufs et mélangez le tout. Divisez la préparation en 4 parts égales (4 petits pâtés) que vous laisserez 1 h au réfrigérateur. Faites-les cuire ensuite sur un gril légèrement huilé ou dans un poêlon, retournez-les et retirez-les du feu lorsqu'elles commencent à brunir des deux cotés. Coupez un petit pain au blé complet en 2 et glissez le saumon à l'intérieur. Servez avec de la salade verte, des tomates coupées en rondelles et des condiments (facultatif).

Pour celles et ceux qui ne mangeront jamais de poisson...

Il y a toujours un patient pour me dire qu'il ne mange pas et ne mangera jamais de poisson. JAMAIS. Si tel est votre cas, essayez de prendre chaque jour sous la forme de supplémentation au moins 1 gramme d'EPA/DHA en mangeant. S'il m'arrive un jour de ne pas consommer d'aliments contenant des oméga-3, je prends 500 mg d'EPA/DHA sous la forme de complément au cours des deux repas principaux. Si vous optez pour des capsules d'huile de poisson, complétez chaque jour avec 200 à 400 UI de vitamine E. Choisissez des huiles de poisson qui contiennent ne serait-ce qu'un peu d'alpha-tocophérol (vitamine E) qui empêche l'huile de rancir. Après ouverture, conservez les capsules au réfrigérateur. Si, au début, vous avez des renvois qui vous laissent un mauvais goût dans la bouche, tout s'arrangera au bout de trois ou quatre jours.

Le soja

LES SUBSTITUTS (dans ce cas précis, uniquement des produits dérivés du soja) : le tofu, le lait de soja, les noix de soja, l'edamame, le tempeh et le miso.

APPORT NUTRITIONNEL RECOMMANDÉ : au moins 15 g de protéines de soja (30 à 50 isoflavones – ne sont pas concernés les produits enrichis en isoflavones) par jour en 2 prises (repas principaux et/ou en-cas).

Le soja renferme :

- Des phyto-œstrogènes
- Des acides gras oméga-3 d'origine végétale
- De la vitamine E
- Du potassium
- Du folate
- Du magnésium
- Du sélénium
- Des protéines végétales se substituant parfaitement aux protéines animales

Sur une chaîne de télévision américaine, une émission de cuisine diffusée le matin a récemment vanté les bienfaits nutritionnels du tofu.

« Je suis convaincu, affirmait l'un des présentateurs, et dès aujourd'hui je vais essayer de consommer plus de soja.

– Eh bien, je suis sûr que vous obtiendrez d'excellents résultats, répliqua le coprésentateur ; en prime, je vous fais cadeau de ma part ! »

Cet échange résume parfaitement les différentes tendances en ce qui concerne le soja et, plus particulièrement, le tofu. Il y a ceux qui pensent qu'ils devraient en manger plus – sans vraiment savoir pourquoi – et les irréductibles.

Dans ce chapitre, je vais essayer de vous prouver par « a + b » que le soja mérite d'avoir une place dans votre alimentation. Si vous ne vous sentez pas prêt(e) à cuisiner avec du tofu, sachez qu'il y a bien d'autres façons d'intégrer le soja dans votre alimentation quotidienne.

Ce n'est pas par hasard que le soja figure parmi les super-aliments. En effet, les vertus pour la santé de cette plante sont très nombreuses. Peu onéreux, le soja est riche en vitamines, en minéraux, en oligoéléments, en fibres solubles, en acides gras oméga-3 d'origine végétale et, le plus important, en une multitude de phytonutriments qui protègent l'organisme contre nombre de maladies. Le soja est l'un des aliments les plus riches en phyto-œstrogènes reconnus pour leurs effets bénéfiques sur la santé. Les scientifiques sont unanimes : le soja joue un rôle primordial dans la protection contre nombre de pathologies, y compris les maladies cardiovasculaires, le cancer et l'ostéoporose. Le soja atténue également certains symptômes liés à la menstruation et à la ménopause. De plus, il n'est pas nécessaire de manger des tonnes et des tonnes de soja pour être protégé. Lorsque je vous aurai expliqué tous les bienfaits de cette légumineuse et la manière dont vous pouvez l'intégrer dans votre alimentation, je suis convaincu que, rapidement, vous ne pourrez plus vous en passer.

La culture des graines de soja a vu le jour en Chine au XIe siècle av. J.-C. Le soja est la légumineuse la plus cultivée et la plus utilisée dans le monde. La traduction littérale du mot chinois désignant la graine de soja est « plus gros haricot ». Le soja est également qualifié de « viande sans os ». Comme les autres légumineuses, les graines de soja poussent dans des gousses vertes mais aussi jaunes, noires ou marron. Les graines de soja ont fait leur apparition en Amérique au XVIIIe siècle. C'est Ben Franklin, un avant-gardiste américain, qui, très impressionné par le tofu – « fromage » fabriqué en Chine à partir des graines de soja –, expédia de Paris des graines de soja à des fermiers de Pennsylvanie. Il faudra attendre un siècle pour que les plantations de soja foisonnent dans le Nouveau Monde. Au XXe siècle, le rôle bénéfique du soja sur la santé ne fait plus aucun doute et aujourd'hui, à la surprise générale, les États-Unis sont les plus grands producteurs de soja.

LE SOJA : UNE TOILE DE FOND NEUTRE

Le soja est un super-aliment atypique. En effet, dans une préparation *son goût est indétectable*. Certains ne jurent que par le tofu ou les noix de soja rôties alors que d'autres affirment ne cuisiner qu'avec de la farine ou du lait de soja. Vous pouvez faire manger à des irréductibles des mets à base de soja sans qu'ils s'en aperçoivent. Mes enfants, par exemple, ont consommé du soja durant des années sans même le savoir. L'avantage avec le soja, c'est que vous trouverez toujours un produit dérivé qui vous conviendra. Les aliments à base de soja sont tous extraits des graines de soja mais il existe toutefois plusieurs manières de les utiliser.

Le soja et l'intolérance au lactose

Nombreuses sont les personnes qui ont du mal à digérer le lactose – sucre contenu dans les produits laitiers. Lorsqu'elles consomment du lait ou du fromage, elles souffrent de maux d'estomac et de diarrhées. Les aliments à base de soja sont l'alternative qui permet à ces sujets d'avoir un apport en protéines et en calcium suffisant pour couvrir leurs besoins.

Lorsque le soja remplace les protéines animales

Avant de parler du rôle bénéfique du soja sur la santé, je souhaiterais insister sur le fait que le soja se substitue parfaitement aux protéines animales. 125 g de tofu fournissent 18 à 20 grammes de protéines et couvrent entre 39 et 43 % des besoins quotidiens d'une femme adulte. La même quantité de tofu fournit également 258 mg de calcium (plus d'un quart de nos besoins quotidiens) et 13 mg de fer (87 % des besoins quotidiens d'une femme et 130 % des besoins quotidiens d'un homme). Ci-après, comparons la teneur en protéines de différents produits à poids égal : la farine de soja représente 51 % de protéines contre 35 % pour les graines de soja complètes et séchées, 22 % pour le poisson, 13 % pour un steak et seulement 3 % pour le lait entier.

Si nous remplacions 15 g de protéines animales par 15 g de protéines de soja, le ratio « protéines animales / protéines végétales » (pour ce qui est de l'alimentation des Américains) tomberait de 2 pour 1 à 1 pour 1 – ratio enregistré au début des années 1900 qu'il faudrait retrouver aujourd'hui. Cet apport serait néanmoins encore insuffisant pour couvrir les besoins d'un homme adulte.

De plus, remplacer les protéines animales par des protéines de soja garantit à l'organisme un apport plus riche en vitamines, en minéraux, en oligoéléments et en phytonutriments. Le soja contient des « bonnes » graisses mais pas de cholestérol. Une étude a montré que les sujets qui remplacent des produits d'origine animale par du soja ont moins de risques de développer une maladie coronarienne car il y a une diminution conséquente des lipides dans le sang (notamment du « mauvais » cholestérol), de l'homocystéine et de la tension artérielle. Ceux d'entre nous qui ont une alimentation typiquement occidentale doivent impérativement remplacer les aliments ayant des effets néfastes sur leur santé par du soja. La plupart des aliments riches en protéines renferment des substances mettant en danger notre capital-santé, notamment des graisses saturées mais aussi des hormones, des pesticides et autres produits délétères. Le tofu est moins calorique que les autres produits d'origine végétale riches en protéines. En fait, le tofu a le ratio calories/protéines le plus bas par rapport aux autres aliments d'origine végétale, mis à part l'ambérique jaune et les pousses de soja.

Les protéines fournies par le soja sont des protéines complètes de meilleure qualité que les protéines contenues dans tout autre aliment d'origine végétale. Disponible sous différentes formes biologiques (et, par conséquent, sans pesticides ou autres substances chimiques délétères), le soja renferme neuf acides aminés essentiels (rappelons qu'une protéine complète doit contenir neuf acides aminés essentiels) et des acides gras oméga-3 d'origine végétale – ce qui explique que vous puissiez sans le moindre risque de carence manger 2 fois par semaine du soja à la place d'une viande.

LE SOJA ET VOTRE SANTÉ

Les propriétés hautement nutritives du soja sont connues depuis fort longtemps. En Occident, des scientifiques ont commencé à se pencher sur le soja lorsqu'ils se sont aperçus que les personnes ayant une alimentation asiatique avaient moins de maladies cardiaques et de cancers et souffraient moins d'ostéoporose et de troubles hormonaux que celles qui avaient une alimentation typiquement occidentale. Même s'il reste encore beaucoup à découvrir, les chercheurs en savent suffisamment aujourd'hui pour affirmer qu'il existe une corrélation entre le soja et la protection du capital-santé.

Les résultats les plus probants portent sur la diminution du risque de développer une maladie cardiovasculaire. De nombreuses études ont démontré que le soja diminue le taux de cholestérol dans le sang. En 1995, un rapport reprenant et analysant les résultats de trente-huit études distinctes a été publié dans le *New England Journal of Medecine*. Selon les auteurs de ce rapport, la consommation de protéines de soja réduit le taux de cholestérol total de 9,3 %, le taux de LDL ou « mauvais » cholestérol de 12,9 % et le taux de triglycérides de 10,5 % tout en augmentant légèrement le cholestérol à haute densité ou « bon » cholestérol. Une autre étude parue en mars 2003 dans le *Journal of Nutrition* a montré que plus les femmes préménopausées consomment des aliments à base de soja, moins elles ont de risques de développer une maladie coronarienne, d'avoir une attaque cérébrale ou de souffrir d'autres pathologies. Des chercheurs ont également prouvé les effets positifs du soja et de ses dérivés sur les diabétiques et les personnes ayant un taux de cholestérol élevé.

Les isoflavones contenus dans les aliments à base de soja

Le USDA (ministère américain de l'Agriculture) en collaboration avec l'université de l'Iowa a déterminé la teneur en isoflavones de plusieurs produits à base de soja. La teneur en isoflavones est exprimée en milligrammes pour une portion de nourriture. Les aliments ont été classés en fonction de leur teneur en isoflavones (ordre décroissant).

	Calories	Graisses (g)	Isoflavones
Graines de soja : séchées, cuites (250 g)	298	15,0	95
Pousses de soja (60 g)	171	9,4	57
Noix de soja (60 g)	194	9,3	55
Tempeh (120 g)	226	8,7	50
Farine de soja non dégraissée (80 g)	121	5,7	49
Tofu : forme solide (120 g)	164	9,9	28
Lait de soja (200 ml)	81	4,7	24

Si personne ne sait précisément pourquoi le soja diminue le taux de cholestérol, les faits sont là – ce qui explique que la Food and Drug Administration ait autorisé en octobre 1999 les producteurs de soja à apposer sur leurs produits l'allégation d'une corrélation entre les protéines de soja et la protection du capital-santé.

Les producteurs peuvent désormais écrire noir sur blanc que les protéines de soja, lorsqu'elles font partie d'une alimentation pauvre en graisses saturées et en cholestérol, contribuent à diminuer les risques de développer une maladie coronarienne en diminuant le taux de cholestérol.

Le soja est également un aliment qui permet de combattre efficacement certains types de cancers. Plusieurs composés du soja comme les inhibiteurs de la protéase, les phytostérols, les saponines, les acides phénoliques, l'acide phytique et les isoflavones ont des propriétés anticancérigènes. Par ailleurs, la génistéine et la daidzéine sont deux isoflavones qui méritent la plus grande attention. En effet, le soja est la principale source alimentaire de génistéine et de daidzéine, isoflavones qui agissent dans l'organisme comme deux œstrogènes. Même s'il reste encore beaucoup à découvrir sur ces deux isoflavones, nous savons d'ores et déjà qu'ils peuvent lutter efficacement contre des œstrogènes beaucoup plus puissants et, par conséquent, jouer un rôle crucial dans la prévention des cancers hormonodépendants tels que les cancers du sein et de la prostate. Ces isoflavones agissent sur les membranes cellulaires qui devraient normalement être habitées par des hormones favorisant la croissance des tumeurs. De plus, en bloquant l'action de puissantes hormones sécrétées par l'organisme, la génistéine inhibe l'activité des enzymes qui favorisent la coagulation sanguine et la prolifération des cellules cancéreuses. Même si les résultats diffèrent, plusieurs études épidémiologiques ont montré que les femmes dans le Sud-Est asiatique dont l'alimentation est riche en protéines de soja (10 à 50 g par jour) ont quatre à six fois moins de risques d'avoir un cancer du sein que les Américaines ayant une alimentation relativement pauvre en soja.

Toutefois, tous les chercheurs ne sont pas unanimes et la corrélation entre une alimentation riche en protéines de soja et une diminution du nombre des cancers du sein est fortement controversée. Des études portant sur des femmes souffrant d'un cancer du sein devraient permettre de définir précisément l'incidence d'une alimentation riche en soja sur la prolifération des cellules cancéreuses. En attendant ces résultats, je reste sur mes positions et vous recommande fortement de consommer du soja. (Si vous souffrez d'un cancer du sein, consultez votre médecin afin de déterminer le pour et le contre d'une alimentation riche en soja.) C'est parce qu'il n'y a pas de certitude que je ne recommande jamais à mes patients d'avoir recours à une supplémentation en soja. Selon une étude parue en janvier 2003 dans le *Nutrition Review*, les isoflavones contenus dans le soja et les produits dérivés ne présentent aucun risque pour la santé.

Plusieurs rapports, au demeurant controversés par nombre de scientifiques, ont souligné le fait que le soja pouvait augmenter les risques de sénilité. Il semble pourtant que la plupart des populations ayant une alimentation riche en soja ont des taux de démence inférieurs à ceux des populations ne consommant pas de soja.

Selon une étude parue dans le *Nutrition and Cancer*, les personnes qui consomment régulièrement ne serait-ce que 1 portion 1/2 de lait de soja par jour auraient moins de risques de développer un cancer que celles qui ne mangent du soja qu'occasionnellement. Essayez de consommer chaque jour du lait de soja (avec des céréales ou des flocons d'avoine), des protéines de soja déshydratées (dans des boissons aux fruits) ou des noix de soja. L'idéal étant de consommer un produit à base de soja différent lors des deux repas principaux.

Peut-on dire que le soja diminue certains symptômes de la ménopause ? Même si une fois encore cette hypothèse est très controversée, il semblerait que oui. Pendant douze semaines, des chercheurs de l'université de Bologne (Italie) ont administré à un groupe de femmes en cours de ménopause 60 g par jour de protéines de soja et à un autre groupe la même dose d'un placebo. Les femmes du premier groupe ont eu moins de bouffées de chaleur et de suées nocturnes que les femmes du second groupe – ce qui pourrait être dû aux propriétés œstrogéniques des isoflavones contenus dans le soja. Alors que le taux d'œstrogènes chez les femmes diminue au cours de la ménopause, il semblerait que les isoflavones prennent la relève.

Il a été également prouvé scientifiquement que, du fait de son action similaire à celle des œstrogènes, le soja protège le capital osseux et diminue les risques d'ostéoporose. Une étude menée sur 66 femmes ménopausées par une équipe de l'université de l'Illinois a montré que, lorsque l'alimentation est enrichie en protéines de soja, au bout de six mois la teneur en minéraux des os est accrue tout comme la densité de la moelle épinière.

Beaucoup de personnes se demandent combien d'isoflavones elles doivent consommer chaque jour. Dans les pays asiatiques, l'apport en isoflavones fournis par le soja ou ses produits dérivés (hormis les produits enrichis en isoflavones) varie entre 15 et 50 mg par jour, la moyenne étant comprise entre 30 et 32 mg.

Ci-après, les principaux composés du soja et leur incidence sur le capital-santé :

Les isoflavones : Les graines de soja sont la source la mieux connue d'isoflavones, substances ayant des propriétés anti-oxydantes et œstrogéniques. Deux isoflavones – la génistéine et la daidzéine – réduisent les risques de maladies coronariennes et de cancers hormonodépendants et empêchent la formation de nouveaux vaisseaux sanguins à l'intérieur même de la tumeur (pour se développer les tumeurs ont besoin de beaucoup de sang). Selon une étude, la génistéine pourrait même diminuer la croissance de nouveaux vaisseaux sanguins dans la rétine pouvant être à l'origine d'une perte de l'acuité visuelle du fait d'une dégénérescence maculaire liée à l'âge.

Les lignanes : Dans le côlon, ces substances accélèrent le passage des carcinogènes réduisant de ce fait les éventuels effets délétères et détruisent les radicaux libres.

Les saponines : Phytonutriments qui stimulent le système immunitaire et combattent le cancer.

Les inhibiteurs de la protéase : Bloquent l'activité des enzymes à l'origine des cancers appelées « protéases » et par-delà diminuent le risque de développer un cancer. Les inhibiteurs de la protéase supprimeraient les carcinogènes.

L'acide phytique : Antioxydant qui entoure et élimine les métaux pouvant donner lieu à des tumeurs.

Les phytostérols : Composés non digestibles qui inhibent l'absorption du cholestérol dans les intestins et diminuent les risques de développer un cancer du côlon.

Les protéines : Protéines d'origine végétale d'excellente qualité sans cholestérol et pauvres en graisse.

L'huile : Une huile saine sans cholestérol qui rééquilibre le ratio des acides gras dans l'organisme. Source d'acides gras essentiels oméga-3 d'origine végétale.

La sauce de soja n'est pas un produit dérivé de bonne qualité. Pauvre en éléments nutritifs, la sauce de soja est riche en sodium.

LE SOJA DANS LA CUISINE

Comme indiqué précédemment, le soja est disponible sous diverses formes. Les graines de soja se consomment fraîches ou congelées sous la forme d'edamame ou séchées. Fermentées, elles entrent dans la composition du tempeh, du miso et de la sauce de soja. Le miso et la sauce de soja sont principalement utilisés pour relever un mets. Pour obtenir du lait de soja, faites tremper les graines dans de l'eau, écrasez-les et portez-les à ébullition. Le lait caillé sert à faire le tofu, sorte de fromage. Les graines de soja sont également utilisées pour la fabrication d'huile, de farine et de nouilles. Il faut néanmoins savoir que tous les aliments à base de soja sont dérivés des graines de soja et sont essentiellement des produits transformés. Si ce n'est pas un inconvénient en soi, lisez attentivement les étiquettes avant de choisir un produit et goûtez différents aliments afin de déterminer celui qui vous convient le mieux.

Idéalement, nous devrions consommer 25 grammes de protéines de soja par jour. Ci-après, quelques produits à base de soja riches en protéines :
  120 g de tofu solide : 18 à 20 g de protéines.
  Un « steak de soja » : 10 à 12 g de protéines.
  200 ml de lait de soja : environ 11 g de protéines.
  Une barre de soja protéinée : 14 g de protéines.
  125 g de tempeh : 16 à 19 g de protéines.
  60 g de noix de soja grillées : environ 15 g de protéines.

Lorsque vous achetez un produit à base de soja, **vérifiez sur l'étiquette la teneur en protéines**. Beaucoup de personnes ne savent pas quel produit consommer car elles essaient de se fier à la teneur en « isoflavones » ; or, cette teneur ne figure pas systématiquement sur les étiquettes. Par ailleurs, certains produits sont enrichis en isoflavones. Pour ma part, je ne conseille pas ce type de produits dans la mesure où nul ne peut garantir si, à long terme, ils n'auront pas un effet délétère sur la santé.

En règle générale, la meilleure façon de connaître la teneur en isoflavones d'un aliment est de se reporter à la teneur en protéines, teneur qui correspond plus ou moins à la teneur en isoflavones.

Il suffit de consommer 10 g de protéines de soja par jour pour bénéficier des bienfaits du soja sur l'organisme. 60 g de noix de soja équivalent à environ 15 g de protéines. Vous pouvez vous faire plaisir après votre journée de travail et déguster quelques noix de soja – sans toutefois en abuser car les noix de soja sont très caloriques.

Ci-après, des produits à base de soja à inclure dans votre alimentation :

Le tofu : L'un des produits dérivés du soja les plus connus. Cette sorte de fromage de couleur blanche est fabriquée à partir de lait de soja caillé. Le tofu se présente sous une forme solide (cube), très solide, onctueuse ou molle. Le tofu solide ou très solide est utilisé pour les sautés, les soupes, les mets passés au gril ou cuits au four. Le tofu onctueux est plutôt réservé aux desserts, aux assaisonnements ou aux sauces.

---

4 manières de consommer chaque jour du soja

200 ml de lait de soja avec des céréales

30 g de protéines de soja en poudre dans un milk-shake aux fruits

60 g de noix de soja lorsque vous avez un petit creux

Des céréales et du pain à base de graines de soja

Le lait de soja : Particulièrement riche en protéines, le lait de soja est obtenu à partir des graines de soja après qu'elles ont été finement écrasées, portées à ébullition et égouttées. Les grandes surfaces proposent du lait de soja enrichi et avec des parfums différents conditionné dans des emballages aseptiques pouvant être conservés hors du réfrigérateur avant ouverture. Comme l'écrit si bien Lorna Sass dans son livre de recettes à base de soja : Les laits de soja ne sont pas tous identiques. Les goûts diffèrent, certains peu marqués, d'autres plus prononcés, voire musqués ou légèrement huileux. Certains laits sont d'un blanc crémeux, d'autres sont couleur caramel foncé avec une multitude de nuances entre les deux. » Essayez plusieurs produits afin de voir celui qui vous convient le mieux.

Une fois encore, lisez attentivement les étiquettes. En effet, la teneur en protéines, en calcium, en vitamines, en graisses et en sucre varie considérablement d'une marque à l'autre. La plupart des laits commercialisés contiennent entre 6 et 11 g de protéines pour 160 ml.

Ma préférence va au lait de soja bio à la vanille. Gardez à l'esprit que la graisse de soja est une bonne graisse. Je choisis toujours du lait de soja entier mais je fais attention à la teneur en sucre ajouté.

Dans la cuisine, remplacez le lait de vache par du lait de soja. Certaines personnes – et notamment les enfants habitués au lait de vache – sont peu tentées par la couleur et le goût de certains laits et ont du mal à avaler leurs céréales lorsqu'elles les arrosent de lait de soja. Si vous n'arrivez pas à boire du lait de soja cru, utilisez-le dans les crêpes, les gâteaux, les muffins, les plats cuisinés, etc.

Les noix de soja : Les noix de soja sont des graines de soja que l'on a fait tremper dans de l'eau puis passées au gril ou au four jusqu'à ce qu'elles soient légèrement colorées. Riches en protéines, en isoflavones et en fibres solubles, les noix de soja sont très caloriques. Si vous ne voulez pas prendre de poids, montrez-vous raisonnable et contentez-vous de 60 g par jour (ce qui représente 136 calories). Certaines marques proposent des noix de soja au miel ou aux épices. Toutefois, je vous recommande de choisir des noix de soja naturelles moins riches en calories. Vérifiez la teneur en huile et en sel ajoutés. Lorsque vous avez un petit creux, grignotez quelques noix. Les noix de soja se marient merveilleusement avec des céréales. Une portion égale à 60 g de noix de soja fournit environ 15 g de protéines à l'organisme.

L'edamame : Ces graines de soja vertes dans leur gousse sont commercialisées dans la plupart des magasins de produits diététiques au rayon des surgelés. Portez les gousses encore congelées à ébullition dans de l'eau légèrement salée. Égouttez-les, retirez les graines des gousses et mangez-les immédiatement. Le goût rappelle celui des haricots de Lima. Vous pouvez également acheter des graines de soja écossées et congelées que vous utiliserez dans les soupes, les sauces pour les pâtes, les salades composées et les ragoûts. 1 poignée d'edamame (soit 60 g) correspond à environ 23 g de protéines.

Les protéines de soja en poudre : Il existe deux types de protéines de soja en poudre – ce qui peut parfois semer la confusion au moment de l'achat.

Les protéines de soja en poudre obtenues à partir des fèves de soja dégraissées contiennent des protéines (70 %) et des fibres alimentaires.

Selon le mode de fabrication, les protéines de soja en poudre sont plus ou moins riches en isoflavones.

Les protéines extraites des fèves dégraissées sont des protéines pures ou protéines de soja isolées particulièrement riches en acides aminés digestibles (à partir desquelles sont formées les protéines nécessaires à la croissance et au bon fonctionnement de l'organisme). Les protéines de soja isolées sont au centre de nombre de recherches portant sur la corrélation entre la consommation de soja et la diminution des maladies cardiovasculaires.

Avant d'acheter des protéines de soja en poudre, vérifiez toujours qu'elles n'ont pas été enrichies en isoflavones.

La farine de soja : La farine de soja est obtenue à partir des graines de soja moulues. Les pains, gâteaux et biscuits à base de farine de soja sont particulièrement riches en protéines. La farine de soja ne contient pas de gluten et ne peut donc pas remplacer la farine de blé dans la cuisine. Vous pouvez toutefois la mélanger à des farines riches en levure à raison de 2 cuillères de farine de soja pour 250 g de farine de blé. Pour la fabrication du pain, optez pour 1/2 de farine de soja et 1/2 de farine de blé. Le pain contenant de la farine de soja brunit plus rapidement que le pain à la farine de blé. Dans 60 g de farine de soja, il y a 8 à 12 g de protéines.

Si vous n'avez jusqu'à ce jour jamais consommé de soja ou produits dérivés, renseignez-vous sur les différentes qualités proposées et sur la manière de cuisiner chacun d'eux.

Plusieurs sites Internet vous fourniront toutes les informations qui vous permettront de faire votre choix en toute connaissance de cause.

Le tempeh : Fabriqué à partir des graines de soja fermentées, le tempeh est commercialisé sous la forme de carré de 15 cm et de 1 à 1,5 cm d'épaisseur. Parfois du riz brun, de l'orge ou du millet sont ajoutés aux graines de soja. Le goût du tempeh rappelle celui de la viande. Il est utilisé pour parfumer nombre de mets. Le tempeh peut être mariné, grillé ou utilisé dans les ragoûts et les sauces pour les pâtes. Riche en protéines, en fibres et en isoflavones, le tempeh est commercialisé dans les magasins de produits diététiques. Il peut être congelé. Une fois décongelé, il se conserve au réfrigérateur pendant une dizaine de jours. Dans 100 g de tempeh, il y a environ 320 g de protéines.

Le miso : Tout comme le tempeh, le miso est fabriqué à partir des graines de soja fermentées. Les boutiques asiatiques proposent plusieurs variétés de misos. Du fait de son goût prononcé relativement salé, le miso est principalement utilisé dans les soupes, les sauces et les assaisonnements. Riche en isoflavones, le miso a, à l'instar de la sauce de soja, une teneur élevée en sodium. Il ne faut donc pas en abuser.

LES SUPPLÉMENTATIONS EN SOJA

On me demande souvent si je suis pour ou contre les supplémentations en soja. Peu de temps après que les bienfaits du soja sur l'organisme ont été rendus publics, les isoflavones de soja ont été commercialisés dans les boutiques de produits diététiques. Les supplémentations contenant des isoflavones de soja concentrés sont particulièrement recommandées aux femmes au moment de la ménopause. Je reste toutefois persuadé qu'il vaut mieux consommer du soja ou des produits dérivés plutôt que d'avoir recours à des compléments nutritionnels, et ce pour une raison simple : nul ne sait réellement ce qu'il y a dans les compléments nutritionnels et la teneur en isoflavones peut être plus ou moins importante. Par ailleurs, il n'est pas évident que les isoflavones de soja réagissent exactement de la même manière dans l'organisme selon qu'ils proviennent de soja ou de compléments. En conclusion, si vous pouvez vous en passer, je vous déconseille les supplémentations.

Le tofu : quelques précautions à prendre

Peu de personnes savent que le tofu, tout comme le lait ou la viande, doit être utilisé rapidement sous peine de s'abîmer, et ce même s'il est conservé au réfrigérateur. Vérifiez la date de péremption sur les emballages. Après ouverture, conservez le produit au réfrigérateur et changez l'eau tous les jours. Sachez que le tofu, tout comme la viande, est souvent contaminé par des bactéries, notamment la salmonelle. Lorsque vous cuisinez, lavez-vous soigneusement les mains avec du savon avant de prendre le tofu et posez-le sur une surface propre.

Les épinards

LES SUBSTITUTS : le chou frisé, le chou collard, les blettes, le chou champêtre, le choï-sum, le pak-choï (choux chinois), la laitue romaine et les poivrons orange.

APPORT NUTRITIONNEL RECOMMANDÉ : 250 g d'épinards cuits à la vapeur ou 500 g d'épinards crus plusieurs fois par semaine.

Il n'y a aucun doute là-dessus : vous devez manger des épinards qui, avec le saumon et les myrtilles, arrivent en tête sur la liste des super-aliments. Il a été prouvé scientifiquement que les épinards ont plus d'effets bénéfiques sur la santé que la plupart des aliments.

Est-ce que cela signifie que les épinards sont des aliments à part ? Oui et non. Oui, parce qu'ils ont d'incroyables propriétés nutritionelles et d'étonnantes vertus pour la santé. Non, parce qu'il y a d'autres légumes – notamment des légumes verts à feuilles comme le chou frisé et le chou collard – qui offrent les mêmes bienfaits. Toutefois, nous avons beaucoup plus d'informations sur les effets bénéfiques des épinards que sur ceux de leurs substituts. En effet, appréciés depuis de longues années pour leurs propriétés nutritives, les épinards ont fait l'objet de nombreuses études scientifiques.

Les épinards renferment :

- Une multitude de nutriments et de phytonutriments qui agissent en synergie
- Peu de calories
- De la lutéine/zéaxanthine
- Du bêta-carotène
- Des acides gras essentiels oméga-3 d'origine végétale
- Du glutathion
- De l'acide alpha-lipoïque
- Des vitamines C et E
- Des vitamines B (thiamine, riboflavine, de la vitamine B6 et folate)
- Des minéraux (calcium et magnésium) et des oligoéléments (manganèse et zinc)
- Des polyphénols
- De la bétaïne

Des chercheurs ont montré une corrélation entre la consommation régulière d'épinards et :

- une diminution du risque d'avoir une maladie cardiovasculaire, une attaque cérébrale ou une maladie coronarienne ;
- une diminution du risque de développer un cancer : notamment du côlon, des poumons, de la peau, de la cavité buccale, de l'estomac, des ovaires, de la prostate ou du sein ;
- une diminution du risque de souffrir d'une dégénérescence maculaire liée à l'âge ;
- une diminution du risque d'avoir une cataracte.

Les substituts-vedettes des épinards

La plupart des super-aliments ont des substituts mais, dans le cas des épinards, les substituts peuvent être qualifiés de « substituts-vedettes ». En effet, chacun de ces légumes verts à feuilles est doté d'étonnantes propriétés nutritives. Ne consommez pas toujours les mêmes légumes et veillez à manger au moins 1 portion d'épinards et 1 portion de l'un ou l'autre des aliments substituts plusieurs fois par semaine, 1 portion correspondant à 250 g de légumes crus ou 125 g de légumes cuits.

Mais comment expliquer que les épinards et les autres légumes verts à feuilles jouent un rôle aussi important dans la protection du capital-santé ? Il y a encore quelques années, les diététiciens vous auraient répondu que les bienfaits de ces légumes étaient dus à la présence d'un nutriment. Même le commun des mortels sait que les épinards sont extrêmement riches en fer. Il suffit pour cela de penser à Popeye qui pour venir à bout de son ennemi juré, Brutus, avalait une boîte d'épinards. Ce que les diététiciens ignoraient, c'est que les bienfaits des épinards ne sont pas dus à cette seule substance mais à la *synergie* existant entre une multitude de nutriments et de phytonutriments présents dans la quasi-totalité des légumes verts à feuilles.

Je tiens à compléter la liste des principaux nutriments présents dans les épinards (voir p. 138) afin que vous ayez le maximum d'informations expliquant les effets bénéfiques des épinards sur l'organisme :

- Des caroténoïdes : lutéine/zéaxanthine et bêta-carotène
- Des antioxydants : glutathion, acide alpha-lipoïque et vitamines C et E
- De la vitamine K (les épinards sont l'une des principales sources de vitamine K)
- Du coenzyme Q10 (les épinards et les brocolis sont les deux seuls légumes ayant une forte concentration de CoQ10)

La coenzyme Q10

Le docteur Lester Packer qui dirige le département de biologie moléculaire et cellulaire de l'université de Berkeley (Californie) a montré le pouvoir antioxydant du coenzyme Q10 (CoQ10) lorsqu'elle travaille en synergie avec les vitamines C et E et le glutathion. Le CoQ10 protège la peau des effets nocifs des rayons ultraviolets et joue un rôle crucial dans la production d'énergie mitochondriale (les mitochondries, petites structures présentes dans le cytoplasme de la plupart des cellules, fournissent l'énergie nécessaire au bon fonctionnement des cellules). Or, les épinards sont particulièrement riches en coenzyme Q10.

- Des vitamines B : thiamine, riboflavine, vitamine B6 et folate
- Des minéraux (calcium et magnésium) et des oligoéléments (fer, manganèse et zinc)
- De la chlorophylle
- Des polyphénols
- De la bétaïne
- Des acides gras oméga-3 d'origine végétale

Plus la recherche avance, plus la liste s'allonge. Généralement, un voire deux nutriments font qu'un aliment se voit décerner le titre de super-aliment dans une catégorie donnée. Or, pour ce qui est des épinards, la liste est si longue et la synergie existant entre les différents nutriments donne des résultats si impressionnants que les épinards sont incontestablement des super-aliments-vedettes.

La bétaïne

Vous entendrez très certainement encore parler de ce nutriment dérivé de la choline capable de diminuer la concentration d'homocystéine. Des études ont montré que la supplémentation en bétaïne permet de diminuer le taux d'homocystéine chez l'homme – et par-delà les risques d'être frappé par une maladie cardiovasculaire. Il semblerait que les résultats soient encore plus probants lorsque la bétaïne agit en synergie avec le folate alimentaire. Les principales sources de bétaïne sont les épinards, le germe de blé, le son d'avoine, le son de blé et le pain au blé complet.

LES ÉPINARDS ET L'ACUITÉ VISUELLE

En tant qu'ophtalmologiste, je me suis tout particulièrement intéressé aux bénéfices santé des épinards sur certaines maladies oculaires. Ma mère qui nous a quittés à l'âge de 91 ans souffrait de dégénérescence maculaire liée à l'âge. À 75 ans, elle fut cliniquement considérée comme étant aveugle et, pendant les seize années qui suivirent, elle vécut en pleine santé sans toutefois pouvoir profiter pleinement de la vie dans la mesure où elle ne pouvait ni lire, ni conduire, ni regarder la télévision, ni coudre, ni aller au cinéma. La vie que menait ma mère a considérablement influencé mon travail me poussant à obtenir le maximum d'informations sur la corrélation existant entre l'alimentation et les maladies chroniques.

La macula située au pôle postérieur de l'œil, là où l'acuité visuelle est maximale, nous permet, d'une part, d'effectuer une multitude de tâches nécessitant de voir de près comme écrire ou coudre mais aussi, d'autre part, de distinguer des objets et des couleurs éloignés. Malheureusement, les chiffres parlent d'eux-mêmes. 20 % des personnes âgées de 65 ans et 60 % des personnes de race caucasienne ayant atteint 90 ans souffrent à différents degrés de dégénérescence maculaire. Pire encore : aucun traitement ne permet de retrouver une acuité visuelle optimale – ce qui explique que l'accent soit mis sur la prévention. Or, dans ce domaine, tout nous pousse à croire que la consommation de certains aliments comme les épinards ou leurs substituts parallèlement à la consommation d'aliments riches en acides gras oméga-3 d'origine marine pourrait jouer un rôle clef au niveau de la prévention.

Le pigment maculaire offre à l'œil une protection contre la dégénérescence maculaire liée à l'âge. Moins il y a de pigment, plus les risques de perdre la vue sont élevés. Pour augmenter la concentration du pigment maculaire, consommez des épinards, du chou frisé, du chou collard, du choï-sum (chou chinois) et du chou champêtre mais également des aliments jaunes comme le maïs, le jaune d'œuf et les poivrons.

Bien que personne ne soit en mesure de dire quelles sont les causes exactes de la dégénérescence maculaire liée à l'âge, il ne fait aucun doute que les effets nocifs des radicaux libres du fait d'une exposition prolongée à la lumière et aux radiations des rayons ultraviolets y soient pour quelque chose. Nous savons également que le tabagisme favorise le développement de dégénérescence maculaire et de cataracte. Heureusement, nous pouvons agir et diminuer ce facteur de risque.

Les épinards sont riches en lutéine et en zéaxanthine, deux caroténoïdes particulièrement puissants. Plusieurs études ont montré que les sujets consommant des aliments riches en lutéine/zéaxanthine ont moins de risques de souffrir de dégénérescence maculaire liée à l'âge ou de cataracte. Nous savons par ailleurs que plus la concentration de lutéine/zéaxanthine est élevée dans la macula, moins les rayons ultraviolets endommagent les cellules de la rétine qui permettent de voir. Nous pouvons donc affirmer que la lutéine et la zéaxanthine jouent un rôle primordial dans la protection de l'acuité visuelle.

J'ai le sentiment – et de nombreux confrères sont d'accord avec moi – que certains symptômes affectant la rétine devraient nous permettre de tirer la sonnette d'alarme avant que la dégénérescence maculaire liée à l'âge se soit déclarée. Plusieurs études préliminaires portant sur des personnes présentant un facteur de risque très important nous confortent dans cette hypothèse. Se protéger contre la maladie est un travail de longue haleine, et plus tôt vous agirez pour protéger votre rétine, plus vous aurez de chances d'échapper à la maladie. Sachez par ailleurs qu'il n'est jamais trop tard pour bien faire.

Ci-après, les personnes ayant les plus grands facteurs de risque de souffrir de dégénérescence maculaire liée à l'âge et de cataracte :
- Les femmes
- Les personnes ayant les yeux bleus
- Les fumeurs
- Les personnes ayant des antécédents cardiovasculaires ou souffrant d'hypertension artérielle
- Les personnes obèses
- Les personnes qui s'exposent durant de longues heures au soleil
- Les personnes qui ont une alimentation pauvre en fruits et en légumes
- Les personnes presbytes (menacées par la dégénérescence maculaire seulement)

La lutéine et la zéaxanthine jouent également un rôle dans la prévention d'autres maladies affectant les yeux comme la cataracte qui touche nombre de personnes âgées. 18 % des personnes ayant entre 65 et 74 ans et 45 % des personnes entre 75 et 84 ans souffrent de cataracte. La cataracte affecte le cristallin. Au fil du temps, les cellules abîmées sont de plus en plus nombreuses et un voile se forme sur l'œil. Une étude menée durant douze années au sein de l'université de Harvard sur 77 466 infirmières de plus de 45 ans a établi une forte corrélation entre les taux de lutéine et de zéaxanthine dans la rétine et le développement d'une cataracte. Par ailleurs, chez les infirmières souffrant de cataracte mais ayant une alimentation riche en lutéine et zéaxanthine, les interventions chirurgicales étaient moins nombreuses (22 % de moins). Les chercheurs travaillant sur une autre étude portant cette fois sur 36 000 médecins masculins ont fait le même constat. Pratiquement toutes les études sur l'acuité visuelle sont arrivées à la même conclusion : plus les sujets consomment des aliments riches en lutéine et en zéaxanthine – épinards, chou frisé, chou collard et brocolis –, moins ils sont touchés par une maladie oculaire. Je pense que ces caroténoïdes sont en quelque sorte des « lunettes de soleil » naturelles qui protègent les yeux. Nous savons par ailleurs que la chlorophylle contenue dans les épinards aurait des propriétés anticancéreuses. Selon plusieurs études préliminaires, la chlorophylle pourrait prévenir la prolifération des cellules cancéreuses et avoir un effet antimutagène contre un grand nombre de carcinogènes présentant un danger pour l'organisme.

La concentration de lutéine et de zéaxanthine varie selon les aliments. La zéaxanthine joue, *a priori*, un rôle particulièrement important dans la prévention de la dégénérescence maculaire. Je vous recommande d'avoir un apport journalier en lutéine égal à 12 mg – ce qui vous garantit un apport minimal en zéaxanthine. Pour ce qui est de la zéaxanthine, aucun chercheur n'est à ce jour en mesure de définir une dose optimale.

Aliments extrêmement riches en lutéine

250 g de chou frisé cuit .... 23,7 mg
250 g d'épinards cuits .... 20,4 mg
250 g de chou collard cuit .... 14,6 mg
250 g de chou champêtre cuit .... 12,1 mg
250 g d'épinards crus .... 3,7 mg
250 g de brocolis cuits .... 2,4 mg

Aliments extrêmement riches en zéaxanthine

1 gros poivron orange .... 8,0 mg
250 g de maïs doux jaune en conserve .... 0,9 mg
1 kaki cru .... 0,8 mg
250 g de farine de maïs dégermée .... 0,7 mg

Nombreuses sont les personnes qui ne comprennent pas pourquoi les poivrons orange comptent parmi les substituts des épinards dans la mesure où ce ne sont pas des légumes verts à feuilles. Tout simplement, parce que les poivrons orange sont extrêmement riches en lutéine/zéaxanthine. Je conseille à ceux de mes patients qui détestent les épinards d'ajouter des fines lamelles de poivron orange dans leurs salades composées et leurs sautés de légumes. Les poivrons orange sont commercialisés pratiquement toute l'année. Dans mon cabinet, je coupe souvent des poivrons orange en petits morceaux et des carottes en rondelles avec lesquels se délectent mes collaborateurs.

Les données regroupées dans l'encadré page ci-contre sont issues d'une étude préliminaire et demandent à être confirmées bien qu'elles reposent sur des informations émanant de scientifiques et du détenteur d'un brevet pour les graines de poivrons orange. Le USDA devrait prochainement réclamer des analyses plus poussées qui, sans aucun doute, confirmeront les propriétés nutritionnelles de cet aliment.

Un poivron orange de taille moyenne contient :

- 0,4 mg de bêta-cryptoxanthine
- 1 mg de lutéine
- 6,4 mg de zéaxanthine
- 0,3 mg d'alpha-carotène
- 0,4 mg de bêta-carotène
- 223 mg de vitamine C
- 4,3 mg de vitamine E

Les œufs sont également source de lutéine/zéaxanthine, et même si la concentration dans le jaune d'œuf n'est pas très importante, la quantité qui circule dans les vaisseaux sanguins est suffisante pour que l'on puisse observer les bienfaits protecteurs de ces caroténoïdes sur l'organisme. Les œufs sont des aliments relativement nourrissants. Ils sont sources de vitamine B12, de riboflavine, de sélénium, de vitamine A, de vitamine D et, comme nous l'avons vu précédemment, de lutéine/zéaxanthine. Ils renferment des protéines de bonne qualité du fait d'un bon équilibre entre les acides aminés. Manger un œuf par jour – tout au moins pour les personnes qui n'ont pas un taux trop élevé de cholestérol et/ou du diabète – va de pair avec une alimentation saine.

Achetez de préférence des œufs riches en oméga-3 qui aident à réduire le taux des triglycérides dans le sang. Vérifiez qu'il y a bien sur l'emballage la mention « riches en oméga-3 », ou « poules élevées au grain », ou « riches en DHA et oméga-3 ». Ci-après, un tableau comparatif entre un œuf classique et un œuf enrichi en oméga-3 :

	Gros œuf classique	Œuf enrichi en oméga-3
Calories	75	70
Protéines	6,3	6
Graisses (total)	5	4
Graisses saturées	1,5	1
Cholestérol	213	180
Vitamine E	0,5	3,8 environ

LES ÉPINARDS ET LA VITAMINE K

Les épinards sont riches en vitamine K – une vitamine qui, à la différence des autres vitamines liposolubles, n'est pas stockée dans l'organisme en quantité suffisante et dont l'apport doit, par conséquent, être régulièrement renouvelé, notamment grâce aux aliments. Si nous en savons chaque jour un peu plus sur l'importance de cette vitamine, nous sommes à chaque fois surpris de découvrir à quel point son rôle est crucial pour ce qui est du bon fonctionnement de l'organisme. La vitamine K intervient dans l'activation de six protéines nécessaires à la coagulation sanguine. Sans cette vitamine, le sang ne pourrait tout simplement pas coaguler. Des chercheurs pensent que la vitamine K agit sur le système vasculaire. Les résultats de premières études sont encourageants mais doivent être confirmés par des travaux complémentaires. Par ailleurs, les femmes qui ont un taux relativement faible de vitamine K ont des os plus fragiles et des risques de fracture de la hanche plus importants. Il leur est fortement recommandé de consommer chaque jour 1 portion d'épinards. 1 portion égale à 250 g d'épinards frais par jour couvre 190 % des besoins nutritionnels en vitamine K.

LES ÉPINARDS ET LES MALADIES CARDIOVASCULAIRES

Les épinards ont des effets bénéfiques sur le cœur. En effet, les caroténoïdes et autres nutriments protègent les parois des artères. Parmi les aliments à privilégier : les épinards, les betteraves, le choï-sum (chou chinois), le chou frisé, le chou collard, le chou champêtre et les pissenlits. 1 portion égale à 125 g d'épinards cuits couvre 95 % de nos besoins quotidiens en bêta-carotène et 85 % de nos besoins en lutéine/zéaxanthine. Nous croyons souvent à tort que seuls les fruits et les légumes orange comme le potiron ou la patate douce sont riches en bêta-carotène. Les épinards sont également riches en bêta-carotène même si cette substance est dissimulée par le vert de la chlorophylle contenue dans les feuilles.

La vitamine C et le bêta-carotène que l'organisme convertit en vitamine A agissent en parfaite synergie afin que les artères ne soient pas « endommagées » par le cholestérol oxydé. 1 portion, soit 250 g d'épinards frais, couvre une partie des besoins de l'organisme en vitamine A (via le bêta-carotène), 11 % des besoins en vitamine C chez la femme contre 9 % des besoins chez l'homme.

Les légumes verts à feuilles et la tension artérielle

Pour augmenter la quantité de nutriments antihypertenseurs, consommez des légumes verts à feuilles. Riches en potassium et pauvres en sodium, ils renferment également du calcium, du magnésium, du folate, des polyphénols, des fibres et des taux plus ou moins élevés d'acides gras oméga-3 d'origine végétale. Les légumes verts à feuilles protègent les vaisseaux sanguins.

Les épinards sont également sources de folate. Le folate joue un rôle essentiel dans la prévention des maladies cardiovasculaires en diminuant le taux d'homocystéine, un acide aminé soufré qui augmente les risques de crise cardiaque et d'attaque cérébrale. Le folate intervient également dans la synthèse de l'ADN et dans la prévention du cancer. Les bienfaits du folate sont accrus par le potassium et le magnésium présents dans les épinards qui, eux aussi, protègent le système cardiovasculaire, diminuent la tension artérielle et les risques d'attaque cérébrale.

Pour favoriser l'absorption des carotènes, assaisonnez vos légumes verts avec 1 cuillère à café d'huile d'olive extra-vierge ou mangez-les avec quelques cerneaux de noix ou un avocat coupé en fines lamelles. Les légumes verts se marient merveilleusement avec du saumon.

LES ÉPINARDS ET LE CANCER

Selon plusieurs études épidémiologiques, plus la consommation d'épinards est importante, moins il y a de risques de développer un cancer – ce qui n'a rien d'étonnant dans la mesure où les épinards sont particulièrement riches en nutriments et phytonutriments. Dans les épinards, un nombre important de flavonoïdes interviennent aux différents stades du développement d'un cancer. Le glutathion et l'acide alpha-lipoïque sont, selon certains chercheurs, les deux antioxydants les plus importants dans l'organisme.

Normalement, ces nutriments sont synthétisés naturellement par l'organisme. Toutefois, plus nous vieillissons, plus l'organisme a du mal à assumer ce rôle ; c'est pourquoi il est fortement conseillé à l'âge adulte d'augmenter sa consommation d'épinards riches en glutathion et en acide alpha-lipoïque. Le glutathion, antioxydant le plus important de l'organisme, est présent à l'intérieur de pratiquement toutes les cellules. Le glutathion protège l'ADN, répare l'ADN endommagé, favorise la prolifération et la croissance des cellules immunitaires, agit comme agent détoxifiant face aux agressions des polluants et diminue les inflammations chroniques. L'acide alpha-lipoïque favorise la synthèse du glutathion et stabilise le taux de sucre dans le sang. Des études ont montré que cet acide diminue les symptômes liés au vieillissement (notamment pour ce qui est des pertes des facultés mentales), prévient certaines pathologies comme le cancer, les crises cardiaques et la cataracte. La particularité de l'acide alpha-lipoïque est qu'il est à la fois hydrosoluble et liposoluble. Il peut donc neutraliser les radicaux libres dans l'eau et dans les graisses.

La lutéine, antioxydant puissant présent dans les épinards, stimule le système immunitaire prévenant ainsi le développement de nombreux types de cancers. Il semblerait que les légumes verts soient tout particulièrement efficaces dans la prévention du cancer de l'estomac. Selon une étude japonaise, une alimentation riche en légumes jaune-vert peut diminuer de 50 % les risques de développer un cancer gastrique.

En règle générale, plus les légumes verts sont foncés, plus ils contiennent de phytonutriments et plus ils nous protègent contre le cancer et autres maladies.

Les anciens fumeurs devraient tous consommer des épinards. En effet, des études ont montré que les personnes, y compris les anciens fumeurs, qui consomment 1 portion d'épinards (ou l'un des substituts) une fois par jour ont moins de risques de développer un cancer du poumon. Par ailleurs, les personnes qui consomment peu d'aliments riches en caroténoïdes (par exemple, des épinards) ont deux fois plus de risques d'être frappées par la maladie.

Les épinards et le calcium

Les épinards sont relativement riches en calcium. Toutefois, du fait de la présence d'oxalates, l'absorption du calcium est réduite. Les oxalates contenus dans les épinards n'interfèrent que très légèrement en ce qui concerne l'absorption du calcium apporté par les aliments consommés avec les épinards. En conclusion, si vous mangez un yaourt ou tout autre produit riche en calcium après des épinards, le calcium sera absorbé par l'organisme.

LES DIFFÉRENCES ENTRE LES LÉGUMES VERTS À FEUILLES

Les légumes verts à feuilles n'ont pas tous les mêmes propriétés. Pour nombre d'entre nous qui dit « légume vert » dit « salade ». Or, l'alimentation peut être riche en légumes verts et variée. Agrémentez vos sandwiches et autres plats et protégez votre capital-santé.

Tableau comparatif entre trois légumes verts à feuilles
(250 g de légumes crus)

	Épinards	Laitue romaine	Laitue (Iceberg)
Calories	7	9	6
Fibres	›1 g	›1 g	›1 g
Calcium	30 mg	18 mg	11 mg
Fer	0,8 mg	0,6 mg	0,2 mg
Magnésium	24 mg	8 mg	4 mg
Potassium	167 mg	140 mg	84 mg
Zinc	0,2 mg	0,1 mg	0,1 mg
Vitamine C	8 mg	13 mg	2 mg
Niacine	0,2 mg	0,1 mg	0,1 mg

Folate	58 µg	76 µg	31 µg
Vitamine E	0,6 mg	0,1 mg	0,2 mg
Lutéine/Zéaxanthine	3,7 mg	1,4 mg	0,2 mg
Bêta-carotène	1,7 mg	2 mg	0,1 mg

Comme vous pouvez le voir, les épinards arrivent en tête de liste avec la plus forte teneur en caroténoïdes. La laitue romaine renferme moins de lutéine que les épinards mais est légèrement plus riche en bêta-carotène. La laitue (Iceberg) est moins riche en lutéine, en bêta-carotène, en magnésium et en folate. Si vous consommez principalement des salades, essayez de mélanger de la laitue (Iceberg) avec de la romaine et quelques feuilles d'épinards. Je suis friand de salades moitié laitue moitié épinards croquantes et riches en nutriments.

LES ÉPINARDS DANS LA CUISINE

Les marchés et grandes surfaces proposent des épinards et autres légumes verts à feuilles tout au long de l'année. Vous avez le choix entre les légumes aux feuilles lisses, cloquées ou frisées. Les épinards sont commercialisés en vrac ou en sachets. Je préfère – dans la mesure du possible – acheter des épinards en vrac. Les feuilles doivent avoir une odeur prononcée, être craquantes et sans aucune tache. Si vous n'avez pas le choix et que vous achetez des légumes dans des sachets, soyez extrêmement vigilant(e) et sachez qu'en règle générale ils se conserveront moins longtemps que les légumes en vrac. Attention aux feuilles qui commencent à jaunir ! Les épinards et autres légumes verts à feuilles se conservent entre trois et quatre jours. Enveloppez-les – sans les laver (ce qui risquerait de les faire pourrir) – dans de l'essuie-tout ou un torchon et conservez-les dans le bac à légumes de votre réfrigérateur.

Avant d'utiliser les épinards, retirez les feuilles les moins belles et les feuilles du centre plus dures. Mettez-les dans un récipient ou dans l'évier et recouvrez-les d'eau froide afin que le sable et la terre se déposent au fond. Égouttez les épinards, changez l'eau et recommencez l'opération jusqu'à ce qu'il n'y ait plus ni sable ni terre. Attention ! si vous laissez les légumes tremper trop longtemps, ils perdront une partie de leurs nutriments, notamment les vitamines.

Le plus ennuyeux avec les épinards, c'est qu'il faut les laver plusieurs fois de suite surtout si vous les achetez directement à un producteur. Les épinards vendus dans les grandes surfaces ont en général moins de sable et de terre.

Si nettoyer les épinards vous casse réellement les pieds, achetez des petits épinards prélavés conditionnés en sachet « fraîcheur » et commercialisés dans certains supermarchés. Faites-les cuire au micro-ondes après avoir percé quelques trous dans le sachet afin que la vapeur s'échappe. Plus de fausses excuses pour ne pas manger d'épinards !

Crus ou cuits ?

Les légumes verts à feuilles se mangent aussi bien cuits que crus. La cuisson libère les caroténoïdes, notamment le bêta-carotène qu'elle rend plus biodisponible, et augmente la teneur en lutéine. Toutefois, la chaleur dégrade la vitamine C et le folate. Alors que faire ? Manger des légumes verts cuits et des légumes verts crus !

Intégrer les épinards et autres légumes verts à feuilles dans son alimentation

• Mettez une couche d'épinards ou autres légumes verts à feuilles dans les lasagnes.

• Faites cuire des épinards à la vapeur et servez-les avec quelques gouttes de jus de citron frais et du parmesan râpé. Les épinards cuits se conservent trois jours au réfrigérateur. À consommer en accompagnement ou seuls pour un dîner léger.

• Ajoutez une poignée de feuilles d'épinard dans vos soupes.

• Avec les restes des légumes verts à feuilles, faites une salade composée que vous assaisonnerez au vinaigre balsamique. Ajoutez quelques graines de sésame.

• Dans une omelette, ajoutez des légumes verts à feuilles coupés finement, de la ciboulette, une tomate, des poivrons et un oignon.

• Mélangez des légumes verts à feuilles crus avec de la laitue romaine.

Le pesto aux épinards de Patty

Écrasez des épinards crus que vous mélangerez ensuite avec des amandes ou des noix, de l'ail, de l'huile d'olive et du parmesan râpé. Le pesto se marie merveilleusement avec des pois chiches ou des pâtes. Le pesto peut être congelé.

Le pourpier

Pour les rares personnes qui en ont déjà entendu parler, le pourpier est une herbe qui pousse sur les sols secs et sableux, le long des routes mais aussi dans les jardins, et qui ne mérite aucune attention particulière. En vérité, le pourpier est un super-aliment qui dans l'Antiquité était déjà utilisé comme remède pour soigner certaines pathologies : troubles cardiaques, maux de gorge, articulations enflammées, peau sèche et autres maladies diverses. En Europe et plus précisément en Grèce, au Mexique et en Asie, les populations ont toujours consommé du pourpier extrêmement riche en acides gras oméga-3 d'origine végétale, source de vitamine C, de bêta-carotène et de glutathion. Dans une salade assaisonnée à l'huile d'olive et au jus de citron, le pourpier est un régal. Pour en savoir plus sur cette plante aux nombreux bienfaits, consultez les sites Internet et les ouvrages de botanique. Si vous ramassez du pourpier dans un champ, méfiez-vous car il peut avoir été contaminé par des produits chimiques. Achetez du pourpier dans les marchés campagnards et sachez que rien ne vous empêche d'en faire pousser dans votre jardin. Pour ce faire, rendez-vous chez un grainetier.

Le thé

LES SUBSTITUTS : aucun.

APPORT NUTRITIONNEL RECOMMANDÉ : 1 tasse (200 ml) ou plus par jour.

Le thé renferme :
- Des flavonoïdes
- Du fluor
- Aucune calorie

Qui aurait pu supposer que cette boisson au goût savoureux associée au plaisir et à la relaxation et proposée dans les restaurants les plus raffinés comme les bistrots de quartier puisse figurer sur la liste des super-aliments ? Comment imaginer que ce breuvage au prix modique et sans calories fasse baisser la tension artérielle, prévienne le cancer et l'ostéoporose, diminue les risques d'attaque cérébrale, stimule le système cardiaque, protège la peau du soleil (rides et cancer) et contribue au maintien d'une juste hydratation du corps ? Comment deviner les propriétés antivirales, anti-inflammatoires et antiallergiques de cette boisson qui, de plus, prévient les caries dentaires et la cataracte ? Les bienfaits du thé sont tels qu'il nous arrive souvent d'en oublier. Sans aucun doute, celles et ceux qui ne sirotent pas un thé à l'orange pekoe au bureau, qui ne se désaltèrent pas avec du thé vert glacé après un match de tennis ou qui ne se relaxent pas le soir en dégustant de l'Earl Grey ignorent que le thé a un rôle à jouer dans la protection de leur capital-santé et peut les aider à vivre mieux plus longtemps.

Selon la légende, le thé aurait été découvert tout à fait par hasard en 2700 av. J.-C. sous le règne de l'empereur chinois Shen Nung. Alors que celui-ci se reposait à l'ombre d'un arbre, l'un de ses serviteurs lui apporta une tasse d'eau bouillante. C'est alors que le vent s'est levé et que des feuilles de l'arbre sont tombées dans l'eau. L'empereur, très assoiffé, but le breuvage qu'il trouva délicieux. C'est ainsi qu'est née la boisson qui, après l'eau, est la plus consommée au monde. Il existe plus de 3 000 variétés de thés – ce qui, probablement, explique la popularité dont jouit ce breuvage à travers le monde. Aucun Britannique ne déroge au rite du *tea time* alors que la cérémonie du thé est la quintessence du Japon. À ma connaissance, aucune autre boisson – à l'exception peut-être du vin – n'est au centre d'autant de rites ou de cérémonies.

Si la saveur du thé est connue depuis des millénaires, les bienfaits de ce breuvage sur la santé n'ont été découverts que très tardivement, et même si au cours des derniers siècles les populations voyaient dans le thé un remède efficace contre certaines maladies, les premières études qui sont venues confirmer ce que l'on pressentait sont relativement récentes.

En anglais, le mot *tea* signifie « thé » mais également « infusion ». Or, ce chapitre ne traite que du thé préparé avec les feuilles du *Camellia sinensis*, arbre à feuilles persistantes. Il existe trois grandes catégories de thés, à savoir le thé vert, le thé noir et le thé oolong. Les feuilles proviennent du même arbre, seuls les procédés de traitement des feuilles après la récolte diffèrent. Le thé vert est un thé non fermenté. Très apprécié des Japonais, il représente environ 21 % de la production du thé dans le monde contre 77 % pour le thé noir qui a la préférence des Européens et des Occidentaux en général. Le thé noir est obtenu à partir de feuilles fermentées.

Lors de la fermentation, les feuilles vertes noircissent et libèrent une forte odeur. Le thé oolong, très largement consommé en Chine et à Taïwan, est semi-fermenté.

Si on parle principalement des bienfaits pour la santé du thé vert, c'est tout simplement parce qu'il a été l'objet d'études plus poussées.

Le thé contient plus de quatre mille substances chimiques. Les substances qui ont le plus attiré l'attention des chercheurs et qui se sont avérées être les plus bénéfiques sont une sous-classe de polyphénols, les « flavonoïdes » – également présents dans le vin rouge et les baies. Une tasse de thé noir infusé contient environ 268 mg de flavonoïdes contre 316 mg dans une tasse de thé vert. Une tasse de thé vert infusé fournit à l'organisme cinq fois plus de flavonoïdes que l'oignon rouge, lui aussi particulièrement riche en flavonoïdes. Le polyphénol le plus puissant contenu dans le thé est le gallate d'épigallocatéchine ou EGCG qui appartient à un groupe de flavones, les catéchines. Une étude en laboratoire a montré que les catéchines sont des antioxydants beaucoup plus puissants que les vitamines C et E. Des travaux de recherche parallèles ont prouvé que l'EGCG contenu dans le thé vert est un oxydant vingt fois plus puissant que la vitamine C.

Laissez infuser le sachet de thé pendant trois à quatre minutes puis essorez-le afin de récupérer le maximum de flavonoïdes. Les infusions à base de plantes sont beaucoup moins riches en polyphénols que le thé.

Quel est le meilleur thé ? Pendant très longtemps, le thé vert a été considéré comme le thé offrant les meilleurs bienfaits. Or, nous savons aujourd'hui que, si le thé vert et le thé noir ont des effets similaires, ils ont aussi des effets biochimiques, physio-logiques et épidémiologiques différents – ce qui explique que, dans certaines pathologies, le thé noir soit plus efficace que le thé vert et vice versa. En conclusion, inutile de vous poser trop de questions : buvez le thé que vous aimez, qu'il soit vert ou noir. Pour ma part, selon le moment de la journée, j'opte pour l'un ou l'autre.

Nombre d'études tendent à prouver que les bienfaits du thé sur la santé sont dus à la teneur en caféine. Cette substance aurait, vraisemblablement, des propriétés antimutagènes pouvant avoir une incidence sur certaines pathologies, notamment le cancer. Selon plusieurs études épidémiologiques, la caféine pourrait ralentir, voire empêcher le développement de la maladie de Parkinson – ce qui me pousse à dire qu'il vaut mieux boire du thé non décaféiné. Si vous êtes sensible à la caféine, limitez votre consommation aux premières heures de la journée et optez de préférence pour du thé vert moins riche en caféine.

À dose égale, le thé contient environ un tiers de caféine en moins que le café. Par ailleurs, la caféine contenue dans le thé semble avoir moins d'effets sur l'organisme que la caféine contenue dans le café.

Les chercheurs restent perplexes quant à certains effets du thé sur la santé. En effet, plusieurs études ont laissé entrevoir des résultats contradictoires. Par exemple, les bienfaits du thé ayant été prouvés sur des animaux, les scientifiques se sont demandé si les effets sur l'homme pouvaient être similaires. Des travaux complémentaires sont en cours mais les premiers résultats sont mitigés. Le thé aurait notamment des effets positifs et des effets négatifs sur le développement du cancer de l'œsophage. Il se pourrait toutefois que les résultats négatifs soient dus à des paramètres autres que chimiques. En effet, dans certains pays, le thé se boit bouillant et/ou très salé : deux facteurs qui, on le sait, favorisent le développement du cancer de l'œsophage. L'avenir nous dira ce qu'il en est exactement.

À l'heure actuelle, je pense que nous pouvons nous fier aux résultats prouvant les bienfaits du thé sur le capital-santé. À l'instar des autres super-aliments, le thé devrait faire partie de nos habitudes alimentaires à condition, toutefois, que notre mode de vie soit sain et équilibré. En effet, si vous fumez, si vous buvez de l'alcool à outrance, si vous mangez plus que de raison et si vous ne faites jamais le moindre exercice physique, n'espérez pas que le thé vous redonne forme et vitalité. De même, ce n'est pas parce que le thé contient des polyphénols que vous pouvez vous permettre de ne manger ni fruits ni légumes. Si le thé n'est pas LA solution, il peut indéniablement protéger votre santé et prévenir nombre de maladies.

Buvez une tasse de thé vert ou de thé noir le matin avant de pratiquer une activité sportive. Les flavonoïdes passeront dans le sang au bout d'une demi-heure environ. Ces antioxydants pourront alors préparer votre organisme à maîtriser les radicaux libres générés par les exercices.

LE THÉ ET LE CANCER

Il a été prouvé scientifiquement que le thé diminue le risque de développer un cancer de l'estomac, de la prostate, du sein, du pancréas, du colorectum, de l'œsophage (dans certaines conditions – voir ci-dessus), de la vessie ou du poumon. Des études en laboratoire ont prouvé que le thé peut inhiber la formation et la prolifération de tumeurs.

Les catéchines contenues dans le thé préviennent la mutation cellulaire et désactivent nombre de carcinogènes. Elles ralentissent également la prolifération des cellules cancéreuses et inhibent la croissance des vaisseaux sanguins dont les tumeurs ont besoin pour se développer. Selon une étude japonaise, les femmes qui boivent beaucoup de thé vert, soit jusqu'à dix tasses par jour, ont moins de risques de développer un cancer que celles qui n'en boivent pas. Il semblerait par ailleurs que les Américains aient quinze fois plus de risques de développer un cancer de la prostate que les Asiatiques qui consomment beaucoup de thé tout au long de la journée.

Si une seule tasse de thé par jour contribue à la protection du capital-santé, il est fortement recommandé de boire quatre tasses de thé par jour pour diminuer les risques d'être atteint par un cancer.

Il semblerait que plus la consommation de thé est importante et donc plus l'apport en flavonoïdes est élevé, moins il y a de risques de souffrir de démence. Des études complémentaires devraient prochainement confirmer cette hypothèse.

LE THÉ ET LE CŒUR

Plus la consommation de thé est importante, plus les risques d'avoir une maladie coronarienne ou une attaque cérébrale sont diminués ; c'est ce qu'ont démontré des chercheurs ayant comparé les artères d'Américains d'origine chinoise qui boivent du thé et d'Américains de race caucasienne amateurs de café. Des autopsies pratiquées sur des sujets appartenant aux deux groupes ont révélé que les buveurs de thé avaient moins de problèmes d'artères (environ 30 % en moins) et de troubles cérébraux (environ 60 % en moins) que les buveurs de café. Selon une autre étude portant sur des hommes, les décès dus à une maladie coronarienne seraient réduits de 40 % chez les sujets buvant au minimum une tasse de thé par jour. Des chercheurs de Harvard sont arrivés à la conclusion que les personnes qui boivent au moins une tasse de thé par jour ont 44 % de risques en moins d'avoir une attaque cérébrale.

Bien que les résultats de tests cliniques portant sur une éventuelle corrélation entre la consommation de thé et la diminution des maladies coronariennes ne soient pas concluants, les chercheurs ayant étudié les effets du thé sur des animaux de laboratoire sont unanimes : les catéchines diminuent le taux de cholestérol et plus précisément le taux de « mauvais » cholestérol.

Par ailleurs, plus la consommation de thé est importante, plus le taux d'homocystéine est faible et moins il y a de risques de développer une maladie coronarienne ou souffrir de troubles cérébro-vasculaires. Le thé empêcherait la formation de plaques sur les parois artérielles et, de ce fait, préviendrait nombre de maladies coronariennes. Pour protéger votre cœur et vos artères, buvez au minimum une à trois tasses de thé par jour. Gardez à l'esprit que plus la consommation est élevée, meilleure est la protection.

Selon une étude, les personnes qui ont eu une crise cardiaque mais qui tout au long de l'année précédant la crise ont consommé régulièrement du thé ont moins de risques de mourir que les autres. Dans cette étude, étaient considérés comme buveurs modérés celles et ceux qui buvaient moins de quatorze tasses de thé par semaine et comme grands buveurs de thé celles et ceux qui consommaient plus de quatorze tasses de thé par semaine. En conclusion, même si le thé n'est pas votre boisson de prédilection, essayez d'en boire autant que possible afin de protéger votre système cardiovasculaire.

Selon des études préliminaires, le thé augmenterait la dépense énergétique et, par-delà, favoriserait la perte de poids.

AUTRES BIENFAITS DU THÉ

Le thé aurait un effet bénéfique sur la protection dentaire. Boire du thé prévient la formation des caries dentaires et les gingivites. Selon une étude, le thé diminue jusqu'à 75 % le risque de caries, et ce pour plusieurs raisons. Le thé contient du fluor qui pénètre dans la dentine et renforce l'émail des dents. Par ailleurs, le thé inhiberait les bactéries en les empêchant d'adhérer à la surface des dents et neutraliserait l'acide produit par les bactéries.

Une autre bonne nouvelle : le thé préviendrait la formation de calculs rénaux. Alors que plusieurs publications scientifiques affirment le contraire, l'étude de Framingham (voir p. 11) a prouvé qu'une tasse de thé par jour diminue de 8 % le risque de souffrir de calculs rénaux.

Le thé protège le capital osseux des hommes et des femmes. Selon plusieurs études portant sur les risques de fracture de la hanche, les personnes consommant régulièrement du thé sur une longue période, soit plus de dix ans, ont des os plus solides que celles qui n'en consomment pas. Vraisemblablement, les flavonoïdes contenus dans le thé ont une activité phyto-œstrogénique bénéfique pour les os. Par ailleurs, certains extraits de thé seraient des inhibiteurs de la résorption osseuse.

Du fait de ses propriétés antiallergiques, le thé oolong serait efficace dans le traitement de la dermatite atopique. Au bout d'une à deux semaines, une nette amélioration a été observée chez les sujets buvant du thé. Si vous souffrez de dermatite atopique, laissez infuser un sachet de thé de 10 g pendant 5 mn dans de l'eau bouillante (l'équivalent de quatre tasses) et buvez la préparation au cours des trois repas principaux. Rapidement, vous vous sentirez beaucoup mieux.

CE QU'IL FAUT SAVOIR SUR LE THÉ

- Les bienfaits des feuilles de thé infusées sont supérieurs à ceux du thé lyophilisé.
- Le thé en sachet a les mêmes effets bénéfiques sur le capital-santé que le thé en vrac.
- Laissez infuser le thé pendant au moins 3 mn.
- Essorez le sachet de thé afin de récupérer le maximum de polyphénols.
- Pour augmenter la teneur en polyphénols, mettez une rondelle de citron ou de citron vert non épluchée dans votre thé.
- Si vous êtes sensible à la caféine, laissez infuser votre thé pendant 1 mn seulement.
- Ne buvez pas votre thé bouillant afin de ne pas endommager votre œsophage.
- Avec le temps, les flavonoïdes se dégradent. N'attendez pas trop longtemps pour boire votre thé, qu'il soit chaud ou glacé.

Les tomates

LES SUBSTITUTS : la pastèque, le pamplemousse rose, les kakis du Japon, la papaye à chair rouge et la goyave fraise.

APPORT NUTRITIONNEL RECOMMANDÉ : 1 portion de produits transformés à base de tomates (ou de l'un des substituts) une fois par jour et plusieurs portions de tomates fraîches plusieurs fois par semaine.

Les tomates renferment :

- Du lycopène
- Peu de calories
- De la vitamine C
- De l'alpha-carotène et du bêta-carotène
- De la lutéine/zéaxanthine
- Du phytoène et du phytofluène
- Du potassium
- Des vitamines B (B6, niacine, folate, thiamine et acide pantothénique)
- Du chrome
- De la biotine
- Des fibres

Que les tomates soient des super-aliments est à la fois une mauvaise et une bonne nouvelle. Une mauvaise nouvelle car, dans nombre de régions, les tomates n'ont du goût que les mois d'été et une bonne nouvelle car les éléments nutritionnels des tomates sont préservés dans les conserves et produits transformés – ce qui veut dire que nous pouvons malgré tout en bénéficier toute l'année.

La sauce pour spaghettis, la sauce pour tacos, les pizzas et même le ketchup et la sauce barbecue ont les mêmes effets bénéfiques que les tomates fraîches. Donc, peu importe le lieu où vous vivez, vous pourrez tout au long de l'année profiter des bienfaits des tomates sous une forme ou une autre.

Les tomates – ingrédients de prédilection dans une multitude de plats, y compris les pizzas et les lasagnes – n'ont pas toujours fait l'unanimité. Jadis la tomate était considérée comme un aliment vénéneux. Le mot latin *Lycopersicon* signifiant « pêche de loup » montre à quel point les populations se méfiaient de ce fruit qui, à leurs yeux, était aussi dangereux que les loups. Originaire du Mexique et très prisée des Aztèques, la tomate fut introduite en Europe par les missionnaires espagnols. Il faudra toutefois attendre la fin du xixe siècle pour qu'elle devienne populaire et occupe une place d'honneur sur notre table.

Ce scepticisme qui, durant des siècles, a poussé les populations – hormis les Espagnols et les Italiens – à bouder la tomate était au demeurant fondé. En effet, les feuilles de la tomate contiennent des alcaloïdes toxiques. Aujourd'hui, la tomate est l'une des denrées les plus courantes et l'un des super-aliments les plus consommés.

Les tomates – qui pour les botanistes ne sont pas des légumes mais des fruits – sont les parties d'une sommité florale qui renferme des graines. En 1893, la Cour suprême des États-Unis dut statuer sur un cas litigieux. En effet, lorsqu'il s'agissait d'expédier des tomates, les fermiers devaient-ils payer les coûts de transport appliqués aux fruits ou aux légumes ? La Cour suprême décida qu'ils paieraient les coûts de transport appliqués aux légumes et c'est ainsi que la tomate changea de « statut ».

Deux caroténoïdes récemment identifiés auraient des effets particulièrement bénéfiques sur la santé. Le phytoène et le phytofluène sont présents dans les tomates fraîches et les produits transformés à base de tomates. Le phytoène est connu pour ses propriétés antioxydantes et anticancéreuses. Des études préliminaires qui demandent à être confirmées laissent supposer que le phytoène et le phytofluène sont à même de combattre certains types de cancers et autres maladies.

LE POUVOIR DES FRUITS ET DES LÉGUMES ROUGES

Le lycopène est le caroténoïde qui donne à la tomate sa couleur rouge. Ce pigment a des effets positifs sur l'organisme. Pendant très longtemps, les scientifiques ont été intrigués par la multitude de propriétés biologiques qui font du lycopène une substance unique, certains allant jusqu'à penser que le lycopène pouvait être un antioxydant aussi puissant que le bêta-carotène. Nous savons que ce caroténoïde combat les radicaux libres, notamment l'oxygène singulet, une forme d'oxygène aux effets particulièrement délétères.

Le lycopène est un nutriment dont l'heure de gloire est arrivée. En effet, depuis ces dernières années, de plus en plus de chercheurs s'intéressent à cette substance étonnamment puissante. Dans les années 1980, des études ont montré que les personnes qui consomment une grande quantité de tomates ont beaucoup moins de risques de mourir d'un cancer – tous types confondus – que celles qui mangent peu, voire pas de tomates. Des études plus récentes sont venues confirmer ces résultats prometteurs.

Mais le lycopène ne fait pas que protéger du cancer. En effet, cette substance est naturellement présente dans la peau. Or, un apport en lycopène alimentaire seul ou avec d'autres nutriments augmente considérablement l'indice de protection contre les ultra-violets. En d'autres termes, en mangeant des tomates (tomates crues, cuites ou produits transformés) vous protégez votre peau qui résiste mieux aux agressions de la lumière du soleil. Le lycopène peut être assimilé à un produit solaire à haut indice de protection naturel.

Le lycopène diminue – indirectement certes – le risque de développer une dégénérescence maculaire liée à l'âge en « limi-tant » l'oxydation de la lutéine de manière à ce que celle-ci puisse être transportée jusqu'à la macula sous sa forme non oxydée et donc protectrice.

Teneur en lycopène de certains aliments

(Idéalement, l'apport quotidien en lycopène devrait être de 22 mg.)

Purée de tomates (125 g) 27,2
Jus de tomate (200 ml) 22,0
Sauce tomate (100 ml) 18,5
Pastèque (1 part) 13,0
Concentré de tomates (2 cuillères à soupe) 9,2
Boules de pastèque (250 g) 7,0
Ketchup (2 cuillères à soupe) 5,8
Tomates concassées en conserve (125 g) 5,1
Pizza (1 part de 100 g) 4,0
1 tomate (fraîche, de taille moyenne) 3,2
5 tomates cerises 2,2
1/2 pamplemousse rose 1,8

Vous avez peut-être entendu parler de l'étude réalisée par le docteur David Snowdon du Centre de gériatrie de Sanders-Brown (université du Kentucky) portant sur 88 religieuses catholiques âgées de 77 à 98 ans. Selon cette étude, les religieuses ayant la plus forte concentration de lycopène dans le sang étaient des femmes autonomes capables d'effectuer les tâches qui leur étaient imparties au quotidien. En règle générale, celles dont le taux de lycopène était le plus élevé étaient 3,6 fois plus actives que celles qui avaient un taux plus faible. Aucune étude n'a, à ce jour, prouvé une corrélation de ce type entre un autre antioxydant (vitamine E ou bêta-carotène) et la forme et la vitalité.

Peu d'aliments contiennent du lycopène. 80 % de l'apport en lycopène des Américains est fourni par le ketchup, le jus et la sauce tomate.

La pastèque est également source de lycopène. Il semblerait même qu'à quantité égale, la pastèque soit plus riche en lycopène que la tomate. Pour preuve, lorsqu'une personne mange de la pastèque, le taux de lycopène dans le sang est beaucoup plus élevé que lorsqu'elle mange des tomates.

Même si le pamplemousse rose n'a pas fait l'objet d'autant d'études scientifiques que la tomate et la pastèque, nous savons que ce fruit est, lui aussi, très riche en lycopène. Toutefois, l'absorption du lycopène dans l'organisme est plus importante en présence de graisse alimentaire. Or, à la différence de la pastèque ou du pamplemousse rose, les tomates sont généralement assaisonnées à l'huile d'olive ou servies avec du fromage. Modifiez vos habitudes alimentaires et mangez de la pastèque coupée en cubes et de la feta.

La pastèque, la goyave fraise, le pamplemousse rose, la papaye à chair rouge et les kakis sont sources de lycopène. Ne les oubliez pas dans votre alimentation.

Même si les études ont principalement porté sur le lycopène, sachez que la tomate renferme une multitude d'autres éléments nutritifs dont la synergie a des effets bénéfiques sur la santé et la vitalité. Pauvre en calories, riche en fibres et en potassium, la tomate est également source de bêta-carotène, d'alpha-carotène, de lutéine/zéaxanthine, de phytoène, de phytofluène et autres polyphénols. Elle renferme également – certes en moindre quantité – des vitamines B (thiamine, acide pantothénique, vitamine B6 et niacine), du folate, de la vitamine E, du magnésium, du manganèse et du zinc.

C'est la synergie existant entre ces différents nutriments et l'extraordinaire pouvoir du lycopène qui font de la tomate un superaliment.

LES TOMATES ET LE CANCER

Plusieurs études ont montré que les tomates protègent contre le cancer et plus précisément le cancer de la prostate.

Le docteur Edward Giovannucci de l'École de médecine de Harvard a publié deux études particulièrement intéressantes sur la corrélation entre certains aliments, et plus spécifiquement les tomates, et les risques de développer un cancer. En 1995, ce chercheur a trouvé que, sur 48 000 sujets masculins, ceux qui mangeaient au minimum 10 portions de tomates par semaine diminuaient d'environ 35 % les risques de développer un cancer de la prostate et de près de 50 % les risques d'avoir une tumeur agressive de la prostate. Plus la consommation de tomates était importante, plus le risque d'avoir un cancer était moindre. Je tiens à préciser que le lycopène est un caroténoïde naturellement présent dans la prostate en assez grande quantité.

En 1999, une autre étude a permis au docteur Giovannucci d'affirmer que, parmi tous les produits à base de tomates, la sauce tomate – à raison de 2 portions par semaine – est de loin le produit qui diminue le plus le risque de souffrir, un jour ou l'autre, d'un cancer de la prostate.

Les études de 1995 et de 1999 mettent en évidence deux points importants. Le premier, dont je vous ai déjà parlé, c'est que les produits transformés à base de tomates, y compris la sauce et le concentré de tomates, sont plus efficaces que les tomates fraîches pour ce qui est de la diminution du risque de développer un cancer. En effet, dans les tomates crues, le lycopène est renfermé dans les parois cellulaires et les fibres. Lorsqu'il s'agit de produits transformés, le lycopène franchit les parois cellulaires et se libère afin d'être absorbé par l'organisme. À quantité égale, les produits transformés à base de tomates et les tomates cuites contiennent deux à huit fois plus de lycopène que les tomates crues. Si les tomates crues sont plus riches en vitamine C, les tomates cuites et les produits transformés ont une activité antioxydante supérieure et, de ce fait, préservent mieux le capital-santé.

Le concentré de tomates est un ingrédient qui mérite une place d'honneur dans la cuisine. Il possède toutes les propriétés des tomates fraîches mais celles-ci sont plus concentrées. Le concentré de tomates augmente l'indice de protection (IP) de la peau qui résiste mieux aux agressions des rayons ultraviolets. Selon une étude, 40 g de concentré de tomates par jour (soit moins d'un quart d'une petite boîte de conserve) fournit à l'organisme 16 mg de lycopène. Il faut alors une plus grande exposition au soleil, soit 40 % de plus, pour que la peau rougisse. Mettez du concentré de tomates en conserve ou surgelé dans les soupes, les bouillons et les ragoûts. Choisissez de préférence un produit pauvre en sodium. Lorsque je cuisine, je mets deux fois plus de concentré de tomates que la dose indiquée dans la recette.

Le second point est la corrélation existant entre une alimentation riche en tomates et une diminution du risque de développer un cancer, notamment du poumon, de l'estomac ou de la prostate.

Le docteur Giovannucci a néanmoins tenu à préciser que (je cite) « rien ne prouve que ces effets bénéfiques puissent être attribués au lycopène seul : d'autres composés agissant seuls ou en synergie avec le lycopène pourraient être impliqués ». Face à la multitude de composés contenus dans la tomate, il y a effectivement de grandes chances pour que ce soit la *synergie* entre ces différentes substances qui soit responsable de ces bienfaits.

Si les tomates jouent un rôle primordial dans la prévention du cancer de la prostate, le lycopène serait une arme efficace dans la lutte contre les cancers du sein, des voies digestives, de la vessie et du poumon.

Appel aux consommateurs

Exigez des entreprises agroalimentaires qu'elles commercialisent des pâtes à pizza prêtes à l'emploi à base de farine complète. Boycottez les pizzerias qui ne proposent que des pizzas à base de farine blanche.

Le lycopène semble réduire les risques de cancer de différentes manières. Premièrement, cet antioxydant étonnamment puissant stoppe les effets délétères des radicaux libres. Il est particulièrement efficace lorsqu'il travaille en synergie avec la vitamine E. Deuxièmement, le lycopène semble interférer avec les facteurs de croissance qui favorisent la prolifération des cellules cancéreuses. Troisièmement, il stimule les défenses immunitaires.

Appel aux consommateurs

Faites pression auprès des entreprises agroalimentaires pour qu'elles commercialisent des produits transformés à base de tomates pauvres en sodium.

Comme je vous l'ai dit précédemment, le lycopène étant liposoluble, il a besoin de graisses alimentaires capables de le véhiculer dans le système sanguin. La tomate fraîche dans laquelle vous croquez n'est donc pas la meilleure source de lycopène.

Les produits à base de tomates qui, apparemment, sont les plus efficaces dans la prévention contre le cancer sont des produits contenant de l'huile. Je vous recommande vivement de manger régulièrement une salade de tomates assaisonnée à l'huile d'olive extra-vierge. La couleur verte de l'huile d'olive atteste la teneur en polyphénols. Ces polyphénols associés aux éléments nutritifs contenus dans les tomates sont particulièrement bénéfiques à la santé. Mettez quelques gouttes d'huile d'olive extra-vierge dans vos spaghettis, sur vos pizzas et dans vos soupes à la tomate.

La tomate sous toutes ses formes

Contrairement aux autres caroténoïdes qui sont efficacement stockés dans l'organisme, le taux de lycopène dans le plasma chute relativement rapidement lorsque l'alimentation est pauvre en aliments riches en lycopène. C'est pourquoi, vous devez absolument consommer tous les jours des aliments sources de lycopène, notamment des tomates, que ce soit sous la forme de sauce, de concentré, de pizza, voire même de ketchup.

LES TOMATES ET LE CŒUR

Les tomates jouent, vraisemblablement, un rôle dans la prévention des maladies cardiovasculaires. Le lycopène travaille en synergie avec d'autres antioxydants très puissants comme la vitamine C et le bêta-carotène afin de neutraliser les radicaux libres susceptibles d'endommager les cellules et les membranes cellulaires. Cette protection diminue les risques d'inflammation et par-delà l'aggravation d'arthérosclérose. Des chercheurs allemands ont comparé le taux de lycopène présent dans les tissus chez des hommes ayant eu une crise cardiaque et chez des sujets n'en ayant jamais eu. Le taux de lycopène des sujets entrant dans la première catégorie était inférieur à celui des sujets entrant dans la seconde catégorie. Par ailleurs, les hommes ayant les taux les plus faibles couraient deux fois plus de risques d'avoir une crise cardiaque que les hommes ayant les taux les plus élevés.

Une autre étude européenne a comparé le taux de caroténoïdes chez des sujets originaires de dix pays différents. Le lycopène a été identifié comme étant la substance offrant la meilleure protection contre les crises cardiaques.

Les tomates renferment du potassium, de la niacine, de la vitamine B6 et du folate, nutriments particulièrement bénéfiques pour le cœur. Les aliments riches en potassium diminuent les risques de développer une maladie cardiovasculaire notamment en régulant la tension artérielle. La niacine fait baisser les taux de cholestérol dans le sang. L'association de vitamines B6 et de folate fait chuter le taux d'homocystéine dans le sang – ce qui est primordial lorsque l'on sait que l'homocystéine augmente les risques de développer une maladie coronarienne précoce ou d'être frappé par des troubles cérébro-vasculaires.

La pizza au service de la prostate

La prostate est une glande dont la croissance s'effectue principalement entre l'âge de 13 et 20 ans. Si, à cette période, les jeunes gens ont une alimentation riche en graisses saturées (ce qui est le cas des adeptes du fast-food), ils augmentent leurs risques de développer, un jour ou l'autre, un cancer de la prostate. Pour protéger vos fils, faites-leur manger des pizzas avec beaucoup de concentré de tomates et des légumes riches en lycopène.

LES PROPRIÉTÉS ANTIOXYDANTES DE LA PEAU DES FRUITS ET DES LÉGUMES

Lorsqu'ils poussent en dehors d'une serre, les fruits et les légumes doivent se protéger contre de multiples agressions : rayons ultra-violets, pollution et prédateurs. C'est la peau, l'écorce ou les feuilles externes qui, grâce à leur pouvoir antioxydant, jouent ce rôle protecteur. Les feuilles externes des épinards et des choux, par exemple, sont particulièrement riches en vitamine C qui, je vous le rappelle, est un puissant antioxydant, alors que les fleurons des brocolis en contiennent beaucoup plus que toute autre partie. 100 g de pommes non épluchées fournissent à l'organisme 142 mg de flavonoïdes contre 97 mg lorsqu'elles sont épluchées. La quercétine – flavonoïde aux propriétés anti-inflammatoires – n'est présente *que* dans la peau des pommes (il n'y a pas de quercétine dans la chair). Les propriétés antioxydantes de 100 g de pommes épluchées sont pratiquement deux fois moins importantes que dans 100 g de pommes non épluchées.

La peau marron qui protège les amandes et les cacahouètes est riche en polyphénols bioactifs.

En règle générale, plus la proportion de peau est importante par rapport à la proportion de chair, plus le fruit a un pouvoir anti-oxydant. C'est pourquoi les myrtilles et les canneberges sont extrêmement riches en antioxydants. Il en va de même pour les tomates – ce qui explique que les tomates cerises soient la variété ayant les plus grandes propriétés antioxydantes. Vous pourriez presque vous contenter de manger la peau des fruits et des légumes ! N'épluchez ni les fruits ni les légumes que vous consommez. Lavez-les soigneusement afin d'enlever toute trace de pesticides ou bactéries dangereuses pour l'organisme. Choisissez toujours des jus de fruits avec un dépôt au fond de la bouteille car le dépôt est composé de fines particules de peau et de pulpe riches en antioxydants. Vous noterez que ce dépôt est particulièrement important dans les jus de fruits bio ou 100 % naturels.

> Évitez de cuisiner les tomates dans un ustensile en aluminium. En effet, l'acidité des tomates peut avoir une action sur le métal qui migre dans les aliments – ce qui peut en changer le goût mais aussi avoir des effets délétères sur la santé (contamination aluminique).

LES TOMATES DANS LA CUISINE

Comme nous l'avons vu, les produits à base de tomates foisonnent. N'oubliez pas que les produits transformés à base de tomates ont des effets plus bénéfiques sur la santé que les tomates fraîches. Ayez toujours dans vos placards de la sauce ou du concentré de tomates et des tomates en conserve que vous utiliserez au quotidien.

Beaucoup de personnes seront ravies d'apprendre que la pizza est un aliment sain ! Lorsque je commande une pizza, je demande à ce qu'il y ait beaucoup de sauce tomate afin d'augmenter l'apport en lycopène (et en plus, c'est meilleur !). Lorsque je mange une pizza à la maison, j'enlève toujours l'excédent de graisse sur le dessus avec du papier absorbant.

Quelques petits trucs pour avoir une alimentation riche en tomates :

- Faites revenir des tomates cerises dans de l'huile d'olive et saupoudrez d'herbes aromatiques. Versez la préparation sur des pâtes ou dégustez avec de la viande ou du poisson.
- Mettez des tomates séchées au soleil (sans sel ajouté) dans les sandwiches.
- Ajoutez des tomates concassées dans vos soupes et vos ragoûts.
- Préparez une pizza avec beaucoup de concentré de tomates et des légumes riches en nutriments. Vous pouvez soit faire la pâte, soit l'acheter prête à l'emploi.
- Achetez une fine escalope de dinde ou de poulet, faites-la revenir à la poêle puis mettez-la dans un plat allant au four. Versez dessus de la sauce tomate et faites cuire au four. Quelques minutes avant la fin de la cuisson, saupoudrez de fromage râpé. Avant de servir, saupoudrez de coriandre fraîche ou de persil finement coupé.
- Mon sandwich préféré : du pain au blé complet grillé avec des fines tranches d'avocat et de la salsa (tomates, poivrons, piments, oignons, vinaigre et clous de girofle).

TOMATES CERISES GRILLÉES

Des tomates cerises
De l'huile d'olive extra-vierge
Du sel et du poivre
Du basilic (facultatif)

Faites cuire au four (240°C) pendant 20 mn les tomates arrosées d'huile d'olive et assaisonnées à votre goût. Saupoudrez de basilic au moment de servir (facultatif).

Si les tomates jaunes et orange ne contiennent pas de lycopène (le lycopène est, je le rappelle, le pigment qui donne à la tomate sa couleur rouge), elles sont riches en autres nutriments, notamment en vitamine C.

La dinde
(blanc de dinde sans peau)

LE SUBSTITUT : blanc de poulet sans peau.
APPORT NUTRITIONNEL RECOMMANDÉ : 3 à 4 portions par semaine (1 portion = 120 g au maximum).

Le blanc de dinde renferme :

- Peu de protéines
- De la niacine
- Des vitamines B6
- De la vitamine B12
- Du fer
- Du sélénium
- Du zinc

Il était temps ! La dinde connaît enfin son heure de gloire, elle qui n'avait pas réussi à être – comme le souhaitait Benjamin Franklin – le symbole des États-Unis, les partisans de l'aigle l'ayant emporté ! Pendant des années, la dinde n'a trôné sur la table qu'une fois l'an (Thanksgiving outre-Atlantique et Noël en Europe). Extrêmement riche en éléments nutritifs, pauvre en graisses, d'un prix abordable, facile à cuisiner, la dinde a désormais tous les égards qu'elle mérite. Lorsqu'ils connaîtront les effets bénéfiques que cet super-aliment peut avoir sur leur santé, même les plus sceptiques seront conquis.

Le blanc de dinde sans peau est l'une des sources – si ce n'est LA source – les plus maigres de protéines animales – ce qui est amplement suffisant pour en faire un super-aliment. Par ailleurs, le blanc de dinde est riche en éléments nutritifs, notamment en niacine, en sélénium, en vitamines B6 et B12 et en zinc, substances qui, on le sait, sont particulièrement bénéfiques pour le cœur et offrent une excellente protection contre le cancer.

DES PROTÉINES PAUVRES EN GRAISSES

Le blanc de dinde sans peau est pauvre en graisses saturées avec un taux pratiquement aussi faible que les sources de protéines animales du Paléolithique. Or, plusieurs études ont montré qu'à cette période, le régime alimentaire était particulièrement sain. N'oublions pas, par ailleurs, que les régimes méditerranéen, japonais et de l'île Okinawa eux aussi pauvres en graisses saturées ont des effets positifs sur la santé. En règle générale, tous les régimes alimentaires considérés par les professionnels de la santé comme étant des régimes sains sont pauvres en graisses saturées. Les nutritionnistes sont unanimes : nous devons privilégier les aliments riches en protéines maigres. Malheureusement, les protéines animales pauvres en graisses sont rares. La majorité des volailles et des viandes rouges commercialisées contiennent beaucoup de mauvaises graisses et pas ou peu de bonnes graisses. Par exemple, dans 100 g de jambon cru il y a 5,5 g de graisses saturées contre 4,5 g dans 100 g de flanchet et seulement 0,2 g dans 100 g de blanc de poulet sans peau.

Si la dinde a bonne presse, qu'en est-il du poulet ? Nombre de personnes ne font sur le plan de la diététique aucune différence entre la dinde et le poulet. Ce qu'elles ignorent, c'est que les blancs de poulet sans peau grillés sont plus riches en calories et en graisses saturées que les blancs de dinde grillés.

Viande (100 g)	Calories	Protéines	Cholestérol*	Graisses saturées
Dinde (blanc sans peau)	115	26 g	71 mg	0,20 g
Poulet (blanc sans peau)	140	26 g	72 mg	0,85 g
Viande de bœuf hachée extra-maigre	145	22 g	65 mg	2,40 g

* La teneur en graisses saturées est plus importante que la teneur en cholestérol. Vous « pouvez » consommer jusqu'à 300 mg de cholestérol par jour ; or, la quantité de cholestérol dans les viandes ci-dessus n'est pas très élevée. En comparaison, un jaune d'œuf contient environ 213 mg de cholestérol.

LES PROTÉINES DANS L'ALIMENTATION

Depuis quelque temps, les protéines sont au centre de nombre de débats dans le monde de la diététique. « Riche en protéines », « pauvre en glucides »... sont les termes qui reviennent dans toutes les conversations lorsque l'on aborde le thème de l'alimentation. Mais où est la vérité ? Pour commencer, un petit cours de chimie. Notre corps qu'il s'agisse des muscles, des organes, de la peau, des cheveux et des enzymes, est principalement composé de protéines. Sans protéine, molécule présente dans chaque cellule, la vie ne serait pas possible. Une protéine est composée d'acides aminés. Certains de ces acides aminés sont fabriqués par l'organisme. Neuf autres acides aminés appelés « acides aminés essentiels » sont fournis par les aliments que nous consommons. Certains aliments, y compris les protéines animales, comme les œufs, la viande et le poisson contiennent ces neufs acides aminés essentiels et portent le nom de « protéines complètes » à la différence d'autres aliments, notamment les aliments d'origine végétale qui eux sont des protéines « incomplètes » et qui doivent recevoir le ou les acide(s) aminé(s) manquant d'autres sources. C'est la raison pour laquelle les végétariens doivent être très vigilants et associer les « bons » aliments – par exemple, le riz brun et les haricots, le beurre de cacahouètes et le pain complet, les macaronis à base de farine complète et le fromage – afin d'avoir une protéine complète. La seule plante qui échappe à la règle est le soja et par-delà les produits dérivés comme le tofu. En effet, le soja est la source de protéine complète par excellence.

Si votre apport en protéines ne doit pas devenir une obsession, renseignez-vous sur les sources de protéines les plus bénéfiques à l'organisme et introduisez-les peu à peu dans votre alimentation. Le soja, les fruits à écale, les céréales, le saumon, les huîtres, les praires, les sardines et les produits laitiers écrémés ou demi-écrémés sont sources de protéines.

Notre organisme doit être régulièrement « approvisionné » en protéines. En effet, si nous stockons les graisses, nous ne stockons pas beaucoup les protéines (le muscle est la « réserve » en protéines). Néanmoins, nous souffrons rarement des carences car l'apport en protéines est généralement supérieur à nos besoins – excepté chez les personnes âgées qui s'alimentent mal. En moyenne, l'apport quotidien est de 65 g pour les femmes et de 90 g pour les hommes. Dans certains régimes très protéinés, cet apport est doublé, voire triplé.

En 2002, la National Academy of Sciences a publié une étude intitulée *Dietary Reference Intake* précisant les apports nutritionnels recommandés pour toute substance contenue dans les aliments en passant par les fibres et les acides gras. Selon ce rapport, pour diminuer les risques de maladies dégénératives chroniques, l'apport en protéines doit correspondre à 10 à 35 % des calories. Ce rapport qui prend en compte de nombreuses études scientifiques devrait, à mon sens, nous servir de référence.

Mais qu'est-ce que cela signifie concrètement ? Chaque jour, l'apport en protéines doit être au minimum de 46 g pour les femmes et de 56 g pour les hommes (les personnes très actives ou âgées doivent avoir un apport supérieur) – ce qui ne demande pas d'efforts considérables. Il suffit que les femmes mangent 100 g de thon (20 g de protéines) et 100 g de blanc de poulet (26 g de protéines) pour que leur apport quotidien recommandé soit respecté. Une tranche de pain de blé complet fournit 3 g de protéines contre 6 g pour 30 g d'amandes. Dans la mesure où nombre d'aliments contiennent des protéines (7,8 g pour 200 ml de soupe de lentilles ; 6 g pour un œuf ; 3 g pour une pomme de terre cuite au four), l'apport minimum recommandé est très rapidement atteint.

Qu'en est-il des régimes protéinés ? Nombreuses sont les personnes qui pensent que, pour brûler des calories, il faut diminuer l'apport en glucides et, parallèlement, augmenter l'apport en protéines – ce qui est absolument faux.

Et ce pour une raison simple et logique : si vous consommez plus de calories que vous n'en brûlez, vous prendrez du poids. Si vous brûlez plus de calories que vous n'en consommez, vous perdrez du poids. Si les personnes qui suivent des régimes protéinés maigrissent, c'est parce qu'elles consomment principalement des aliments pauvres en calories. Lorsque vous limitez votre apport en glucides qui, en règle générale, correspond à la moitié des calories que vous consommez par jour, vous perdez rapidement du poids, mais dès que vous ne surveillez plus votre alimentation, vous reprenez vos kilos.

Essayez de diminuer votre consommation de viande rouge et de manger plus de fruits à écale et de soja afin de limiter au maximum les risques de développer une maladie cardiovasculaire ou un cancer.

Les régimes très protéinés peuvent présenter un danger pour la santé. En effet, plus l'apport en protéines est important, plus vous éliminez de calcium dans les urines – ce qui augmente les risques d'ostéoporose. L'étude de Framingham (voir p. 11) a montré que les femmes qui consomment plus de 95 g de protéines par jour (comptez 48,6 g de protéines pour un bifteck haché extra-maigre de 180 g) ont plus de risques de fracture que celles dont l'apport en protéines est inférieur. Même si les chercheurs ne sont pas unanimes sur le sujet, il semblerait que les protéines d'origine végétale protègent mieux le capital osseux que les protéines d'origine animale. Seules des études complémentaires nous permettront de confirmer cette hypothèse.

Un régime très protéiné peut avoir des répercussions délétères sur les reins des personnes les plus fragiles. Si vous avez déjà souffert de troubles rénaux, consultez votre médecin traitant avant de commencer un régime très protéiné.

Avec les régimes protéinés, se pose également un problème lié à l'insuline. Les personnes en faveur des régimes protéinés affirment que trop de glucides augmentent le taux d'insuline dans le sang – ce qui se traduit par une prise de poids, les calories se stockant dans les cellules au lieu d'être brûlées. Cette hypothèse est aujourd'hui controversée par une étude réalisée par des chercheurs de l'université du Michigan. En réalité, plus les taux d'insuline sont élevés, plus il y a de risques de développer du diabète et, peut-être même, un cancer.

Mise en garde aux végétariens

Les végétariens doivent être particulièrement vigilants quant à leur alimentation afin que leur apport en protéines soit suffisant pour couvrir leurs besoins. Chaque jour, ils doivent consommer au moins deux des trois groupes d'aliments ci-après :

Des céréales complètes
Des légumineuses
Des fruits à écale et des graines

Malheureusement, la majorité des Américains sont convaincus qu'un régime riche en protéines est un régime riche en viande rouge. Or, ce sont les protéines animales – et les graisses saturées qui vont avec – qui, lorsqu'elles sont consommées de manière excessive, ont, à long terme, des effets délétères sur la santé.

Les autorités sanitaires sont quasiment unanimes : pour courir le minimum de risques, l'apport en graisses saturées devrait être inférieur à 7 % de l'apport en calories. En Occident, les deux principales sources de graisses saturées sont la viande rouge et les produits laitiers entiers. Or, nombre d'études ont montré une corrélation entre un régime riche en graisses saturées et une augmentation du nombre des cancers du côlon, des maladies coronariennes et de la maladie d'Alzheimer. De plus, plusieurs études ont confirmé l'existence d'un lien entre la consommation de viande rouge et le cancer de la prostate. Rappelons également que les graisses saturées augmentent plus fortement la teneur en cholestérol du sérum que ne le fait le cholestérol contenu dans les aliments. Consommer des blancs de dinde sans peau à la place d'aliments riches en graisses saturées est un choix judicieux qui vous aidera à vivre mieux plus longtemps.

Une source de protéine complète par jour est amplement suffisante. Il y a encore quelques années, les nutritionnistes recommandaient de consommer une protéine complète à chaque repas. Nous savons, aujourd'hui, que les acides aminés composant une protéine restent stockés dans l'organisme entre 4 et 48 heures. Il n'est donc pas nécessaire de manger une protéine complète à chaque repas. Veillez, toutefois, à ce que vos besoins quotidiens soient couverts.

ET LE BŒUF DANS TOUT ÇA ?

Ne vous méprenez pas ! Je n'ai jamais dit que la viande rouge n'est pas bonne pour la santé et qu'il ne faut plus en manger. Par exemple, la viande de bison très consommée aux États-Unis est riche en protéines et pauvre en graisses saturées. Toutefois, en règle générale, la viande rouge fournit à l'organisme trop de graisses dont il n'a pas besoin (graisses saturées et acides gras oméga-6) et pas suffisamment de graisses dont il a besoin (acides gras oméga-3).

En théorie, le bétail élevé en plein air dans les pâtures offre de la viande de meilleure qualité que le bétail nourri au grain. Les bovins sont des ruminants. Leur système digestif est conçu pour manger de l'herbe et non des grains : par exemple, du maïs. Or, les éleveurs préfèrent nourrir leur bétail au grain – ce qui est plus rapide et moins contraignant. Le maïs est source d'acides gras oméga-6 qui se retrouvent dans la viande. Par ailleurs, dans la viande d'animaux nourris au maïs, on identifie régulièrement des traces d'hormones et d'antibiotiques.

Dans les grandes exploitations américaines, les éleveurs administrent au bétail des antibiotiques afin qu'ils grossissent plus vite. Ce n'est pas le cas en France. Sur les 13 000 tonnes d'antibiotiques administrées chaque année, seules 1 000 tonnes sont utilisées pour traiter une maladie. Cette surmédication se traduit par une résistance de certaines bactéries qui se retrouvent dans la viande et même parfois dans les intestins des consommateurs. Faisons en sorte que les éleveurs de bétail n'utilisent des antibiotiques qu'en cas d'absolue nécessité.

En Europe, la Commission de Bruxelles veut interdire l'utilisation des antibiotiques comme facteurs de croissance d'ici 2006.

La viande provenant de bœufs élevés dans les pâtures est moins grasse et a un ratio plus équilibré entre les acides gras oméga-3 et les acides gras oméga-6. On y retrouve des oméga-3 d'origine végétale et de la vitamine E présents dans l'herbe mangée par les animaux. Par ailleurs, la viande est plus pauvre en graisses saturées que la viande d'animaux élevés au grain. Bien évidemment, la viande provenant de bœufs élevés en plein air étant plus rare, elle est plus chère que la viande de bœufs élevés au grain. C'est pourquoi le blanc de dinde est une option à privilégier.

Avant d'acheter de la viande de bœuf, vérifiez la teneur en graisses. Lorsque ma femme et moi mangeons de la viande de bœuf hachée, nous la faisons revenir puis nous la rinçons à l'eau chaude afin d'éliminer le maximum de graisse. Nous ajoutons quelques épices afin de lui donner du goût.

Dans le régime méditerranéen, la viande rouge et autres mets à base de viande de bœuf ne sont consommés que quatre à cinq fois par mois. Dès aujourd'hui, revoyez votre consommation de viande. Idéalement, vous ne devriez pas manger plus de 100 g de viande de bœuf maigre tous les dix jours.

LA DINDE ET LE CŒUR

La dinde est source de niacine, de vitamine B6 et de vitamine B12. Ces trois vitamines B jouent un rôle crucial dans la production d'énergie. La niacine diminuerait le risque d'infarctus mais aussi le nombre de décès des suites d'une crise cardiaque. Rappelons que plus le taux de vitamine B12, de vitamine B6 et de folate est faible, plus le taux d'homocystéine (un acide aminé soufré) dans le sang est élevé – ce qui augmente considérablement les risques d'avoir une maladie coronarienne précoce.

LA DINDE ET LE SYSTÈME IMMUNITAIRE

La dinde est riche en zinc, un nutriment indispensable présent dans tous les tissus de l'organisme. Nombre de personnes n'ont pas un apport en zinc suffisant. Or, il suffirait de consommer régulièrement du blanc de dinde pour retrouver un équilibre. Le zinc contenu dans la dinde est beaucoup plus biodisponible que le zinc présent dans des aliments d'origine végétale. Le zinc agit sur le système immunitaire. Il favorise la cicatrisation et la division cellulaire. 1 portion de 100 g de blanc de dinde couvre environ 14 % de nos besoins quotidiens en zinc.

LA DINDE : UNE SOURCE IMPORTANTE DE SÉLÉNIUM

La dinde est source de sélénium, une substance qui joue un rôle crucial dans la protection du capital-santé. Le sélénium est impliqué dans nombre de fonctions, y compris le métabolisme de la thyroïde, les systèmes de défense des antioxydants et le système immunitaire. Il semblerait que plus l'apport en sélénium est élevé, plus le risque de développer un cancer est minimisé. En effet, le sélénium contribuerait à la réparation de l'ADN endommagé.

Selon une étude épidémiologique, l'apport en sélénium pourrait avoir une incidence sur la prévention des maladies coronariennes. Les populations vivant dans des régions où le sol est riche en sélénium sont *a priori* moins touchées par ce type de maladies.

LA DINDE DANS LA CUISINE

Chaque année, à l'approche de Thanksgiving et de Noël, les mêmes questions reviennent au centre des débats, à savoir que choisir : une dinde qui vient d'être tuée ou une dinde congelée ? Dans le second cas, comment la décongeler ? comment la faire cuire ? Et une fois les festivités terminées, plus personne ne s'intéresse à la pauvre volaille. Heureusement, les mentalités commencent à changer et la dinde croît en popularité. Aujourd'hui, elle figure dans nombre de livres de cuisine et dans les boucheries ou les grandes surfaces, il n'est plus obligatoire d'acheter comme jadis une dinde en entier. Vous avez le choix entre les blancs de dinde, la viande hachée, les escalopes, les pilons, les ailes ou les filets rapides à cuisiner et donc à privilégier.

La viande hachée de dinde est une bonne option à condition, toutefois, de lire soigneusement l'étiquette et vérifier que seuls les blancs sans peau ont été utilisés. Attention ! certains bouchers peu scrupuleux mélangent la peau, la graisse et des morceaux autres que les blancs. Choisissez de la viande extra-maigre.

Comment intégrer la dinde dans son alimentation :

• Des blancs de dinde grillés. Faites-les cuire avec la peau que vous retirerez ultérieurement. Les blancs de dinde cuisent en quelques minutes.

• Un sandwich à la dinde avec du pain complet, quelques feuilles d'épinards et de laitue romaine, des oignons coupés en rondelles et de fines lamelles d'avocat, une noisette de mayonnaise ou de moutarde.

• Des tacos ou des burritos avec des blancs de dinde cuits, coupés en lanières et revenus dans de l'huile d'olive avec des oignons et des poivrons.

• Des blancs de dinde émincés avec un peu de sauce barbecue (riche en lycopène) ou de la sauce à la canneberge.

• Du bouillon de dinde avec des légumes.

• Des blancs de dinde maigres hachés avec de la sauce pour spaghettis.

Vérifiez toujours la teneur en graisse de la viande que vous achetez. Pour la cuisson, n'utilisez ni huiles partiellement hydrogénées ni margarine.

Les noix

LES SUBSTITUTS : amandes, pistaches, graines de sésame, cacahouètes, graines de citrouille et de tournesol, noix de macadamia, noix de pécan, noisettes et noix de cajou.

APPORT NUTRITIONNEL RECOMMANDÉ : 30 g 5 fois par semaine.

Les noix renferment :

- Des acides gras essentiels oméga-3 d'origine végétale
- De la vitamine E
- Du magnésium
- Des polyphénols
- Des protéines
- Des fibres
- Du potassium
- Des phytostérols
- De la vitamine B6
- De l'arginine

Les personnes auxquelles je recommande de consommer des noix, des noisettes, des amandes ou tout autre fruit à écale me font toujours la même remarque : « Je ne peux pas en manger car ça fait grossir. » Certains de mes patients me disent ne pas en acheter par peur de prendre du poids. « Vous comprenez, me disent-ils, si j'en ai à la maison, je ne peux pas m'empêcher d'en manger toute la journée. J'aurais vite fait de devenir énorme. » Je les comprends car moi aussi j'ai du mal à résister. Mais comme toujours, il faut savoir être raisonnable. Un jour, j'ai énuméré à mon beau-frère tous les effets positifs des fruits à écale sur l'organisme. Il s'est mis à en manger à longueur de journée et, au bout d'un mois, il avait pris 2,5 kg.

J'avais omis de lui préciser que, pour ce type d'aliments, le maître mot est *modération*. En effet, si les fruits à écale sont bénéfiques pour le capital-santé, ils sont également extrêmement riches en calories. Dans ce chapitre, je vous expliquerai comment bénéficier de leurs bienfaits sans devenir obèse !

Imaginons le pire des scenarii. Vous avez un surplus de poids, vous fumez, vous passez des heures avachi(e) dans votre canapé devant la télévision et vous prenez vos repas dans un fast-food cinq fois par semaine. Tout vous prédestine à avoir, un jour ou l'autre, des problèmes de santé, notamment une maladie cardiovasculaire. Pour diminuer ces risques, mangez une poignée de fruits à écale environ cinq fois par semaine. Vous aurez entre 15 et 51 % de risques en moins d'avoir une crise cardiaque. Ce qui n'est pas rien !

Les fruits à écale ont longtemps été laissés pour compte. Il a fallu que des diététiciens s'intéressent à certains macronutriments comme les matières grasses et les protéines et aux phytonutriments pour qu'ils sortent de l'ombre. Aujourd'hui je peux, sans aucun risque, affirmer que ces aliments auront au cours du XXIe siècle un rôle crucial à jouer dans la prévention de nombre de maladies.

QUELS FRUITS À ÉCALE SONT À PRIVILÉGIER ?

Si les super-aliments présentés dans ce chapitre sont les noix, je tiens toutefois à préciser que tous les fruits à écale et toutes les graines comestibles contribuent à la protection du capital-santé. Que ces aliments soient riches en nutriments n'a rien de surprenant. En effet, ne sont-ils pas à l'origine de tout ce qui appartient au règne végétal ? N'oublions pas que c'est dans les noix et les graines qu'il y a la plus forte concentration de protéines, de calories et de nutriments, substances qui permettent aux embryons des plantes de grandir puis de s'épanouir.

Si, à mon sens, les noix méritent pleinement leur titre de super-aliments, les amandes, les pistaches mais aussi les graines de citrouille et de tournesol ont leur droit de cité.

Les noix sont des super-aliments par excellence pour nombre de raisons. Avec l'huile de canola, les graines de lin moulues et l'huile de graine de lin, les graine de soja et l'huile de graine de soja, le germe de blé, les épinards et le pourpier, les noix sont les aliments les plus riches en acides gras essentiels oméga-3 d'origine végétale, notamment en acide alpha-linolénique ou AAL. Les noix renferment également une multitude de phystostérols – qui diminuent la teneur en cholestérol du sérum – des fibres, des protéines, du magnésium, du cuivre, du folate et de la vitamine E. Par ailleurs, parmi tous les fruits à écale et les graines, les noix ont les propriétés antioxydantes les plus puissantes.

Les cacahouètes dont se délectent les Américains sont des légumineuses qui s'apparentent plus aux haricots qu'aux noix ou aux noisettes. Toutefois, si elles figurent dans ce chapitre, c'est parce qu'elles ont des propriétés nutritives similaires à celles des fruits à écale. Aux États-Unis, les cacahouètes représentent les deux tiers de la consommation totale des fruits à écale et occupent la troisième place pour ce qui est des ventes des en-cas. 30 g de cacahouètes (soit environ 48 cacahouètes) couvrent 15 % de nos besoins quotidiens en vitamine E et fournissent à l'organisme 2,5 g de fibres, du calcium, du cuivre, du fer, du magnésium, de la niacine, du folate, du zinc et 7 g de protéines... mais aussi beaucoup de « mauvais » lipides.

Les amandes sont, parmi tous les fruits à écale, ceux qui contiennent le plus de vitamine E et de protéines. Une portion égale à 60 g d'amandes contient 7,6 g de protéines – contre 6 g pour un gros œuf. Les amandes sont également riches en riboflavine, en fer, en potassium, en magnésium, en fibres et en biotine, une vitamine B qui joue un rôle clef dans le métabolisme des glucides et des lipides. 60 g d'amandes couvrent 75 % des besoins quotidiens en biotine de l'organisme protégeant, de ce fait, la peau et stimulant la production d'énergie. Les amandes sont également sources d'arginine (seules les cacahouètes ont une teneur supérieure en arginine), une substance qui favorise la dilatation des parois des vaisseaux sanguins et favorise la circulation sanguine. La peau qui recouvre les amandes contient un grand nombre de polyphénols. Grâce à leurs propriétés antioxydantes, certains polyphénols stoppent l'activité des radicaux libres.

Appel aux consommateurs

Adressez une pétition aux producteurs d'arachides pour qu'ils commercialisent des cacahouètes – grillées ou nature – *avec la peau* afin que nous bénéficiions des extraordinaires bienfaits de tous les polyphénols.

Les amandes et les cacahouètes renferment également des sphingolipides. Aujourd'hui les chercheurs sont incapables de définir un apport nutritionnel minimal. Toutefois, selon plusieurs études en cours, les sphingolipides joueraient un rôle clef dans la structure et le bon fonctionnement des membranes cellulaires. Le cancer est dû à un dysfonctionnement cellulaire or, les sphingolipides agissent sur la régulation cellulaire ; et semblent réduire la formation et la croissance des cellules cancéreuses. Si nous manquons encore d'informations à ce sujet, tout nous pousse d'ores et déjà à penser que les sphingolipides protègent le capital-santé, notamment lorsqu'ils travaillent en synergie avec d'autres nutriments et phytonutriments.

Les pistaches font, depuis la nuit des temps, partie de l'alimentation de nombre de populations. En Chine, les pistaches sont appelées « noix du bonheur » – ce qui veut tout dire. 30 g correspondent à 47 pistaches – soit plus que qu'importe quel autre fruit à écale, mis à part les cacahouètes (30 g = 48 cacahouètes). Les pistaches sont riches en fibres. Dans 30 g de pistaches, il y a plus de fibres alimentaires que dans 125 g de brocolis ou d'épinards. Elles sont également sources de potassium, de thiamine et de vitamine B6. Notons que dans 30 g de pistaches il y a autant de vitamine B6 que dans 90 g de poulet ou de porc. Comme tous les fruits à écale, les pistaches renferment une multitude de phytonutriments qui travaillent en synergie pour réduire le taux de cholestérol et prévenir nombre de cancers.

Les fruits à écale

1 portion de fruits à écale correspond à 30 g, soit entre 10 et 48 fruits selon la variété pour 150 à 200 calories.

LES GRAINES

Les noix très riches en nutriments ont, je le répète, tout à fait leur place parmi les super-aliments. Si, à ce jour, les graines ont été moins étudiées que les fruits à écale, leur teneur en nutriments en fait, néanmoins, des aliments à privilégier. Même consommées en faible quantité, les graines garantissent un apport non négligeable en protéines – ce qui est capital notamment pour les végétariens.

Séparer les fruits à écale et les graines serait une grossière erreur. En fait, toute graine ou fruit renfermant un noyau comestible à l'intérieur d'une enveloppe friable entre dans la catégorie des fruits à écale. C'est le cas des amandes, des noix, des noisettes, des cacahouètes, etc., mais aussi des graines de tournesol, de sésame, de potiron et des pignons. Si je m'en tiens à l'objet de ce livre, ma préférence va aux graines de tournesol et de potiron. J'encourage tout le monde à consommer des graines dans des salades composées, des plats mijotés mais aussi avec des céréales ou telles quelles. Tous les matins, je mange une poignée de fruits à écale et/ou de graines. Lorsque je mange de la confiture, j'ajoute toujours quelques noix et/ou graines. Et pour ne rien vous cacher, j'adore grignoter des graines de pastèque !

Les graines de tournesol : riches en nutriments

30 g de graines de tournesol couvrent :
- 95 % de nos besoins quotidiens en vitamine E
- Plus de 50 % de nos besoins quotidiens en thiamine
- Près de 30 % de nos besoins quotidiens en sélénium
- 25 % de nos besoins quotidiens en magnésium
- 16 % de nos besoins quotidiens en folate

Les graines de tournesol sont :
- Très riche en acides gras poly-insaturés
- Relativement riches en potassium

Les graines de citrouille : riches en nutriments

30 g de graines de citrouille couvrent :

- Plus de 50 % de nos besoins quotidiens en fer
- Plus de 30 % de nos besoins quotidiens en magnésium
- Plus de 20 % de nos besoins quotidiens en vitamine E
- Près de 20 % de nos besoins quotidiens en zinc
- Une quantité non négligeable de potassium

LES FRUITS À ÉCALE FONT-ILS GROSSIR ?

Mon beau-frère sera le premier à vous le dire : les fruits à écale font grossir. Mais dès que vous *ajoutez* un aliment quel qu'il soit à votre régime habituel, vous risquez de prendre du poids. Par ailleurs, il est vrai que les fruits à écale sont particulièrement riches en calories. Pour éviter la prise de poids, cessez de consommer certains aliments et *remplacez*-les par des fruits à écale. Vous ne prendrez pas un gramme si vous mangez 30 g de noix cinq fois par semaine à la place d'autres aliments pratiquement aussi caloriques : par exemple, des produits contenant des graisses saturées comme du fromage ou du beurre. Autre solution pour ne pas prendre de poids : faites des exercices physiques qui brûleront vos calories.

En vérité, ceux qui ont une alimentation équilibrée peuvent manger des fruits à écale sans craindre de grossir. Ils seront même souvent plus minces que ceux qui n'en mangent pas car ces aliments « gavent ». De ce fait, les fruits à écale s'intègrent parfaitement dans les régimes riches en glucides mais pauvres en fibres. Une étude réalisée par des chercheurs de Harvard a montré que les personnes dont 35 % de l'apport en calories proviennent de graisses saines (l'apport recommandé étant de 25 à 30 %) ont plus de chances de maigrir que les personnes qui diminuent leur apport en graisses de 20 %. S'il est vrai que 79 % de l'énergie fournie par les fruits à écale proviennent des graisses, il faut savoir que ces aliments sont pauvres en graisses saturées et riches en acides gras insaturés. Précisons que les graisses saturées augmentent deux fois plus le taux de cholestérol dans le sang que le font baisser les graisses poly-insaturées.

Ci-après, vous trouverez un récapitulatif sur le nombre de calories que vous apportent les fruits à écale et quelques activités qui vous aideront à ne pas grossir même en consommant ce type d'aliments.

Un conseil : pour manger des fruits à écale et rester mince, faites des exercices qui vous aideront à brûler les « mauvaises » calories fournies par les graisses saturées puisées dans les aliments.

Calories apportées par les fruits à écale (dans 30 g sauf indication spécifique)

Amandes (24 amandes, nature)	164 calories
Amandes (22 amandes, grillées)	169 calories
Noix (14 cerneaux)	185 calories
Noisettes (20 noisettes, nature)	178 calories
Cacahouètes (48 cacahouètes, grillées, sans sel ajouté)	166 calories
Beurre de cacahouètes (2 cuillères à soupe)	190 calories
Noix de pécan (20 cerneaux, nature)	195 calories
Pistaches (47 pistaches, grillées, sans sel ajouté)	162 calories
Pistaches (47 pistaches, nature, sans sel ajouté)	158 calories

Nombre de calories brûlées selon les activités pratiquées
(chaque activité brûle environ 150 calories, soit à peu près le nombre de calories contenues dans une portion de fruits à écale)

Marcher à vive allure (5 km/h)	32 mn
Marcher lentement	43 mn
Courir (7,5 km/h)	13 mn
Nager	21 mn
Nager (vigoureusement)	13 mn
Faire de la bicyclette (22-24 km/h)	13 mn
Faire de la bicyclette (16-18 km/h)	21 mn
Faire de la bicyclette d'intérieur (résistance au plus bas)	26 mn
Tennis, en simple	16 mn
Golf, avec cart	37 mn
Golf, sans cart et en portant ses clubs	16 mn
Basket-ball	16 mn
Jardinage	26 mn
Ramasser les feuilles dans le jardin	32 mn

CE QUE LES FRUITS À ÉCALE PEUVENT FAIRE POUR VOTRE CŒUR

Plusieurs études ont mis en évidence une corrélation entre la consommation de fruits à écale et la prévention des maladies cardiovasculaires. À ce jour, au moins cinq études épidémiologiques de grande ampleur ont prouvé que manger des fruits à écale diminue les risques de souffrir d'une maladie coronarienne. Chacune des ces études a révélé que plus la consommation de fruits à écale est élevée (environ 5 portions par semaine), plus les risques sont faibles, et ce quels que soient l'âge, le sexe, la race et le mode de vie des sujets. En règle générale, les personnes qui mangent au minimum 5 portions de fruits à écale par semaine ont entre 15 et 51 % de risques en moins d'être, un jour ou l'autre, frappées par une maladie coronarienne. Plus étonnant encore : ce risque diminue, certes de façon moindre, chez les personnes qui ne mangent qu'1 portion de fruits à écale par mois.

Si les fruits à écale en général et notamment les noix sont particulièrement bénéfiques pour le cœur, c'est en partie parce qu'ils renferment des acides gras oméga-3 qui, on le sait, protègent le système cardiovasculaire. Tout comme l'aspirine à faible dose, les acides gras oméga-3 fluidifient le sang qui circule alors mieux dans les vaisseaux sanguins – ce qui empêche la formation de caillots qui, dans le cas contraire, pourraient adhérer aux parois des vaisseaux. Du fait de leurs propriétés inflammatoires, les acides gras oméga-3 réduisent les risques d'inflammation au niveau des vaisseaux sanguins – facteur qui ralentit la circulation sanguine – et diminuent l'hypertension artérielle souvent à l'origine de maladies cardiovasculaires ou de dégénérescence maculaire.

Les noix sont également riches en arginine, un acide aminé essentiel qui favorise la dilatation des vaisseaux sanguins et les rend plus flexibles – ce qui favorise la circulation du sang, réduit la tension artérielle et, par conséquent, prévient l'hypertension. La concentration en arginine est particulièrement élevée dans les fruits à écale et les graines ci-après (classification en ordre décroissant) : les graines de pastèque, les graines de citrouille, les cacahouètes, les amandes, les graines de tournesol, les noix, les noisettes et les pistaches.

Si les acides gras jouent un rôle clef dans la prévention des maladies cardiovasculaires, précisons qu'ils ne sont pas seuls responsables. En d'autres termes, les acides gras oméga-3, les vitamines du groupe B, le magnésium, les polyphénols, le potassium et la vitamine E agissent vraisemblablement en synergie avec d'autres substances – à ce jour non identifiées – pour diminuer le taux de cholestérol et protéger le cœur.

Une étude américaine portant sur des médecins hommes a montré que plus la consommation de fruits à écale est importante, plus le nombre de décès dus à une crise cardiaque est faible. Par ailleurs, les médecins qui mangent régulièrement des fruits à écale ont moins de risques de mourir d'une arythmie cardiaque (dysfonctionnement de la pulsation cardiaque) souvent associée aux crises cardiaques.

LES FRUITS À ÉCALE ET LE DIABÈTE

La presse américaine a très largement répercuté les résultats d'une étude menée par une équipe de Harvard portant sur 83 000 femmes. Selon cette étude, les femmes qui mangent une poignée de fruits à écale ou 2 cuillères à soupe de beurre de cacahouètes au moins cinq fois par semaine ont plus de 20 % de risques en moins de souffrir de diabète de type II que celles qui en consomment rarement, voire jamais. Le diabète de type II se développe lorsque l'organisme n'arrive plus à utiliser correctement l'insuline. Certaines des femmes qui se sont prêtées à l'étude ont été suivies pendant seize ans. Selon les chercheurs, ce ne sont pas seulement les « bonnes » graisses contenues dans les fruits à écale qui protègent le capital-santé. En effet, les fibres et le magnésium contribuent à stabiliser les taux d'insuline et de glucose. Les chercheurs vont poursuivre leurs travaux afin de voir si ces observations sont confirmées sur des sujets hommes. Consommer des fruits à écale ne demande aucun effort particulier, alors essayez de manger au moins une petite poignée de noix cinq fois par semaine !

Le beurre de cacahouètes

Le beurre de cacahouètes – à condition de ne pas en abuser – a des effets bénéfiques sur la santé. Achetez du beurre de cacahouètes de bonne qualité. Méfiez-vous du beurre en vrac vendu dans certains magasins commercialisant des produits diététiques ou sur les marchés campagnards où l'hygiène et le conditionnement laissent parfois à désirer. Veillez à ce qu'il n'y ait ni sucre ni sel ajoutés et surtout aucune huile partiellement hydrogénée. Avant d'ouvrir un pot de beurre de cacahouètes, conservez-le quelques jours dans un placard la tête en bas afin que l'huile se disperse et que vous ayez plus de facilité à l'utiliser.

LES FRUITS À ÉCALE À LA RESCOUSSE

Même s'il a été scientifiquement prouvé que les fruits à écale et les graines protègent le cœur et diminuent les risques d'avoir du diabète, gardons à l'esprit que ces produits comme tous les autres super-aliments n'agissent pas sur quelques systèmes isolés mais sur l'organisme dans son ensemble. En effet, pour qu'un aliment soit considéré comme un super-aliment, ses effets bénéfiques sur la santé doivent être multiples – ce qui est le cas des fruits à écale. Ci-après, quelques précisions sur certains composés des fruits à écale dont le travail en synergie se traduit par une amélioration incontestable de la santé.

Les fibres : Les fruits à écale sont riches en fibres alimentaires. Selon une étude, augmenter de 10 g sa consommation quotidienne en fibres alimentaires diminue de 19 % le risque de développer une maladie coronarienne. 30 g de cacahouètes ou de noix mélangées apportent à l'organisme environ 2,5 g de fibres – ce qui n'est pas négligeable.

La vitamine **E** : En règle générale, notre alimentation n'est pas suffisamment riche en vitamine E ; c'est pourquoi il est fortement recommandé de consommer des fruits à écale et des graines. L'un des composés de la vitamine E, le gamma-tocophérol, a d'extraordinaires propriétés anti-inflammatoires. Pour ma part, je pense que les effets bénéfiques sur le cœur des fruits à écale sont dus à la présence de gamma-tocophérol même si aucune étude n'a encore confirmé cette hypothèse. Les fruits à écale n'ayant pas tous la même teneur en vitamine E, il est indispensable de consommer des noix, des amandes mais aussi des noisettes, des pistaches, etc. Les amandes, par exemple, sont riches en alpha-tocophérol alors que les pistaches contiennent peu d'alpha-tocophérol mais beaucoup de gamma-tocophérol et des gamma-tocotriénols. J'en profite pour préciser que la plupart des supplémentations en vitamine E contiennent seulement du d-alpha-tocophénol et, de ce fait, ont moins d'effets bénéfiques sur la santé que la vitamine E fournie par les aliments.

Lorsque les fruits à écale montent à la tête

En 2002, le *Journal of the American Medical Association* a publié un rapport laissant entendre qu'une alimentation riche en vitamines C et E (pas sous la forme de compléments nutritionnels) pouvait prévenir la maladie d'Alzheimer. Selon une autre étude, un apport quotidien en vitamine E sur une période de quatre ans diminuerait de 70 % le risque de souffrir de la maladie d'Alzheimer. Gardons à l'esprit que les fruits à écale sont l'une des principales sources alimentaires de vitamine E.

Le folate : Ce nutriment a attiré l'attention des chercheurs étudiant les malformations congénitales et notamment le *Spina bifida* qui serait dû à une carence en acide folique au début de la grossesse. Or, les fruits à écale sont riches en folate qui ne joue pas un rôle que dans la prévention des malformations congénitales. En effet, le folate diminue le taux d'homocystéine (rappelons qu'un taux élevé d'homocystéine favorise les maladies coronariennes précoces et les troubles cérébro-vasculaires), intervient dans la prévention du cancer et agit sur certains facteurs responsables du vieillissement.

Le cuivre : Le cuivre contenu dans les fruits à écale permet de stabiliser le taux de cholestérol, de réguler la tension artérielle et de prévenir les anomalies du métabolisme des glucides.

Des fruits à écale ou du vin ?

Une poignée de noix contient plus de polyphénols qu'un verre de jus de pomme et même qu'un verre de vin rouge. Selon une étude, une portion de noix (14 cerneaux) avec la peau contiendrait autant de polyphénols que 2,2 verres de vin rouge.

Le magnésium : Ce nutriment très bénéfique pour le capital-santé est particulièrement concentré dans les fruits à écale. Or, plus l'apport en magnésium est important, plus le risque d'avoir une crise cardiaque est moindre. Le magnésium diminue l'arythmie cardiaque et prévient l'hypertension tout en jouant un rôle clef dans la relaxation musculaire, la transmission de l'impulsion nerveuse, le métabolisme des glucides et la protection de l'émail sur les dents. Une carence en magnésium favorise les céphalées. Pratiquement la moitié des patients qui se plaignent de maux de tête ont des taux de magnésium inférieurs à la normale.

Le resvératrol : Ce flavonoïde très concentré dans la peau des grains de raisin et des cacahouètes a des propriétés anticancéreuses et anti-inflammatoires. Le resvératrol permettrait aussi de stabiliser le taux de cholestérol dans le sang.

L'acide ellagique : Les fruits à écale et plus particulièrement les noix sont très riches en acide ellagique. Des études portant sur des animaux de laboratoire ont montré que ce polyphénol pouvait jouer un rôle dans la prévention du cancer en réduisant l'incidence des tumeurs.

LES FRUITS À ÉCALE DANS LA CUISINE

Particulièrement riches en graisses, les fruits à écale ont tendance à rancir. Lorsqu'ils sont exposés à la chaleur, à l'humidité et à la lumière, ces aliments s'abîment vite. Achetez les fruits à écale dans un magasin qui écoule rapidement ses stocks, notamment s'ils sont vendus en vrac. Les fruits à écale doivent avoir une odeur marquée sans toutefois sentir le rance. Les fruits se conservent généralement mieux lorsqu'ils ne sont pas décortiqués. Privilégiez donc les fruits avec leur écale que vous pourrez conserver pendant quatre mois dans une boîte hermétique dans un endroit frais. Notez que les fruits à écale se conservent jusqu'à six mois au réfrigérateur et jusqu'à un an au congélateur.

Les fruits à écale grillés sont une bonne option à condition qu'ils soient sans huile ajoutée. Comme toujours, lisez attentivement les étiquettes. Certaines marques sont riches en conservateurs, en sirop de maïs ou autres substances sucrées et en sel. Optez de préférence pour des fruits non salés ou, dans le cas contraire, limitez la consommation de sel avec d'autres aliments.

> Si vous faites griller des fruits décortiqués, soyez particulièrement vigilant(e) car des températures élevées détruisent les acides gras oméga-3. Éparpillez les fruits sur du papier sulfurisé et mettez-les au four à 70-75°C pendant 15 à 20 mn. Retirez-les lorsqu'ils commencent à brunir.

Nombreux sont mes patients qui congèlent les fruits à écale. Optez pour cette solution si vous ne pouvez pas résister à la tentation lorsque vous en avez à portée de la main (c'est ce que je fais avec les cookies aux raisins secs et aux flocons d'avoine que confectionne merveilleusement ma fille car je sais qu'une fois dehors, ils sont mangés en un clin d'œil ; au moins, le temps qu'ils décongèlent, je peux me raisonner). Mettez des fruits à écale et des graines dans des sacs de congélation assez résistants que vous sortirez en fonction de vos besoins. Au réfrigérateur, les fruits à écale et les graines se conservent jusqu'à six mois.

Les fruits à écale ont souvent meilleur goût lorsqu'ils sont grillés. Lorsque je prépare une salade composée, je fais généralement griller quelques noix, pignons et amandes effilées dans une casserole – antiadhésive à feu modéré.

Bien évidemment, je ne mets aucune matière grasse au fond de la casserole – ce qui m'oblige à remuer les noix régulièrement. Une fois grillées, je les verse sur la salade.

Quelques idées pour consommer régulièrement des fruits à écale :

• Saupoudrez quelques noix concassées ou amandes effilées sur les glaces et yaourts.

• Ajoutez des fruits décortiqués et des graines à vos salades.

• 1 cuillère de beurre de cacahouètes donne de la saveur aux ragoûts et aux curries.

• Mettez quelques noix finement coupées sur les filets de poisson et les escalopes de volaille.

• Essayez le beurre de cacahouètes sur vos crêpes (avec ou sans confiture).

• Faites revenir doucement des noix concassées dans de l'huile d'olive avec des petits croûtons de pain et de l'ail finement haché et versez le tout sur des pâtes chaudes.

• Faites comme les Américains, mangez des sandwiches au beurre de cacahouètes et à la confiture. Très nourrissants !

• Versez 2 cuillères à soupe de graines de tournesol grillées sur vos céréales.

Le yaourt

LE SUBSTITUT : le kéfir et autres laits fermentés.
APPORT NUTRITIONNEL RECOMMANDÉ : 2 fois 200 ml par jour.

Le yaourt renferme :

- Des cultures vivantes et actives
- Une protéine complète
- Du calcium
- De la vitamine B2 (riboflavine)
- De la vitamine B12
- Du potassium
- Du magnésium
- Du zinc

Tout le monde se souvient des publicités montrant des vieillards caucasiens perdus dans leurs montagnes qui, sans la moindre hésitation, nous révélaient le secret de leur longévité : « Nous vivons vieux car nous mangeons beaucoup de yaourt. » Certains ont menti sur leur âge pour ne pas être enrôlés dans l'armée soviétique. D'autres ont rapidement réalisé que plus ils prétendaient être vieux, plus ils attiraient l'attention des visiteurs stupéfaits de découvrir que, dans cette région, tout le monde approchait les 120 ans, et ce uniquement grâce au yaourt.

Ces publicités ont vu le jour à une époque où le yaourt avait bien du mal à « se vendre ». Les spécialistes du marketing se sont alors creusé la tête pour trouver l'élément qui inciterait les consommateurs à acheter ce produit. Les temps ont changé et aujourd'hui nous mangeons des yaourts tout simplement parce que nous aimons ça, et rares sont ceux qui se souviennent que le yaourt a des effets bénéfiques sur la santé ignorés ou tout au moins non prouvés scientifiquement à l'époque où les Caucasiens faisaient la une. Néanmoins, si le yaourt figure sur la liste des super-aliments, c'est qu'effectivement ses bienfaits sont multiples, qu'il s'agisse du yaourt traditionnel, de laits fermentés ou du yaourt liquide aromatisé.

LA SYNERGIE DES PRÉBIOTIQUES ET DES PROBIOTIQUES

Si le yaourt est bon pour la santé, cela s'explique, en partie, par la présence de deux substances travaillant en synergie : les prébiotiques et les probiotiques.

Les prébiotiques sont des ingrédients alimentaires qui ne peuvent pas être digérés par l'organisme mais qui ont des effets positifs sur les intestins. En effet, ils stimulent la croissance et/ou l'activité d'une ou plusieurs bactéries naturellement présentes dans le côlon et bénéfiques pour la santé. Les fructo-oligosaccharides (FOS) qui font partie de l'une des principales classes de prébiotiques sont présents dans les légumineuses, les légumes, les céréales et le yaourt. Ces sucres à faible teneur inhibent des organismes potentiellement pathogènes et favorisent une meilleure assimilation des minéraux, notamment du calcium et du magnésium et des oligoéléments comme le fer et le zinc.

Les probiotiques sont des micro-organismes vivants qui, lorsqu'ils sont en quantité suffisante, ont des effets positifs sur la santé. Chaque mois, des études en double-aveugle portant sur des sujets humains prouvent le rôle clef que jouent les prébiotiques et les probiotiques dans la protection du capital-santé et la lutte contre nombre de maladies. Ce qui, au départ, n'était que du folklore est devenu aujourd'hui un fait scientifique, les chercheurs ne faisant que confirmer les conseils empreints de sagesse des Anciens. En 76 ap. J.-C., Pline l'Ancien recommandait déjà aux personnes souffrant de gastro-entérite de consommer des produits laitiers fermentés (ce que sont aujourd'hui les yaourts) alors que, dans une version perse de l'Ancien Testament (Genèse 18 : 8), on peut lire : « Abraham doit sa longévité à la consommation de lait aigre. »

Louis Pasteur fut l'un des premiers à prétendre que notre santé dépend de micro-organismes vivant dans notre peau et à l'intérieur de notre corps. Or, le yaourt qui contribue à l'équilibre de ces micro-organismes est l'aliment probiotique le plus consommé. Les chercheurs sont unanimes et ce qui, *a priori*, était une idée farfelue a été prouvé scientifiquement : le yaourt joue un rôle crucial dans la protection du capital-santé et mérite sa place parmi les super-aliments.

Comme pour tous les autres super-aliments, c'est la synergie entre les différentes substances contenues dans un yaourt qui lui confère ses effets positifs sur la santé. Les cultures vivantes et actives, les protéines, le calcium et les vitamines B sont d'autant plus efficaces qu'ils ne sont pas isolés mais agissent ensemble. Le principal atout du yaourt – en tant que probiotique – est quelque chose qui, de prime abord, est allé à l'encontre de la tendance de la médecine moderne. Peu après la Seconde Guerre mondiale, les antibiotiques ont connu un véritable succès. Pour les médecins mais aussi le grand public, les micro-organismes et les substances délétères à l'origine des maladies pouvaient désormais être éradiqués. Ce qui avait été oublié, c'est que tout est toujours une question d'*équilibre* et que le but n'est pas d'éradiquer tous les micro-organismes mais, au contraire, de favoriser le développement des micro-organismes bénéfiques pour la santé – ce que fait le yaourt en stimulant la croissance des « bonnes » bactéries et en limitant la prolifération des « mauvaises » bactéries.

Le yaourt stimule l'activité immunitaire à l'intérieur mais également à l'extérieur du système gastro-intestinal. Selon une étude, si vous mangez des yaourts contenant des cultures vivantes et actives, le taux de *Staphylococcus aureus* (le staphylocoque doré est une bactérie pathogène) est considérablement diminué dans les voies nasales – ce qui prouve bien que le yaourt stimule le système immunitaire et qu'il existe une communication bénéfique entre le système immunitaire protégeant les voies gastro-intestinales et le système immunitaire protégeant les voies respiratoires supérieures.

Les voies gastro-intestinales abritent plus de cinq cents espèces de bactéries – certaines bénéfiques, d'autres dangereuses pour la santé. Les « bonnes » bactéries jouent un rôle crucial dans nombre de fonctions à l'intérieur de l'organisme, notamment le métabolisme des glucides, la synthèse des acides aminés, la synthèse de la vitamine K et la transformation de certains nutriments. Le yaourt renferme nombre de bonnes bactéries qui ne se cantonnent pas à protéger les voies digestives.

En effet, si le yaourt présente une multitude de bienfaits, ce sont ses propriétés anticancéreuses, son rôle dans la baisse du taux de cholestérol et l'inhibition des mauvaises bactéries qui ont attiré l'attention des chercheurs.

Mais l'atout majeur des probiotiques, c'est qu'ils renforcent le système immunitaire et, par-delà, préviennent nombre d'infections. Alors que les substances pathogènes résistant aux antibiotiques augmentent et que de nouvelles infections comme le SRAS (syndrome respiratoire aigu sévère) et le virus du Nil occidental menacent les populations, aucun facteur stimulant le système immunitaire ne doit être négligé.

L'inuline est utilisée dans certains yaourts comme substitut du saccharose. Cette fibre alimentaire favoriserait l'absorption du calcium. Un apport égal à 8 g d'inuline par jour augmenterait l'absorption du calcium chez une adolescente d'environ 20 %.

LES CULTURES VIVANTES ET ACTIVES

Avant de se pencher sur les extraordinaires bienfaits du yaourt, il est important de comprendre qu'un yaourt ne peut être efficace que s'il contient des *cultures vivantes et actives*. En fait, le yaourt n'est rien d'autre que du lait caillé. Pour faire du yaourt, des cultures de bactéries sont inoculées dans du lait pasteurisé et homogénéisé qui est ensuite conservé au chaud dans un incubateur jusqu'à ce que le lactose (sucre contenu dans le lait) se transforme en acide lactique. Le lait s'épaissit et prend un goût aigrelet. Ce procédé ressemble fortement à celui utilisé pour la fabrication de la bière, du vin ou du fromage dans la mesure où les « bonnes » bactéries fermentent et transforment la nourriture de base.

Les industries agroalimentaires modifient plus ou moins cette technique de base – ce qui explique les différences existant entre les marques. Certains fabricants pasteurisent les yaourts après que les bactéries ont été inoculées – d'où la mention sur les étiquettes « traitement à haute température après culture ». Ce mode de fabrication détruit toutes les « bonnes » bactéries et, si les yaourts sont moins aigres, ils présentent moins de bienfaits que les yaourts contenant des cultures vivantes et actives. Vous serez peut-être étonné(e) d'apprendre que certains yaourts congelés renferment des cultures vivantes et actives.

Lorsque vous achetez des yaourts, privilégiez :

- Les yaourts écrémés ou maigres
- Les yaourts sans colorants artificiels
- Les yaourts avec la date de péremption la plus éloignée dans le temps
- Les yaourts contenant de la protéine de petit-lait (à vérifier sur les étiquettes) qui augmente la viabilité des probiotiques.
- Les yaourts riches en cultures vivantes et actives (plus il y en a, mieux c'est !)

Aux États-Unis, la National Yogurt Association a créé un label LAC pour « *Live Active Cultures* » (« cultures vivantes et actives »). Les yaourts portant ce label sont certifiés contenir au minimum 100 millions de micro-organismes par gramme au moment de la fabrication. Les yaourts « LAC » se conservent peu de temps au réfrigérateur. Après la date de péremption, le nombre de bactéries diminue considérablement. Le label n'étant pas obligatoire, certains yaourts contiennent des cultures vivantes et actives sans que cela figure sur les étiquettes.

Il existe trois types de yaourts en fonction du lait utilisé : le yaourt au lait entier, le yaourt au lait demi-écrémé et le yaourt au lait écrémé ou yaourt maigre. Le yaourt au lait entier contient au moins 3,25 % de matière grasse laitière contre 2 % pour le yaourt demi-écrémé et 0,5 % pour le yaourt écrémé. En général, je mange plus volontiers des yaourts maigres.

> ## Appel aux consommateurs
> Exigez des entreprises agroalimentaires qu'elles fabriquent des yaourts enrichis en vitamine D qui favorise le métabolisme du calcium.

Les supermarchés proposent une multitude de yaourts aux fruits. Si certains produits contiennent des cultures vivantes et actives, ils sont également riches en sucres. Dans 200 ml de yaourt aromatisé, il peut y avoir jusqu'à 7 cuillères à café de sucre ! Je n'aime pas les yaourts nature mais, lorsque je choisis un yaourt aux fruits, je mange le yaourt mais pas les fruits.

Le meilleur yaourt est incontestablement le yaourt nature maigre ou écrémé portant la mention « avec des cultures vivantes et actives ». Le nom des cultures doit être spécifié sur les étiquettes. La plupart des yaourts contiennent du *L. bulgaricus* et du *S. thermophilus*. Certains yaourts nature renferment d'autres bactéries notamment *L. acidophilus*, *B. bifidus*, *L. casei* et *L. reuteri*. Lisez attentivement les étiquettes et gardez à l'esprit que plus il y a de bonnes bactéries, meilleur est le yaourt. Si vous aimez les yaourts aromatisés aux fruits, achetez des yaourts nature dans lesquels vous mélangerez des fruits frais ou secs, du germe de blé, des graines de lin moulues ou des baies.

LES BIENFAITS DES PROBIOTIQUES

Ce qui vaut au yaourt sa place parmi les super-aliments, ce sont ses effets bénéfiques sur le système gastro-intestinal. En effet, pour être en bonne santé, le système digestif doit fonctionner correctement. Or, l'absorption des nutriments puisés dans les aliments dépend du bon fonctionnement du système digestif et nous aurons beau manger des aliments riches en nutriments, si notre système digestif est perturbé, nous ne pourrons aucunement profiter des bienfaits de ces nutriments. Plus nous vieillissons, plus il y a des dysfonctionnements au niveau des voies digestives. Une raison de plus pour consommer des yaourts !

LORSQUE LES PROBIOTIQUES LUTTENT CONTRE LA MALADIE

La liste des bienfaits des probiotiques est longue. Certains ont été prouvés scientifiquement, d'autres font encore l'objet d'hypothèses qui demandent à être confirmées. Ci-après, quelques maladies contre lesquelles le yaourt s'est avéré efficace :

Le cancer : Les probiotiques éliminent les mutagènes (substances cancérogènes), notamment ceux qui favorisent le développement du cancer du côlon. Certaines études laissent à penser que les probiotiques pourraient également jouer un rôle dans la lutte contre le cancer du sein. Les probiotiques stimulent le système immunitaire en favorisant la production d'immunoglobuline, en diminuant l'inflammation et en inhibant la croissance de la microflore intestinale à l'origine du cancer.

Les allergies : Les probiotiques soulagent l'eczéma atopique et agissent contre les allergies au lait. Dans le premier cas, rappelons que les probiotiques protègent la peau et les voies digestives. En effet, ils affectent toutes les surfaces du corps qui sont en interaction avec le monde extérieur, y compris la peau, les voies nasales, les voies gastro-intestinales, etc. Des études ont montré que les bébés qui sont exposés aux probiotiques (après l'âge de 3 mois) ont moins de risques de souffrir d'allergies dans le futur.

L'intolérance au lactose : Certaines personnes ne tolèrent pas le lait car elles n'ont pas l'enzyme appelée « lactase » permettant de dégrader le lactose (sucre contenu dans le lait) pour l'absorber. En fait, près des trois quarts des adultes (toutes races confondues) ne digèrent pas le lait – ce qui élimine une source non négligeable de calcium hautement biodisponible présent dans l'alimentation. Les probiotiques contenus dans le yaourt digèrent le lactose pour nous. Le yaourt est un aliment riche en calcium et en vitamines pouvant être consommé par les personnes souffrant d'intolérance au lactose.

La maladie de Crohn : Les probiotiques ont des propriétés anti-inflammatoires qui soulagent certains symptômes liés à la maladie de Crohn. Les probiotiques font même partie des traitements administrés à certains sujets malades. En 2003, un rapport compilant plusieurs études menées sur des humains stipulait que « l'administration de probiotiques à des sujets atteints par la maladie de Crohn ne fait pas, certes, des merveilles mais améliore considérablement l'état général des malades, notamment ceux en rémission ».

Les personnes âgées ont tout intérêt à manger des yaourts. Une étude menée durant cinq ans sur 162 vieillards a montré que ceux qui consomment des yaourts et du lait au minimum trois fois par semaine ont 38 % de risques en moins de mourir que ceux qui n'en consomment qu'une fois par semaine. Le yaourt favorise l'absorption des nutriments, combat les infections et les inflammations et fournit à l'organisme une protéine complète – tout ce qu'il faut pour faire face au temps qui passe.

Le syndrome de l'intestin irritable : Les probiotiques modifient la population et l'activité de la microflore du système gastro-intestinal et pourraient, de ce fait, soulager certains symptômes associés au syndrome de l'intestin irritable même s'ils sont, *a priori*, plus efficaces en termes de prévention qu'en termes de traitement.

L'hypertension : Les probiotiques stimulent la production de substances qui, dans l'organisme, ont un effet similaire aux médicaments prescrits pour diminuer la tension artérielle.

Le cholestérol : Il y a plus de trente ans, des chercheurs se sont demandé pourquoi, chez les Masai (tribu africaine), la teneur en cholestérol du sérum était plus basse que la normale et pourquoi ils étaient peu touchés par les maladies coronariennes alors que leur alimentation était particulièrement riche en viande. Ils ont alors découvert que les Masai consommaient également beaucoup de lait fermenté (yaourt), soit jusqu'à 5 l par jour. Or, nous savons aujourd'hui que le yaourt fait baisser le taux de cholestérol. Les probiotiques contenus dans le yaourt diminuent les acides biliaires et, par-delà, l'absorption du cholestérol au niveau des voies gastro-intestinales. Les probiotiques agissent plus en termes de traitement qu'en termes de prévention.

Les ulcères : Les probiotiques favorisent l'élimination de l'*Helicobacter pyroli*, une bactérie pathogène qui est l'une des principales causes d'ulcère et qui peut être à l'origine d'un cancer gastrique.

Les diarrhées : Le yaourt a des effets particulièrement positifs sur les diarrhées qui dans de nombreux pays du monde touchent des millions de personnes. En effet, les probiotiques stimulent le système immunitaire, empêchent la « mauvaise » microflore de pénétrer dans les intestins et favorisent le développement des bonnes bactéries. Les probiotiques sont très efficaces dans le traitement des diarrhées, notamment lorsque des antibiotiques sont administrés. Les médecins ne comprennent toujours pas que certains de leurs confrères ne recommandent pas systématiquement à leurs patients de manger des yaourts lorsqu'ils prennent des antibiotiques.

Appel aux consommateurs

Optez pour les yaourts les plus riches en cultures vivantes et actives. Dans la mesure où certaines cultures probiotiques ont des effets particulièrement bénéfiques sur la santé, elles devraient systématiquement être utilisées par tous les fabricants de yaourts.

Infections vaginales et infections des voies urinaires : Une fois encore les probiotiques du yaourt combattent les substances pathogènes en empêchant la « mauvaise » microflore de pénétrer dans le vagin et/ou les voies urinaires et en favorisant le développement des bonnes bactéries. Selon une étude, consommer 240 g/jour de yaourt contenant du *L. bulgaricus* diminue considérablement (jusqu'à plus de trois fois) la colonisation de la levure du genre *Candida* et les infections qui en découlent.

LE YAOURT : LE MEILLEUR DES PRODUITS LAITIERS

Vous serez peut-être surpris(e) d'apprendre que *9 femmes sur 10 et 7 hommes sur 10 n'ont pas un apport quotidien en calcium suffisant pour couvrir leurs besoins.* Encore plus troublant, voire inquiétant : près que 90 % des adolescentes et 70 % des adolescents ont des carences en calcium. Pour beaucoup, les boissons gazeuses remplacent le « bon vieux lait » que leurs parents buvaient à chaque repas – ce qui laisse présager de nombreux problèmes de santé pour les années à venir. 200 ml de yaourt nature maigre fournissent à l'organisme 414 mg de calcium – ce qui couvre environ 40 % des besoins quotidiens – pour seulement 100 calories contre 300 mg de calcium pour 200 ml de lait écrémé. Les yaourts riches en potassium et en calcium aident à stabiliser la tension artérielle.

Le yaourt est plus riche en vitamines B (y compris en folate), en phosphore et en potassium que le lait. Bien sûr, le calcium contenu dans le yaourt joue un rôle majeur chez les femmes préménopausées ou ménopausées et les hommes menacés par l'ostéoporose. De plus, le lactose contenu dans le yaourt favorise l'absorption du calcium.

Les produits laitiers sont également sources d'IGF-1, une hormone de croissance qui, d'une part, favorise la formation osseuse et, d'autre part, limite la perte du capital osseux due au vieillissement.

Un petit déjeuner de choix

Voici mon petit déjeuner préféré qui, comme vous le voyez, ne nécessite aucune préparation spécifique. Dans un yaourt maigre, je mélange une poignée de myrtilles (et/ou de framboises, de cerises ou tout autre fruit de saison) et une banane coupée en rondelles. J'ajoute 1 poignée de cerneaux de noix concassés et environ 1 cuillère à soupe de germe de blé ou de graines de lin moulues. C'est délicieux et nourrissant.

LE YAOURT : SOURCE DE PROTÉINE DIGESTIBLE

Le yaourt est très riche en protéine digestible. En fait, le yaourt fournit deux fois plus de protéines que le lait. Certaines personnes, notamment les personnes âgées, ont un apport insuffisant en protéine complète et en calcium. Des études ont montré une corrélation positive entre l'apport en protéines et la densité osseuse chez les femmes et les hommes âgés lorsqu'il y a une supplémentation en calcium. La leçon à tirer : protéger son capital osseux et prévenir l'ostéoporose ne dépendent pas uniquement de la supplémentation en calcium mais également d'un apport suffisant en protéine complète. Le yaourt, riche en protéine complète et en calcium, est la solution idéale.

Faire du fromage avec du yaourt

Mettez un filtre à café dans une passoire. Versez le yaourt et laissez-le égoutter plusieurs heures au réfrigérateur. Plus le yaourt égoutte longtemps, plus il épaissit. Récupérez le petit-lait que vous utiliserez pour confectionner des crêpes ou des gâteaux à la place du lait. Mélangez le fromage avec de la mayonnaise (à parts égales) et incorporez le mélange dans une salade de thon ou une salade composée qui seront moins riches en graisses et plus riches en protéines que les salades traditionnelles.

Ce fromage se marie merveilleusement avec des légumes crus mais aussi des fruits crus ou cuits.

BOISSON AUX MYRTILLES ET AU YAOURT
Pour 2 personnes

200 ml de yaourt nature maigre
50 ml de jus d'orange fraîchement pressé
125 g de myrtilles fraîches ou congelées
1/2 banane bien mûre

Mélangez tous les ingrédients dans un mixer (vitesse moyenne) jusqu'à obtention d'une mousse lisse et onctueuse. Versez dans des verres et servez immédiatement.

Troisième partie

Les super-aliments : idées de menus et informations nutritionnelles

Idées de menus

Si vous avez déjà séjourné dans des centres de balnéothérapie, vous avez sans aucun doute apprécié la tranquillité et la beauté des lieux. Tout y est conçu pour le bien-être du corps et de l'esprit avec des exercices et des soins appropriés aux besoins de chacun, une ambiance sereine et une alimentation saine à base de produits frais et savoureux. Quand vous quittez les lieux après un séjour d'une semaine, vous êtes détendu et plein d'une énergie nouvelle qui ne vous quittera plus – même si cela est difficile à croire – des mois durant. Je viens de passer huit jours à Rancho La Puerta. Le souvenir que j'en garde est si intense et merveilleux que, lorsque je suis stressé, il me suffit de fermer les yeux pour être à nouveau transporté dans ce havre de paix et recouvrer la sérénité. J'espère sincèrement qu'un jour ou l'autre, vous vivrez une expérience aussi magique et bénéfique que celle-ci.

Lorsque l'idée d'écrire un livre sur les super-aliments s'est précisée dans mon esprit, j'ai réalisé que ce ne serait pas seulement avec des informations nutritionnelles que j'arriverais à convaincre le lecteur de modifier son mode d'alimentation et son mode de vie. Mon ami et confrère, le docteur Hugh Greenway, m'a suggéré de prendre contact avec Michel Stroot, chef cuisinier au Golden Door, et ses collègues à Rancho La Puerta afin de leur demander s'ils pourraient me concocter avec les super-aliments de délicieuses recettes faciles à préparer. Ces deux centres de balnéothérapie sont, je vous le rappelle, réputés pour leurs mets sains et raffinés.

En me donnant ce conseil, Hugh Greenway savait parfaitement ce qu'il faisait. En effet, Hugh a eu pour patient Alex Szekely, fils des fondateurs des deux établissements, atteint d'un cancer de la peau ; et même si Alex a malheureusement été terrassé par la maladie, il a laissé une empreinte indélébile dans chacun des deux complexes. Alors que ses parents avaient créé des centres de balnéothérapie classiques avec des programmes destinés aux personnes désireuses de perdre du poids et de se faire dorloter quelques jours, Alex a apporté un plus à ces lieux en créant un havre de paix où il existe une symbiose parfaite entre le corps et l'esprit.

Les dirigeants et les chefs cuisiniers, notamment Michel Stroot, de Rancho La Puerta et de Golden Door ont immédiatement adhéré à la théorie des super-aliments, à savoir que, si vous intégrez chacun d'eux dans votre alimentation, vous vous sentirez mieux physiquement et mentalement, vous serez moins menacé(e) par la maladie, vous augmenterez votre espérance de vie et vous aurez plus d'énergie pour assumer le quotidien.

Les recettes regroupées ci-après sont les meilleures créations de ces chefs talentueux qui ont accepté de m'accompagner dans cette aventure et m'ont permis d'arriver à mes fins. Mon vœu le plus cher est que vous et votre famille appréciiez chacune de ces recettes et en tiriez tous les bienfaits.

Pour plus d'informations sur le Golden Door, consultez le site Internet : www.goldendoor.com.
Pour plus d'informations sur le Rancho La Puerta, consultez le site Internet : www.rancholapuerta.com.

1er JOUR

MENU

Petit déjeuner : Flocons d'avoine, fruits, fruits à écale et lait de soja.

En-cas : 125 g de papaye coupée en morceaux.

Déjeuner : Potirons cuits au four avec du quinoa, du tofu, des abricots secs et des noix. Salade de tomates et de concombres.

En-cas : 15 g d'amandes nature ou grillées, 160 ml de jus de légumes, 1 petite carotte.

Dîner : Filet mignon au barbecue avec des champignons cremini (ou champignons bruns) sur un lit de chou champêtre, patates douces coupées en rondelles. Salade composée (voir p. 232) et sorbet à la pastèque et à la banane.

Au petit déjeuner

60 g de flocons d'avoine (pour la préparation, reportez-vous aux recommandations du fabricant sur le paquet). Ajoutez 1 cuillère à soupe de graines de lin moulues, 2 cuillères à soupe de noix de pécan grillées et 1 poignée de framboises. Arrosez avec 100 ml de lait de soja.

Buvez 100 ml de jus de raisin sans sucre ajouté.

Au déjeuner

POTIRONS CUITS AU FOUR AVEC DU QUINOA, DU TOFU, DES ABRICOTS SECS ET DES NOIX

Pour 4 personnes

La sauce à l'abricot
60 g d'abricots secs coupés en 2
100 ml d'eau
1 cuillère à soupe de jus d'orange concentré congelé

Les giraumons cuits au four
2 giraumons de grosseur moyenne
1 cuillère à café de poudre d'oignon
400 ml plus 2 cuillères à soupe de bouillon de légumes ou d'eau
1 cuillère à café de sel marin
125 g de quinoa rincé et égoutté
60 g de persil plat fraîchement coupé (le plus fin possible)
125 g de cerneaux de noix coupés grossièrement
250 g de tofu solide
1 cuillère à café de sauce de soja pauvre en sodium
1/2 cuillère à café d'origan séché
1 cuillère à café d'huile d'olive
125 g d'abricots secs coupés en 4

1. Pour la sauce, recouvrez les abricots d'eau froide puis faites-les chauffer à feu modéré pendant 10 à 12 mn. Faites réduire de moitié et laissez refroidir.
2. Versez ensuite l'eau et les abricots dans le bol-doseur d'un mixer, ajoutez le jus d'orange concentré et mixez jusqu'à obtention d'une préparation lisse. Réservez et réchauffez à feu doux si nécessaire.
3. Préchauffez le four à 200°C.

4. Coupez les giraumons en 2 à l'horizontale et épépinez-les. Disposez les 4 morceaux dans un plat allant au four après avoir enlevé les extrémités afin que chaque morceau soit d'aplomb. Saupoudrez de poudre d'oignon et versez environ 1,5 cm d'eau froide dans le plat. Couvrez avec du papier aluminium, enfournez et laissez cuire pendant environ 50 mn ou jusqu'à ce que la chair soit parfaitement ramollie. Si nécessaire, ajoutez de l'eau durant la cuisson. Sortez le plat du four.

5. Pendant ce temps, dans une casserole, versez 400 ml de bouillon de légumes et le sel marin. Portez à ébullition à feu relativement vif. Ajoutez le quinoa, couvrez et laissez frémir pendant environ 20 mn. Retirez la casserole du feu et laissez reposer une dizaine de minutes sans retirer le couvercle. Ajoutez le persil et les noix et mélangez avec une fourchette. Couvrez et gardez au chaud.

6. Coupez le tofu en dés de 1,5 cm. Mettez les dés dans un saladier, ajoutez la sauce de soja et l'origan et mélangez doucement.

7. Dans une sauteuse antiadhésive, faites chauffer l'huile d'olive à feu relativement vif. Versez le tofu et la sauce de soja et laissez mijoter 4 mn. Ajoutez les abricots secs et les 2 cuillères à soupe de bouillon de légumes. Mélangez afin qu'aucun morceau n'adhère au fond de la sauteuse.

8. Mélangez le tofu, les abricots et le quinoa et, avec une cuillère, mettez la préparation dans les morceaux de giraumon. Nappez avec la sauce à l'abricot.

SALADE DE TOMATES ET DE CONCOMBRES

Pour 4 personnes

La vinaigrette balsamique
2 cuillères à soupe de vinaigre balsamique
1 cuillère à soupe d'huile d'olive

1 et 1/2 cuillère à soupe de moutarde de Dijon
1 et 1/2 cuillère à soupe d'eau
1/2 cuillère à café de basilic séché
1/4 de cuillère à café de poivre noir fraîchement moulu

La salade
4 tomates bien mûres de grosseur moyenne
3 concombres de grosseur moyenne

1. Dans un petit saladier, mélangez avec un fouet le vinaigre et l'huile. Ajoutez la moutarde et l'eau. Mélangez soigneusement. Sans cesser de remuer, incorporez le basilic et le poivre.
2. Enlevez le cœur des tomates et coupez-les en quartiers, puis coupez chaque quartier en 2. Épluchez les concombres et coupez-les en rondelles d'environ 1 cm d'épaisseur. Coupez ensuite chaque rondelle en 4.
3. Mettez les tomates et les concombres dans un grand saladier et versez par-dessus la vinaigrette après l'avoir une nouvelle fois mélangée avec le fouet. Mélangez délicatement et laissez mariner 10 à 60 mn à température ambiante.

Au dîner

FILET MIGNON AU BARBECUE AVEC DES CHAMPIGNONS CREMINI SUR UN LIT DE CHOU CHAMPÊTRE

Pour 4 personnes

250 g de champignons cremini (enlevez la partie sableuse des pieds et coupez les champignons en 4)
2 cuillères à soupe d'échalotes hachées finement
100 ml de vin rouge (type Merlot)

100 ml de sauce brune (voir p. 212) ou une boîte de jus de viande de bœuf pauvre en sodium

2 cuillères à soupe d'huile d'olive

100 g d'oignon jaune finement haché (1 gros oignon)

2 cuillères à café d'ail finement coupé

1 kg de chou champêtre coupé en lanières

500 g de filet de bœuf ou filet mignon de veau coupé en 4 morceaux de 125 g de 2,5 cm d'épaisseur (si vous préférez, prenez de la viande de bison)

2 cuillères à soupe de persil plat fraîchement haché

1. Graissez une sauteuse antiadhésive avec de l'huile de canola ou de tournesol. Faites chauffer à feu modéré puis faites revenir pendant 5 mn environ les champignons et les échalotes jusqu'à ce qu'ils soient légèrement dorés. Ajoutez le vin et laissez mijoter une dizaine de minutes jusqu'à ce que le liquide réduise de moitié. Versez dans la sauteuse la sauce brune ou le jus de viande de bœuf et laissez mijoter 2 à 3 mn jusqu'à ce que toutes les saveurs se mélangent.

2. Dans une autre grande sauteuse, faites chauffer de l'huile à feu relativement vif et faites revenir l'oignon et l'ail sans cesser de mélanger pendant 2 à 3 mn. Lorsque les oignons sont translucides, ajoutez le chou champêtre et laissez cuire quelques minutes jusqu'à ce que le chou soit légèrement desséché. Remuez de temps à autre. Retirez la sauteuse du feu et gardez au chaud.

3. Faites chauffer un barbecue au charbon de bois ou au gaz. Le charbon de bois doit être chaud mais il ne doit pas y avoir de flamme. Graissez la grille de cuisson avec de l'huile.

4. Laissez cuire les filets pendant 5 mn environ de chaque côté. Insérez un thermomètre de cuisson à lecture instantanée dans les filets. Au bout de 5 mn, la température doit avoir atteint les 60°C (à point) et 70°C au bout de 6-7 mn (bleu). Retirez du feu.

5. Dans chacune des assiettes, mettez du chou champêtre et un filet. Nappez de sauce aux champignons. Saupoudrez de persil finement haché.

SAUCE BRUNE

Pour environ 300 ml

1,5 kg de haut de ronde de bœuf ou de bison coupée en morceaux de 2,5 cm
1 petit oignon coupé grossièrement
1 carotte de grosseur moyenne coupée grossièrement
1 céleri-branche coupé grossièrement
1 cuillère à soupe de concentré de tomates
2 cuillères à café de grains de poivre noir
2 cuillères à café d'estragon séché
2 branches de thym frais ou 1 cuillère à café de thym séché
2 feuilles de laurier
2 cuillères à soupe de farine ménagère (céréale complète)
2 l de bouillon de légumes ou 2 l d'eau
1 cuillère à soupe de Maïzena ou d'arrow-root dissous dans 2 cuillères à soupe d'eau

1. Graissez un grand poêlon avec de l'huile de canola ou de tournesol et faites chauffer à feu relativement vif. Faites revenir la viande pendant 10 à 15 mn en remuant régulièrement afin que les morceaux soient dorés sur tous les côtés. Ajoutez l'oignon, la carotte et le céleri et faites revenir pendant 5 à 10 mn jusqu'à ce qu'ils soient bien dorés.
2. Incorporez en remuant le concentré de tomates, les grains de poivre noir, l'estragon, le thym et le laurier. Saupoudrez de farine. Versez dans un grand récipient.
3. Versez 400 ml de bouillon de légumes dans le poêlon et décollez avec une cuillère en bois les petits morceaux de viande ou de légumes caramélisés et collés au fond. Retirez du feu et transvasez le tout dans le récipient sur la viande et les légumes. Ajoutez le restant du bouillon de légumes et faites mijoter pendant environ 2 h en retirant régulièrement avec une passoire l'écume à la surface. Laissez réduire des deux tiers environ. Retirez du feu et filtrez au-dessus d'une casserole en utilisant une passoire à mailles fines.

4. Remettez sur le feu et laissez à nouveau mijoter pendant 30 à 40 mn. Laissez réduire jusqu'à ce qu'il ne reste plus que l'équivalent de 300 ml. Incorporez la Maïzena ou l'arrow-root dissous dans l'eau et laissez à nouveau mijoter pendant 1 à 2 mn jusqu'à ce que la préparation épaississe.

PATATES DOUCES COUPÉES EN RONDELLES

Pour 4 personnes

2 patates douces de grosseur moyenne (soit environ 500 g)
25 ml de jus d'orange frais
25 ml de bouillon de légumes ou d'eau
1 cuillère à café de poivre de la Jamaïque moulu

1. Mettez les patates douces non épluchées dans une casserole de taille moyenne. Recouvrez d'eau froide et faites chauffer à feu vif. Lorsque l'eau commence à bouillir, baissez le feu et laissez cuire entre 15 et 20 mn jusqu'à ce que les patates commencent à ramollir sans toutefois éclater. Retirez la casserole du feu, égouttez les patates douces et laissez-les refroidir.
2. Pelez les patates et coupez-les en rondelles d'environ 1 cm d'épaisseur. Vous obtenez une quinzaine de rondelles. Dans une sauteuse de taille moyenne, disposez les rondelles en cercle sur une seule couche (les rondelles se chevauchent légèrement). Faites-les dorer.
3. Retirez-les du feu, transvasez-les dans un récipient et gardez-les au chaud. Procédez de même avec les rondelles restantes. Versez le jus d'orange et le bouillon de légumes sur les patates et saupoudrez de poivre de la Jamaïque. Tenez au chaud dans le four jusqu'au moment de servir.

SORBET À LA PASTÈQUE ET À LA BANANE

Pour 4 personnes

2 grosses bananes bien mûres, épluchées et coupées en fines rondelles
180 g de pastèque coupée en dés
100 ml de jus d'orange fraîchement pressée
60 ml de jus de citron vert frais

1. Disposez les bananes et la pastèque dans un plat en métal peu profond. Versez par-dessus le jus d'orange et le jus de citron vert et laissez au congélateur pendant 4 h au minimum.
2. Sortez le plat du congélateur et laissez les fruits décongeler sur le plan de travail une dizaine de minutes. Cassez-les en petits morceaux et passez-les au mixer (utilisez une lame en métal) jusqu'à obtention d'une préparation lisse et onctueuse.
3. Remplissez à la cuillère 4 petites tasses et servez immédiatement ou conservez-les au congélateur pendant 1 h. Si vous les laissez pendant plus d'1 h, repassez-les au mixer avant de servir.

2e JOUR

Menu

Petit déjeuner : Céréales « fortifiées » avec du lait de soja, 160 ml de jus de pamplemousse rose.

En-cas : 125 g de papaye fraîche coupée en morceaux.

Déjeuner : Pâtes aux épinards avec une sauce à la dinde et à la tomate. Salade composée (voir p. 232) avec une vinaigrette à la framboise.

En-cas : 1/2 poivron jaune coupé en fines lanières.

Dîner : Saumon sauvage à l'asiatique sur un lit d'épinards au sésame, millet et pointes d'asperges cuites à la vapeur. Croquants aux fruits rouges avec des fruits à écale et des flocons d'avoine.

Au petit déjeuner

Mélangez 60 g de céréales « fortifiées », 1 cuillère à soupe de germe de blé grillé, 2 cuillères à soupe d'amandes éclatées grillées, 2 cuillères à soupe de son de blé et 1/2 cuillère à soupe de graines de lin moulues. Arrosez le tout de lait de soja à la vanille (160 ml). Mélangez et consommez immédiatement.

Buvez un verre (80 ml) de jus de pamplemousse rose sans sucre ajouté pour faire le plein d'énergie.

Au déjeuner

PÂTES AUX ÉPINARDS AVEC UNE SAUCE À LA DINDE ET À LA TOMATE

Pour 6 personnes

9 tomates bien mûres de grosseur moyenne (soit environ 1,5 kg), coupées en 2 ou en 4, ou 2 boîtes de 320 g de tomates entières plus 2 boîtes de 160 ml de sauce tomate
100 ml d'eau
Une boîte de 140 ml de concentré de tomates
2 cuillères à soupe d'huile d'olive
100 g d'oignon haché (1 gros oignon)
2 ou 3 gousses d'ail finement hachées
500 g de dinde hachée (viande maigre)
1 petit bulbe de fenouil haché (environ 250 g) ou 250 g de céleri haché avec 1/2 cuillère à café de graines de fenouil écrasées
2 cuillères à soupe de persil plat fraîchement haché ou 2 cuillères à café de persil séché
2 cuillères à soupe de basilic frais coupé finement ou 2 cuillères à café de basilic séché
1 cuillère à soupe d'origan frais coupé finement ou 1 cuillère à café d'origan séché
1/4 de cuillère à café de poivre noir fraîchement moulu
1/4 à 1/2 cuillère à café de gros sel marin
1 pincée de poivre de Cayenne
500 g de pâtes aux épinards cuites

1. Mettez les tomates et l'eau dans un grand récipient anti-adhésif et laissez cuire à feu doux pendant 30 à 40 mn soit jusqu'à ce que les tomates ramollissent. Versez les tomates cuites dans le bol-doseur d'un mixer avec une lame en métal, ajoutez le concentré de tomates et mixez jusqu'à

obtention d'une préparation lisse (si vous utilisez des tomates en conserve, versez-les directement dans le bol-doseur du mixer sans les faire cuire avec la sauce et le concentré de tomates). Il n'est pas indispensable de mixer toutes les tomates en même temps.

2. Dans une grande sauteuse, faites chauffer l'huile d'olive à feu modéré. Faites revenir l'ail et l'oignon sans cesser de remuer pendant environ 5 mn. Les oignons ne doivent pas dorer. Ajoutez la viande. Étalez-la avec une cuillère en bois dans le fond de la sauteuse et laissez-la cuire pendant une dizaine de minutes. Mettez le fenouil et laissez cuire 1 ou 2 mn jusqu'à ce qu'il ramollisse. Versez le tout dans une passoire et laissez égoutter afin d'enlever le maximum de graisse.

3. Remettez la viande dans la casserole, ajoutez la purée de tomates, le persil, le basilic, l'origan, le poivre noir, le sel et le poivre de Cayenne. Couvrez et laissez cuire environ 45 mn jusqu'à ce que les saveurs des différents ingrédients se mélangent.

4. Versez la préparation sur des pâtes aux épinards cuites et servez immédiatement.

VINAIGRETTE À LA FRAMBOISE

125 g de framboises
3 cuillères à soupe de vinaigre balsamique
1 cuillère à soupe de jus de pomme non sucré
1 cuillère à café d'huile de canola ou de tournesol
1 cuillère à café de miel

Dans un petit saladier, versez les différents ingrédients et mélangez-les avec un fouet. Versez la vinaigrette sur la salade composée.

Au dîner

SAUMON SAUVAGE À l'ASIATIQUE SUR UN LIT D'ÉPINARDS AU SÉSAME

Pour 6 personnes

La marinade
100 ml de vinaigre de saké
100 ml d'eau
6 cuillères à soupe de sauce de soja pauvre en sodium
2 cuillères à café d'huile de graine de sésame
Le jus de 2 petits citrons verts
1 petit morceau de gingembre frais (4 ou 5 cm de long), épluché et émincé
4 filets de saumon sauvage de 120 g chacun

La sauce
1 cuillère à soupe d'échalotes hachées
1 cuillère à café d'ail émincé
1 cuillère à café de gingembre finement haché
Quelques feuilles de coriandre fraîche finement hachées

Les nids
1/2 cuillère à café d'huile de tournesol ou de carthame
1 cuillère à soupe d'échalotes hachées
1 gousse d'ail émincée
2 bottes d'épinards (300 à 360 g chacune), lavées, équeutées et hachées
1 cuillère à soupe de graines de sésame

La garniture
Quelques brins de ciboulette finement coupés
125 g de poivrons rouges finement coupés

Du millet et des pointes d'asperges cuites à la vapeur
(voir p. 306)

1. Pour la marinade, mélangez le vinaigre, l'eau, la sauce de soja, l'huile et le jus de citron dans le bol-doseur d'un mixer. Ajoutez le gingembre et mixez le tout à la vitesse maximale pendant 2 mn.
2. Disposez les filets de saumon dans un plat peu profond en verre ou en céramique et versez dessus la moitié de la marinade. Couvrez et laissez au réfrigérateur pendant 30 mn. Conservez le restant de la marinade.
3. Préchauffez le four à 180°C.
4. Retirez les filets de saumon du plat et jetez la marinade. Disposez les filets dans un plat peu profond allant au four. Enfournez et laissez cuire entre 15 et 20 mn jusqu'à ce que vous puissiez décoller la chair avec une fourchette. Si vous avez un thermomètre de cuisson à lecture instantanée, enfoncez-le dans la chair et sortez les filets du four lorsque la température a atteint 60°C.
5. Pendant ce temps, versez le restant de la marinade dans une casserole. Ajoutez les échalotes, l'ail et le gingembre et laissez mijoter à feu modéré pendant environ 5 mn soit jusqu'à ce que les échalotes et l'ail ramollissent. Incorporez la coriandre fraîche sans cesser de remuer. Laissez revenir environ 1 mn puis retirez la casserole du feu.
6. Pour les nids, prenez une grande sauteuse dans laquelle vous ferez chauffer l'huile à feu modéré. Faites revenir les échalotes et l'ail. Ajoutez les épinards et laissez-les cuire jusqu'à ce qu'ils commencent à être desséchés. Saupoudrez de graines de sésame.
7. Répartissez les épinards dans chacune des 6 assiettes et disposez dessus un filet de saumon. Nappez de sauce et saupoudrez de ciboulette et de poivrons rouges émincés. Servez avec le millet et les pointes d'asperges cuites à la vapeur.

MILLET ET POINTES D'ASPERGES CUITES À LA VAPEUR

Pour 6 personnes

125 g de millet
400 ml de bouillon de légumes ou d'eau
1 cuillère à café de sel kasher
18 pointes d'asperges de 5 cm de long

1. Versez le millet dans une passoire à mailles fines et rincez-le sous l'eau froide. Laissez égoutter.
2. Dans une casserole, portez le bouillon de légumes ou l'eau et le sel à ébullition à feu relativement vif. Ajoutez le millet et mélangez. Couvrez et laissez mijoter à feu doux pendant environ 20 mn, soit jusqu'à ce que les grains ne soient plus fermes. Retirez du feu et égrenez à la fourchette.
3. Pendant ce temps, disposez les pointes d'asperges dans un panier au-dessus d'une casserole remplie d'eau bouillante. Laissez cuire à la vapeur pendant 2 à 3 mn. Les pointes doivent être croquantes.
4. Servez le millet et les asperges avec les filets de saumon.

CROQUANTS AUX FRUITS ROUGES AVEC DES FRUITS À ÉCALE ET DES FLOCONS D'AVOINE

Pour 8 personnes

Les croquants

180 g d'amandes hachées
180 g de noix de pécan hachées
180 g de noix hachées
250 g de flocons d'avoine roulée (qualité normale ou à cuisson rapide)
3 à 4 cuillères à soupe de sirop d'érable pur
2 cuillères à soupe de germe de blé

2 cuillères à soupe de farine à pâtisserie ou de farine ménagère au blé complet
1 cuillère à café de cannelle
1/2 cuillère à café de noix de muscade
1/2 cuillère à café d'extrait de vanille pure

La garniture
1 kg de mûres, de myrtilles, de fraises, de framboises ou un mélange de différentes baies
2 cuillères à soupe de sirop d'érable pur
1 cuillère à café de cannelle moulue
1 cuillère à café de zeste de citron ou de citron vert finement râpé
32 cl de yaourt congelé maigre, nature ou à la vanille pour le nappage

1. Préchauffez le four à 160°C.
2. Pour les croquants, étalez les fruits à écale sur la lèchefrite recouverte d'un papier sulfurisé et faites-les griller pendant 5 à 8 mn jusqu'à ce qu'ils soient dorés. Remuez-les une ou deux fois. Sortez-les du four puis versez-les dans le bol-doseur du mixer.
3. Ajoutez les flocons d'avoine roulée, le sirop d'érable, le germe de blé, la farine, la cannelle, la noix de muscade et la vanille. Mixez soigneusement.
4. Pour la garniture, coupez les fruits rouges en fines lamelles. Arrosez-les avec le sirop d'érable, la cannelle et le zeste de citron. Disposez les fruits dans un plat allant au four ou une tourtière de 20 cm × 20 cm ou de 25 cm × 25 cm. Disposez les croquants sur les fruits et faites cuire au four pendant 15 à 20 mn. Retirez le plat du four dès que les fruits sont cuits, qu'il y a des petites bulles sur les côtés et que les croquants commencent à brunir. Nappez avec une bonne cuillerée de yaourt.

3ᵉ JOUR

MENU

Petit déjeuner : Parfait au yaourt et aux fruits exotiques, 80 ml de jus d'orange, tartines de pain complet grillées avec du beurre d'amandes.

Déjeuner : Saumon sauvage poché nappé d'une sauce aux concombres et à l'aneth, frites de patates douces cuites au four.

En-cas : 1/2 poivron orange coupé en fines lanières. 15 g de noix de soja grillées sans sel ajouté. 1 petite carotte.

Dîner : Nouilles soba au tofu, salade composée (voir p. 232), pain aux myrtilles façon Golden Door.

Au petit déjeuner

PARFAIT AU YAOURT ET AUX FRUITS EXOTIQUES

Pour 4 personnes

1/2 papaye de grosseur moyenne coupée en dés de 1,5 cm (environ 125 g)

600 ml de yaourt à la vanille maigre (ou du yaourt nature maigre dans lequel vous mélangerez 2 cuillères à soupe de sirop d'érable pur)

4 cuillères à soupe de graines de lin moulues

125 g d'amandes effilées

250 g de myrtilles

1 mangue coupée en dés de 1,5 cm (environ 125 g)

1. Mettez environ 2 cuillères à soupe de papaye dans chacune des coupes à parfait ou dans des verres évasés (d'une contenance égale à 320 ml environ). Nappez de 2 cuillerées de yaourt puis ajoutez 1 cuillère à café de graines de lin moulues et 1 cuillère à café d'amandes effilées.
2. Versez 2 cuillères à soupe de myrtilles dans chacune des coupes. Nappez de 2 cuillerées de yaourt puis ajoutez 1 cuillère à café de graines de lin moulues et 1 cuillère à café d'amandes effilées. Versez ensuite environ 2 cuillères à soupe de dés de mangue. Nappez de 2 cuillerées à soupe de yaourt, 1 cuillère à café de graines de lin moulues et 1 cuillère à café d'amandes effilées. Avec le restant des fruits et du yaourt, faites une ou deux couches supplémentaires.
3. Mettez au réfrigérateur ou servez immédiatement avec des tartines grillées sur lesquelles vous aurez étalé du beurre d'amandes (voir ci-dessous). À consommer avec 100 ml de jus d'orange frais 100 % naturel.

TARTINES DE PAIN COMPLET GRILLÉES AVEC DU BEURRE D'AMANDES

Pour 4 personnes

4 tranches de pain complet
1 cuillère à soupe de beurre d'amandes ou de beurre de noix de cajou

Faites griller les tartines et étalez sur chacune d'elles du beurre d'amandes. Coupez les tartines en 2 dans le sens de la diagonale et servez.

REMARQUE : Vous pouvez remplacer le beurre d'amandes par du beurre de noix de cajou, de noisettes ou tout autre beurre de votre choix.

Au déjeuner

SAUMON SAUVAGE POCHÉ NAPPÉ D'UNE SAUCE AUX CONCOMBRES ET À L'ANETH

Pour 6 personnes

La sauce
200 ml de yaourt maigre
100 ml de fromage blanc maigre, de ricotta ou de fromage à base de yaourt (voir p. 203)
60 g de persil plat fraîchement coupé
2 cuillères à soupe d'aneth fraîche finement hachée ou 1 cuillère à soupe d'aneth séchée
2 concombres de grosseur moyenne, épluchés, épépinés et coupés en fines lamelles
60 g d'échalotes ou d'oignons émincés
1 pincée de poivre de Cayenne
1/4 de cuillère à café de sel marin
1/4 de cuillère à café de poivre noir fraîchement moulu

Le saumon
200 ml de vin blanc
100 ml de bouillon de légumes ou d'eau
Le jus de 1 citron
1 échalote ou 1 petit oignon émincés
1 et 1/2 cuillère à café de thym séché
1/4 de cuillère à café de poivre noir en grains
6 filets de saumon sauvage de 120 g

La garniture
1,5 kg de feuilles d'épinards lavées et égouttées
2 cuillères à café d'huile d'olive
2 cuillères à café de vinaigre balsamique ou de jus de citron frais

1 petit concombre épluché et coupé en fines rondelles
6 grosses tomates cerises

1. Pour la sauce, mélangez soigneusement le yaourt et le fromage blanc dans le bol-doseur d'un mixer avec une lame en métal. Versez le mélange dans un saladier et ajoutez en remuant le persil, l'aneth, les concombres, les échalotes, le poivre de Cayenne, le sel et le poivre noir. Goûtez pour vérifier l'assaisonnement. Couvrez et mettez au réfrigérateur pendant au moins 2 h.

2. Pour le saumon, versez le vin, le bouillon de légumes, le jus du citron, l'échalote, le thym et le poivre noir dans une sauteuse et portez à ébullition à feu relativement vif. Réduisez le feu au minimum et laissez frémir le mélange 2 à 3 mn. Ajoutez le saumon et laissez pocher entre 13 et 15 mn ou jusqu'à ce que les morceaux de chair se détachent facilement à la fourchette. Insérez un thermomètre de cuisson à lecture instantanée dans les filets et vérifiez que la température a atteint les 55°. Avec une écumoire, versez le saumon dans un plat, couvrez et laissez au réfrigérateur pendant 1 ou 2 h jusqu'à ce que le saumon soit bien froid.

3. Pour servir, assaisonnez les feuilles d'épinards avec l'huile et le vinaigre puis disposez-les dans 6 assiettes. Mettez les filets dessus et nappez de sauce aux concombres et à l'aneth. Décorez avec 2 ou 3 rondelles de concombre, de courgette ou 1 tomate cerise. Servir avec du pain complet ou des biscuits salés (facultatif).

FRITES DE PATATES DOUCES CUITES AU FOUR

Pour 4 personnes

Suffisamment de brins de romarin pour recouvrir une plaque de cuisson
1 cuillère à café de poudre de chili

1 cuillère à café de cumin moulu
1 cuillère à café de paprika
1 cuillère à café de sel kasher
1 cuillère à café de poivre noir fraîchement moulu
2 patates douces de grosseur moyenne (environ 500 g) nettoyées à la brosse et bien essuyées.

1. Préchauffez le four à 210°C. Graissez une lèchefrite avec de l'huile d'olive ou utilisez une plaque de cuisson anti-adhésive.
2. Disposez les brins de romarin dans le fond de la lèchefrite sans les superposer afin que toute la surface soit recouverte.
3. Dans un petit saladier, mélangez la poudre de chili, le cumin, le paprika, le sel et le poivre.
4. Coupez les patates douces non épluchées dans le sens de la longueur en tranches d'environ 1,5 cm d'épaisseur puis, dans le sens de la largeur, découpez à nouveau des tranches de 1,5 cm afin d'obtenir des frites.
5. Disposez les patates douces sur les brins de romarin sans les superposer et versez dessus la préparation à base d'épices. Arrosez d'huile d'olive.
6. Enfournez et laissez cuire 20 mn. Retirez du four et arrosez à nouveau d'huile d'olive.
7. Remettez au four pendant environ 25 mn jusqu'à ce que les frites soient parfaitement dorées. Retirez le romarin et servez chaud.

Au dîner

NOUILLES SOBA AU TOFU

Pour 6 personnes

Le tofu
2 cuillères à café d'huile d'olive extra-vierge
1 à 3 gousses d'ail émincées
1 cuillère à soupe de gingembre frais émincé ou râpé
2 gros poivrons rouges coupés en morceaux de 2,5 cm de long et 0,5 cm de large (environ 250 g)
1/4 de cuillère à café de poivre noir fraîchement moulu
1 pincée de poivre rouge concassé
1 cuillère à soupe de basilic frais finement haché ou 1 cuillère à café de basilic séché
2 cuillères à soupe de sauce de soja pauvre en sodium
500 g de tofu très ferme coupé en dés de 1,5 cm

Les nouilles
180 g de nouilles soba (au sarrasin)
1 cuillère à soupe d'huile d'olive
2 ou 3 gousses d'ail émincées
3 cuillères à soupe de graines de sésame
1 à 2 cuillères à soupe de coriandre fraîche émincée
1/4 de cuillère à café de poivre noir fraîchement moulu

1. Pour le tofu, dans un poêlon antiadhésif, faites chauffer l'huile d'olive à feu relativement vif. Faites revenir l'ail, le gingembre et les poivrons rouges sans cesser de remuer pendant environ 5 mn, soit jusqu'à ce que les poivrons ramollissent. Ajoutez le poivre noir, le poivre rouge, le basilic, la sauce de soja et le tofu. Mélangez et laissez cuire 10 à 12 mn à feu doux.

2. Pour les nouilles, portez de l'eau à ébullition et plongez-y les nouilles soba. Laissez-les cuire entre 5 à 7 mn jusqu'à ce qu'elles soient tendres. Égouttez-les et rincez-les à l'eau froide. Réservez.

3. Dans un grand poêlon antiadhésif, faites chauffer l'huile à feu relativement vif. Ajoutez les gousses d'ail et faites-les revenir pendant environ 30 s sans cesser de remuer. Versez les graines de sésame et faites-les revenir pendant 30 s sans cesser de remuer jusqu'à ce que les saveurs se mélangent. Ajoutez la coriandre et le poivre.

4. Versez les nouilles dans le poêlon sur les épices et les poivrons et mélangez le tout. Remplissez 6 bols et versez la même quantité de tofu dans chacun d'eux.

LE PAIN AUX MYRTILLES FAÇON GOLDEN DOOR

Pour un pain

250 g de farine ménagère complète
1 cuillère à café de levure chimique
1/2 cuillère à café de bicarbonate de soude
2 cuillères à café de cannelle moulue
1/2 cuillère à café de poivre de la Jamaïque
310 g de farine de blé complet
60 g de farine de maïs (grosse mouture)
1/2 cuillère à café de sel kasher
2 bananes de grosseur moyenne bien mûres écrasées (environ 250 g)
125 g de cassonade
1 gros œuf enrichi en oméga-3
Le blanc de 1 gros œuf enrichi en oméga-3
2 cuillères à soupe d'huile de canola ou de tournesol
300 ml de babeurre pauvre en matières grasses
2 cuillères à soupe de zeste d'orange râpé
250 g de noix concassées

250 g de myrtilles
Du yaourt à la vanille congelé, maigre (facultatif)

1. Laissez tremper les myrtilles dans de l'eau chaude une quinzaine de minutes puis égouttez-lez. Pendant ce temps, préchauffez le four à 180°C et, avec de l'huile végétale, graissez un moule à pain de 25 cm × 9 cm.
2. Dans un grand saladier, versez la farine ménagère, la levure, le bicarbonate de soude, la cannelle et le poivre de la Jamaïque. Mélangez puis ajoutez la farine de blé complet, la farine de maïs et le sel.
3. À l'aide d'un mixer dont la lame est en métal, mélangez les bananes, la cassonade, l'œuf, le blanc d'œuf, l'huile de canola ou de tournesol et le babeurre jusqu'à obtention d'une préparation lisse et onctueuse. Ajoutez le zeste d'orange. Mélangez à nouveau.
4. Faites un puits dans la farine (étape 2) dans lequel vous verserez la préparation (étape 3). Mélangez soigneusement. Ajoutez les noix concassées et les myrtilles et mélangez jusqu'à obtention d'une pâte assez épaisse. Attention à ne pas écraser les myrtilles !
5. Versez la pâte dans le moule à pain et enfournez. Laissez cuire environ 55 mn. Vérifiez la cuisson à l'aide d'une lame d'un couteau (ou d'un cure-dents) qui doit ressortir bien sèche. Le dessus du pain doit être doré et les bords doivent sortir du moule. Retirez le moule du four et démoulez le pain sur une grille métallique. Laissez-le refroidir avant de le couper en tranches.
6. Découpez des tranches de 1,5 à 2 cm d'épaisseur. Nappez les tranches de yaourt à la vanille ou mangez-les telles quelles.

4ᵉ JOUR

MENU

Petit déjeuner : Tarte aux patates douces.

En-cas : 160 ml de jus de grenade 100 % naturel (pur ou avec de l'eau gazeuse).

Déjeuner : Salade de thon avec du mesclun (scarole, salade de Trévise, chicorée, mâche, pissenlits, cerfeuil, laitue feuille de chêne et pourpier), du basilic et des pousses de luzerne.

En-cas : 125 g de papaye coupée en morceaux, 160 ml de cocktail de légumes, 30 g d'amandes nature ou grillées mais sans sel ajouté.

Dîner : Sauté asiatique avec des escalopes de dinde, du riz basmati, une jardinière de légumes verts et une sauce aux cacahouètes et au gingembre, salade composée (voir p. 232), tarte au fromage à base de yaourt et au potiron.

Au petit déjeuner

TARTE AUX PATATES DOUCES

Pour 8 personnes

À préparer la veille au soir et à conserver au réfrigérateur.

La croûte

375 g de gâteaux secs au gingembre pauvres en matières grasses (voir remarques)

3 cuillères à soupe de graines de lin moulues ou de germe de blé

1 cuillère à soupe de cassonade

1 gros œuf

La garniture

2 patates douces grenat (voir remarques)

1 navel

1 banane bien mûre

125 g de ricotta maigre ou de tofu mou

2 gros œufs enrichis en oméga-3

2 cuillères à café d'extrait de vanille pure

1 cuillère à café de cannelle moulue

1/4 de cuillère à café de noix de muscade ou de macis

1/4 de cuillère à café de clous de girofle moulus

60 à 100 ml de sirop d'érable pur (en fonction de votre goût)

La décoration

Du fromage à base de yaourt à la vanille (facultatif, voir p. 203)

8 framboises ou 8 fraises

Des feuilles de menthe

1. Préchauffez le four à 180°C.
2. Pour la croûte, mélangez les gâteaux secs au gingembre, les graines de lin et la cassonade à l'aide d'un mixer avec une lame en métal jusqu'à obtention d'une poudre fine. Ajoutez l'œuf et mélangez soigneusement.
3. Versez la préparation dans un moule de 22 cm × 22 cm légèrement huilé. Enfournez et laissez cuire à blanc pendant une vingtaine de minutes jusqu'à ce que cette croûte soit dorée. Retirez du four et laissez refroidir sur une grille métallique sans, toutefois, arrêter le four.
4. Pendant ce temps, à l'aide d'une fourchette ou d'un couteau bien aiguisé, faites plusieurs petits trous dans les patates douces puis faites-les cuire au four pendant environ 1 h 15

314 / La super forme en 14 aliments

(soit jusqu'à ce que vous puissiez enfoncer facilement un couteau dans la chair). Retirez-les du four et laissez-les refroidir sans arrêter le four.

5. Lorsque les patates sont froides, pelez-les et écrasez-les. Vous obtenez environ 500 g de purée.

6. Coupez la navel aux deux extrémités puis coupez-la en quartiers sans l'éplucher. Mettez les morceaux dans le bol-doseur de votre mixer (de préférence un mixer avec une lame en métal). Ajoutez les patates douces écrasées, la banane, la ricotta, les œufs, la vanille, la cannelle, la noix de muscade et les clous de girofle. Mélangez le tout jusqu'à obtention d'une préparation lisse et onctueuse. Ajoutez 70 ml de sirop d'érable, mélangez et goûtez. Si besoin est, rajoutez du sirop.

7. Versez la garniture sur la croûte et enfournez à mi-hauteur pendant 40 à 50 mn. Vérifiez la cuisson avec une lame de couteau. Si les bords noircissent, couvrez-les avec une feuille de papier aluminium.

8. Sortez la tarte du four et laissez-la refroidir sur une grille métallique. Coupez en morceaux et servez avec du fromage à base de yaourt, des framboises ou des fraises et quelques feuilles de menthe fraîches.

Remarques : Utilisez de préférence des patates douces grenat ou rouges plus sucrées et crémeuses que les autres variétés.

Pour la croûte, vous pouvez utiliser des biscuits salés émiettés que vous mélangerez avec du gingembre moulu. Comptez 8 biscuits salés pour 250 g.

Au déjeuner

SALADE DE THON AVEC DU MESCLUN, DU BASILIC ET DES POUSSES DE LUZERNE

Pour 4 personnes

2 boîtes de 400 g de thon albacore conditionné dans de l'eau (soit 280 g égoutté)
2 branches de céleri coupées en dés de 0,5 cm
100 g d'oignon rouge coupé en dés
150 ml de yaourt nature sans matières grasses
2 cuillères à soupe de moutarde de Dijon
2 cuillères à café de vinaigre de riz
2 cuillères à café d'aneth séchée
Du mesclun (scarole, salade de Trévise, chicorée, mâche, pissenlits, cerfeuil, laitue feuille de chêne et pourpier), des feuilles d'épinards ou de laitue romaine lavés et coupés en morceaux
60 g de feuilles de basilic fraîches coupées
60 g de pousses de luzerne
60 g de daikon (radis blanc d'Asie)
50 ml de vinaigrette à la framboise (voir p. 303)
1/8 d'avocat coupé en fines lamelles
1 gros œuf enrichi en oméga-3 (dur et coupé en rondelles)
1/2 poivron jaune coupé en lamelles
4 tomates mûres de grosseur moyenne coupées en morceaux
Du poivre noir fraîchement moulu
60 g de fleurs comestibles (capucines, géraniums ou pétunias) (facultatif)

1. Dans un petit saladier, écrasez le thon à la fourchette. Ajoutez le céleri, l'oignon, le yaourt, la moutarde, le vinaigre et l'aneth. Mélangez soigneusement.
2. Dans un grand saladier, mélangez le mesclun, le basilic et les pousses de luzerne. Assaisonnez avec la vinaigrette à la framboise.

3. Disposez la salade dans 4 grandes assiettes puis mettez dans chacune d'elles de l'avocat, de l'œuf, du poivron et des morceaux de tomates. Avec une cuillère à glace, mettez de la salade de thon au milieu de chaque assiette. Saupoudrez de poivre et, si vous le souhaitez, de fleurs comestibles.

Au dîner

SAUTÉ ASIATIQUE AVEC DES ESCALOPES DE DINDE, DU RIZ BASMATI, UNE JARDINIÈRE DE LÉGUMES VERTS ET UNE SAUCE AUX CACAHOUÈTES ET AU GINGEMBRE

Pour 4 personnes

La dinde et la marinade
1 cuillère à café de gingembre frais émincé
1/2 cuillère à café d'huile de sésame
2 cuillères à café de tamari ou de sauce de soja pauvres en sodium
1 cuillère à soupe de jus de citron vert frais
1 cuillère à café de grains de poivre ou de chili
500 g d'escalopes de dinde sans peau et désossées ou 500 g de blancs de dinde

Le riz basmati
180 g de riz basmati
350 ml de bouillon de légumes ou d'eau

La sauce aux cacahouètes et au gingembre
2 cuillères à soupe de gingembre frais finement haché
2 à 3 cuillères à soupe de tamari pauvre en sodium
2 cuillères à soupe de vinaigre de riz
1 cuillère à soupe de vinaigre de vin rouge

2 cuillères à soupe de miel
1 et 1/2 cuillère à café de basilic séché
2 cuillères à soupe de beurre de cacahouètes
2 cuillères à soupe d'eau

Le sauté de légumes
1/4 de cuillère à café d'huile de canola ou de tournesol
1 carotte de grosseur moyenne finement coupée en diagonale
1 branche de céleri finement coupée en diagonale
8 champignons shiitake coupés en fines lamelles
50 ml de bouillon de légumes ou d'eau

La jardinière de légumes verts
1/4 de cuillère à café d'huile de canola ou de tournesol
1 cuillère à café d'ail émincé
1 cuillère à café de gingembre frais émincé
1/4 de cuillère à café de graines de fenouil écrasées
1 et 1/2 petit bulbe de fenouil finement haché (environ 375 g)
2 à 3 cuillères à soupe de bouillon de légumes, de bouillon de poulet ou d'eau
250 g de blettes coupées en morceaux
250 g de feuilles d'épinards fraîches
500 g de pak-choï coupé en lanières
2 cuillères à café de sauce de soja pauvre en sodium
1/2 cuillère à café d'huile de graine de sésame

1. Dans un grand plat peu profond en verre ou en céramique, mélangez au fouet le gingembre, l'huile de sésame, le tamari, le jus de citron vert et les grains de poivre concassés. Étalez la préparation sur les escalopes de dinde (des deux côtés) et laissez reposer au réfrigérateur entre 1 et 8 h.
2. Dans une casserole de taille moyenne, versez le riz et le bouillon. Portez à ébullition à feu vif puis réduisez le feu, couvrez et laissez cuire doucement pendant environ 30 mn ou jusqu'à ce que le liquide ait été absorbé par les grains de riz. Retirez du feu et laissez reposer pendant 5 mn. Enlevez le couvercle et égrenez le riz à la fourchette. Couvrez à nouveau et gardez au chaud.

3. Pour la sauce aux cacahouètes, mélangez à l'aide d'un mixer le gingembre, le tamari, le vinaigre de riz, le vinaigre de vin rouge, le miel, le basilic, le beurre de cacahouètes et l'eau jusqu'à obtention d'une préparation lisse et onctueuse. Réservez.

4. Préchauffez le four à 180°C. Graissez un poêlon antiadhésif allant au four avec de l'huile végétale.

5. Retirez les escalopes de dinde du saladier et enlevez la marinade. Faites chauffer le poêlon à feu relativement vif. Mettez les escalopes de dinde dans le fond et laissez-les dorer pendant environ 1 mn. Avec des pinces ou une fourchette, retournez les escalopes et laissez dorer l'autre face pendant environ 1 mn. Couvrez partiellement le poêlon et enfournez. Laissez cuire pendant 10 à 15 mn. Les escalopes ne doivent plus être roses au milieu mais néanmoins juteuses. Si vous avez un thermomètre de cuisson à lecture instantanée, enfoncez-le dans la chair. La température doit voisiner 75°C. Sortez le poêlon du four et mettez les escalopes dans un plat de service chaud.

6. Faites chauffer l'huile dans un wok ou une grande sauteuse antiadhésive à feu relativement vif. Ajoutez la carotte et le céleri et laissez dorer en remuant pendant 2 à 3 mn. Versez les champignons et laissez cuire pendant 1 mn, puis ajoutez le bouillon ou l'eau afin de déglacer la sauteuse. Avec une cuillère en bois, décollez les morceaux attachés au fond de la sauteuse. Versez les légumes dans un saladier et gardez-les au chaud.

7. Dans le même wok ou la même sauteuse, faites chauffer l'huile à feu relativement vif. Ajoutez l'ail, le gingembre, les graines de fenouil et le fenouil. Laissez dorer pendant 1 mn. Si les légumes restent collés au fond de la sauteuse, déglacez avec du bouillon de légumes ou du bouillon de poulet dégraissé. Ajoutez les blettes, les épinards et le pak-choï et laissez cuire pendant environ 15 mn à feu doux. Retirez du feu et versez sur les légumes la sauce de soja et l'huile de graine de sésame.

8. Répartissez le riz basmati, la jardinière de légumes verts et les légumes dans 4 assiettes. Disposez les escalopes de dinde sur les légumes et nappez de sauce aux cacahouètes.

LA SUPER-SALADE COMPOSÉE

Pour 1 personne

Pratiquement tous les jours, je déguste cette super-salade – il m'arrive même parfois d'en manger au déjeuner et au dîner. Pour ne pas vous lasser, remplacez les super-aliments par l'un ou l'autre de leurs substituts. Ajoutez différentes herbes aromatiques, du parmigiano-reggiano râpé ou en copeaux, des fruits à écale ou 2 cuillères à soupe de graines grillées. En un mot, variez les plaisirs. Si vous avez des invités, augmentez les proportions de chacun des ingrédients ci-dessous.

Des épinards coupés en morceaux (2 poignées)
De la laitue romaine coupée en morceaux (2 poignées)
Du chou rouge coupé en fines lanières (1 poignée)
125 g de poivron rouge coupé en fines lanières
1/2 tomate coupée en morceaux
60 g de pois chiches (si vous utilisez des pois chiches en conserve, rincez-les soigneusement)
125 g de carotte râpée
1/4 d'avocat coupé en dés
2 cuillères à soupe d'huile d'olive extra-vierge
1 cuillère à café de vinaigre balsamique

Mélangez les épinards, la laitue romaine, le chou rouge, le poivron rouge, la tomate, les pois chiches, la carotte et l'avocat dans un saladier. Dans un autre saladier, mélangez au fouet l'huile d'olive et le vinaigre que vous verserez sur la salade au moment de servir.

TARTE AU FROMAGE À BASE DE YAOURT ET AU POTIRON

Pour 8 personnes

La croûte

250 g de biscuits salés émiettés (environ 8)
125 g de farine à pâtisserie au blé complet
2 cuillères à soupe d'huile de canola ou de tournesol
2 cuillères à soupe de cassonade
2 cuillères à soupe de graines de lin moulues
2 cuillères à soupe de germe de blé ou de graines de citrouille moulues
2 cuillères à café de zeste d'orange finement râpé
1/2 cuillère à café de gingembre moulu
1 gros œuf enrichi en oméga-3 légèrement battu

La garniture

720 g de purée de potiron nature en conserve ou 950 g de potiron ou de courge musquée cuits avec du sucre (environ 2 kg de courge crue)
200 ml de fromage à base de yaourt nature maigre ou 200 ml de ricotta maigre (voir remarque)
150 à 200 ml de sirop d'érable pur
2 paquets de 10 g de gélatine
1 cuillère à café de cannelle moulue
1/4 de cuillère à café de gingembre moulu
1/4 de cuillère à café de clous de girofle moulus
1/4 de cuillère à café de poivre de la Jamaïque moulu
Des feuilles de menthe (pour décorer)
Des baies fraîches (pour décorer, facultatif)

1. Préchauffez le four à 180°.
2. Pour la croûte, mélangez les biscuits salés émiettés, la farine, l'huile, la cassonade, les graines de lin, le germe de blé, le zeste d'orange et le gingembre. Ajoutez l'œuf puis mélangez à nouveau soigneusement.

3. Tapissez le fond et les bords d'un moule à tourte de 22,5 cm × 22,5 cm légèrement huilé. Faites cuire à blanc pendant environ 20 mn ou jusqu'à ce que la pâte soit dorée. Démoulez et laissez refroidir sur une grille métallique.

4. Pour la garniture, versez la purée de potiron et le fromage dans le bol-doseur d'un mixer (avec une lame en métal) et mélangez jusqu'à obtention d'une préparation lisse et onctueuse.

5. Dans une petite casserole, faites chauffer le sirop d'érable à feu modéré jusqu'à ce qu'il commence à frémir. Retirez du feu, ajoutez la gélatine, la cannelle, le gingembre, les clous de girofle et le poivre de la Jamaïque. Mélangez soigneusement puis versez une partie du sirop dans la préparation à base de potiron. Goûtez et, si besoin est, ajoutez le reste du sirop.

6. Versez délicatement le mélange sur la croûte. Recouvrez d'un film étirable et laissez au réfrigérateur pendant 2 h, soit jusqu'à ce que la préparation prenne.

7. Coupez en 8 parts et servez. Décorez avec quelques feuilles de menthe ou une ou deux baies fraîches.

REMARQUE : Pour le fromage à base de yaourt, versez 0,9 l de yaourt nature maigre dans une passoire en acier inoxydable ou en plastique dans laquelle vous aurez glissé un filtre à café brun écologique (la passoire est au-dessus d'un saladier). Laissez le tout au réfrigérateur pendant 6 à 8 h. Vous récupérerez 400 ml de fromage. Gardez le petit-lait que vous utiliserez dans la pâte à crêpes ou à muffins.

5ᵉ JOUR

MENU

Petit déjeuner : Frittata aux brocolis, 160 ml de jus de pample-mousse rose.

En-cas : 60 g de potiron en conserve avec 50 ml de sauce à la pomme non sucrée.

Déjeuner : Burgers de dinde, sauté de légumes, 240 ml de jus de tomate pauvre en sodium.

En-cas : 1/4 de cantaloup coupé en dés avec 200 ml de yaourt maigre, 1 cuillère à soupe de farine de lin et 2 cuillères à soupe de germe de blé.

Dîner : Soupe aux haricots blancs, légumes verts et romarin. Flétan braisé à la tomate et au vin blanc, compote d'abricots, de canneberges et de pommes.

Au petit déjeuner

FRITTATA AUX BROCOLIS

Pour 4 personnes

2 pommes de terre de grosseur moyenne coupées en rondelles de 3 mm d'épaisseur
375 g de fleurons de brocolis
1/2 oignon de grosseur moyenne coupé en dés

1/2 poivron rouge épépiné, sans le pédoncule et coupé en morceaux

1/2 poivron jaune épépiné, sans le pédoncule et coupé en morceaux

4 gros œufs enrichis en (néga-3

250 g de fromage blanc à 1 % de matières grasses ou de ricotta maigre

1/2 cuillère à soupe d'aneth fraîche ou > de 1 cuillère à café d'aneth séchée

3 cuillères à soupe d'asiago ou de parmesan

4 tranches de pain complet (facultatif)

1 tomate coupée en rondelles (pour la décoration, facultatif)

1 melon coupé en fines tranches (pour la décoration, facultatif)

1. Préchauffez le four à 180°C puis graissez un moule à tarte avec de l'huile d'olive.
2. Disposez les rondelles de pommes de terre dans le fond du moule sans les superposer. Coupez le restant des pommes de terre en 2 et disposez-les sur les bords du moule. Enfournez et laissez cuire entre 12 et 15 mn jusqu'à ce que les rondelles de pomme de terre soient légèrement dorées.
3. Graissez une grande sauteuse avec de l'huile d'olive et faites revenir les fleurons de brocolis, l'oignon et les poivrons pendant 3 à 4 mn jusqu'à ce qu'ils soient tendres. Si besoin est, ajoutez 1 cuillère à soupe d'eau ou de bouillon de légumes afin que les ingrédients n'attachent pas.
4. Dans le bol-doseur d'un mixer, mélangez les œufs et le fromage blanc puis ajoutez les légumes, l'aneth et la moitié du fromage râpé. Versez la préparation dans le moule sur les pommes de terre. Enfournez et laissez cuire entre 20 et 25 mn jusqu'à ce que les œufs prennent. Sortez le moule du four, saupoudrez avec le restant du fromage râpé et laissez cuire à nouveau pendant 1 ou 2 mn jusqu'à ce que le fromage fonde. Coupez en morceaux et servez avec 1 tranche de pain, des rondelles de tomate et des fines tranches de melon (facultatif).

Au déjeuner

BURGERS DE DINDE

Pour 4 personnes

Les burgers
375 g de blancs de dinde maigres et sans peau hachés (voir remarque)
1 et 1/2 cuillère à café d'huile de canola, de carthame ou de tournesol
1 et 1/2 cuillère à soupe d'échalotes émincées
1 cuillère à soupe de graines de lin moulues
1 cuillère à soupe de farine de blé complet
1 cuillère à soupe de persil plat haché finement
2 gros blancs d'œufs
Du poivre noir fraîchement moulu

La garniture
4 petits pains à hamburgers à la farine complète
De la moutarde de Dijon
8 grandes feuilles de laitue romaine ou de laitue rouge
2 tomates mûres coupées en rondelles d'environ 5 mm d'épaisseur
1/2 oignon rouge de grosseur moyenne coupé en rondelles d'environ 3 mm d'épaisseur
1/2 avocat de grosseur moyenne coupé en morceaux
Du ketchup ou de la chunky salsa (tomates, poivrons, piments, oignons, vinaigre et clous de girofle)

1. Pour les burgers, dans un saladier, mélangez avec les mains ou avec une grande cuillère les blancs de dinde, l'huile, les échalotes, les graines de lin, la farine, le persil, les blancs d'œufs et le poivre. Séparez la préparation en 4 parts égales. Faites 4 pâtés sans trop tasser la viande. Mettez les pâtés

sur un plateau et conservez-les au réfrigérateur jusqu'au moment de la cuisson.

2. Allumez le gril (charbon de bois ou gaz). Lorsque le gril est bien chaud, graissez une grille métallique avec de l'huile végétale puis posez-la sur le gril.

3. Faites cuire les burgers pendant 5 mn sur un côté. Retournez-les et laissez-les cuire entre 8 et 10 mn. Insérez un thermomètre de cuisson à lecture instantanée dans la viande et vérifiez que la température a atteint les 75°C.

4. Pendant ce temps, coupez les petits pains en 2 et faites-les légèrement dorer sur le gril (la partie coupée contre la grille) puis étalez de la moutarde sur chaque moitié.

5. Sur les petits pains, mettez des feuilles de salade, des rondelles de tomates et d'oignon, des tranches d'avocat et les burgers. Nappez de ketchup ou de chunky salsa. Servez immédiatement.

REMARQUE : Vous pouvez soit acheter les blancs de dinde et les hacher après les avoir parés, soit demander à votre boucher de hacher la viande après avoir soigneusement enlevé le gras et les tissus filandreux. La viande de dinde est moins grasse que la viande de bœuf ; c'est pourquoi vous devez la mélanger avec de l'huile, des blancs d'œufs et de la farine afin que les burgers se tiennent.

SAUTÉ DE LÉGUMES

Pour 4 personnes

1 cuillère à café d'huile de canola ou de tournesol

2 cuillères à café d'ail émincé

1/2 cuillère à café de gingembre frais émincé

12 asperges pelées et coupées en morceaux de 2,5 cm dans le sens de la diagonale

1 carotte de grosseur moyenne coupée dans le sens de la diagonale en morceaux de 3 mm

1 boîte de châtaignes d'eau de 150 g, égouttées et coupées en rondelles de 3 mm d'épaisseur
6 oignons verts coupés en rondelles de 3 mm dans le sens de la diagonale
4 cuillères à café de tamari pauvre en sodium
4 cuillères à soupe de bouillon de légumes ou d'eau
2 cuillères à café de Maïzena dissoute dans de l'eau
2 cuillères à café de graines de sésame

1. Dans une casserole antiadhésive ou un wok, faites chauffer l'huile à feu relativement vif. Ajoutez l'ail et le gingembre et laissez blondir environ 1 mn sans cesser de remuer jusqu'à ce que l'ail soit tendre.
2. Ajoutez les asperges, la carotte et les châtaignes d'eau. Laissez revenir pendant 2 à 3 mn jusqu'à ce que les légumes soient tendres. Ajoutez les oignons verts et laissez cuire 1 mn supplémentaire.
3. Versez le tamari et mélangez doucement. Ajoutez le bouillon de légumes ou l'eau et remuez. Versez la Maïzena et laissez mijoter 2 à 3 mn jusqu'à ce que le mélange épaississe. Saupoudrez de graines de sésame et servez.

Au dîner

SOUPE AUX HARICOTS BLANCS, LÉGUMES VERTS ET ROMARIN

Pour 6 personnes

250 g de haricots blancs secs
800 ml de bouillon de légumes ou d'eau
1 feuille de laurier
1 cuillère à soupe d'huile d'olive
2 carottes de grosseur moyenne coupées en dés

1 oignon de grosseur moyenne coupé en dés
2 gousses d'ail émincées
2 et 1/2 cuillères à soupe de sauce de soja pauvre en sodium
1 cuillère à soupe de feuilles de romarin fraîches hachées
1 cuillère à café de thym frais
1/4 de cuillère à café de poivre noir fraîchement moulu
1 pincée de poivre de Cayenne
1 botte d'épinards ou de blettes ou un chou frisé (300 à 360 g) équeutés, lavés et rincés
3 cuillères à soupe de parmesan râpé (facultatif)

1. Pour les haricots, versez-les dans un grand saladier et recouvrez-les d'eau froide. Laissez-les tremper 6 à 12 h en changeant l'eau deux ou trois fois. Égouttez-les.
2. Dans une marmite, versez les haricots blancs égouttés et le bouillon de légumes. Ajoutez la feuille de laurier. Portez à ébullition à feu vif, puis réduisez le feu et laissez mijoter environ 1 h 30, soit jusqu'à ce que les haricots soient tendres (attention ! ils ne doivent pas être en bouillie).
3. Pendant ce temps, dans une grande sauteuse, faites chauffer l'huile à feu modéré et faites revenir les carottes et l'oignon pendant environ 1 mn. Ajoutez l'ail et laissez cuire environ 5 mn supplémentaires jusqu'à ce que les carottes soient tendres, puis versez le contenu de la sauteuse dans la marmite avec les haricots.
4. Laissez cuire la soupe pendant environ 15 mn à feu réduit puis ajoutez la sauce de soja, le romarin, le thym, le poivre noir et le poivre de Cayenne. Laissez cuire à nouveau 15 mn jusqu'à ce que toutes les saveurs se mélangent. Ajoutez les épinards et laissez cuire 5 mn supplémentaires (10 mn pour le chou frisé).
5. Servez la soupe et saupoudrez avec du parmesan (facultatif).

FLÉTAN BRAISÉ À LA TOMATE ET AU VIN BLANC

Pour 4 personnes

2 cuillères à soupe d'huile d'olive
1/2 oignon de grosseur moyenne coupé en petits dés
180 g de céleri coupé en petits dés
180 g de carottes coupées en petits dés
2 gousses d'ail émincées
200 ml de vin blanc
1 cuillère à soupe de concentré de tomates
800 ml de bouillon de poulet ou de bouillon de légumes
250 g de tomates concassées
60 g de persil plat finement haché
2 cuillères à soupe de thym frais finement haché
1 cuillère à café de zeste de citron râpé
1 cuillère à café de zeste d'orange râpé
4 filets de flétan de 100 à 120 g (ou de mahi mahi, ou de bar)
1/4 cuillère à café de sel kasher
1 cuillère à café de poivre noir fraîchement moulu

1. Préchauffez le four à 200°C.
2. Dans une grande casserole, faites chauffer l'huile d'olive à feu relativement vif puis faites revenir l'oignon, le céleri, les carottes et l'ail entre 3 et 4 mn, soit jusqu'à ce que tous les ingrédients soient dorés. Incorporez, sans cesser de mélanger, le vin et le concentré de tomates et laissez mijoter pendant 10 à 12 mn. Laissez réduire la sauce de moitié.
3. Ajoutez le bouillon et les tomates concassées et laissez mijoter entre 30 et 35 mn. Laissez réduire afin d'obtenir entre 600 et 800 ml. Versez la préparation dans un plat en verre ou en céramique allant au four, couvrez afin de la garder au chaud. Réservez.
4. Dans un petit saladier, mélangez le persil, le thym, le zeste de citron et le zeste d'orange. Conservez au réfrigérateur jusqu'au moment de l'utilisation.

5. Salez et poivrez les filets de flétan et disposez-les dans le plat dans lequel vous avez versé la préparation. Couvrez et enfournez. Laissez cuire entre 20 et 25 mn jusqu'à ce que les poissons soient blancs mais pas transparents. Nappez les filets de sauce et saupoudrez de persil (étape 4).

COMPOTE D'ABRICOTS, DE CANNEBERGES ET DE POMMES

Pour 8 personnes

375 g d'abricots secs
180 g de canneberges séchées (ou de cerises, ou de toutes autres baies rouges, ou de raisins de Corinthe)
2 pommes de grosseur moyenne, pelées, épépinées, sans le cœur et coupées en gros morceaux
50 ml de jus de pomme non sucré
150 g de cassonade
1/2 bâton de cannelle (environ 3 cm)
2 cuillères à soupe de zestes d'orange et de citron
Du yaourt nature ou à la vanille maigre ou du yaourt à la vanille congelé sans matière grasse (facultatif)

1. Dans un petit saladier, versez les abricots et les canneberges et recouvrez d'eau chaude. Laissez tremper environ 30 mn. Égouttez.
2. Versez les abricots et les canneberges dans une casserole de taille moyenne. Ajoutez les pommes, le jus de pomme, la cassonade, la cannelle et portez à ébullition à feu modéré. Réduisez le feu, couvrez et laissez mijoter entre 10 et 15 mn jusqu'à ce que les fruits commencent à éclater. Ôtez le couvercle et laissez mijoter quelques minutes supplémentaires en écrasant les fruits avec une cuillère en bois. Retirez la cannelle et laissez refroidir les fruits.
3. Pendant ce temps, dans une petite casserole, mettez 2 à 3 cm d'eau. Portez à ébullition à feu relativement vif. Ajoutez

les zestes de citron et d'orange et laissez blanchir pendant environ 45 s. Filtrez et laissez refroidir.

4. Versez la compote dans des coupelles. Saupoudrez avec les zestes de citron et d'orange refroidis et ajoutez une cuillerée de yaourt (facultatif).

6ᵉ JOUR

MENU

Petit déjeuner : Croquant façon Rancho La Puerta, 100 g de papaye coupée en morceaux, 160 ml de lait de soja.

En-cas : 125 g de pastèque coupée en dés.

Déjeuner : Sandwich au pain pita et au tofu braisé. Soupe au potiron.

En-cas : 1/2 poivron orange de grosseur moyenne coupé en fines lanières, 160 ml de jus de tomate pauvre en sodium.

Dîner : Dinde cuite au four avec une sauce rouge au curry sur un lit d'épinards. Tarte à la ricotta avec des myrtilles.

Au petit déjeuner

CROQUANT FAÇON RANCHO LA PUERTA

Pour 8 personnes

Servir avec 160 ml de jus de raisin non sucré.

Le croquant
80 g d'amandes concassées
80 g de noix de pécan concassées
80 g de noix concassées
250 g de flocons d'avoine roulée (à cuisson rapide ou qualité standard)

3 à 4 cuillères à soupe de sirop d'érable pur

2 cuillères à soupe de germe de blé

2 cuillères à soupe de farine à pâtisserie ou de farine ménagère au blé complet

1/2 cuillère à café d'extrait de vanille pure

1/2 cuillère à café de cannelle moulue

1/4 de cuillère à café de macis ou de noix de muscade moulus

La garniture

3 à 4 poires, pommes, pêches ou nectarines épluchées, dénoyautées ou épépinées et coupées en fines lamelles

125 g de baies séchées (ou de cerises, ou de raisins de Corinthe)

1/2 cuillère à café de cannelle moulue

1/4 de cuillère à café de macis ou de noix de muscade moulus

2 cuillères à café de sirop d'érable pur

Le nappage

320 ml de yaourt à la vanille maigre

1. Pour le croquant, préchauffez le four à 160°C.
2. Tapissez le fond d'une lèchefrite avec du papier sulfurisé. Étalez les amandes, les noix de pécan et les noix et faites-les griller 5 à 7 mn jusqu'à ce qu'elles soient dorées et qu'une délicieuse odeur se répande dans la pièce. Sortez-les du four et laissez-les refroidir.
3. Dans le bol-doseur du mixer, mélangez les fruits à écale, les flocons d'avoine, le sirop d'érable, le germe de blé, la farine, la vanille, la cannelle, le macis ou les noix de muscade.
4. Pour la garniture, coupez les fruits en petits morceaux. Versez-les dans le bol-doseur du mixer et mélangez-les avec les baies, la cannelle et le macis ou les noix de muscade. Ajoutez le sirop d'érable. Mélangez à nouveau puis versez la préparation dans un moule de 20 cm × 22 cm. Ajoutez par-dessus le mélange à base de fruits à écale et de flocons d'avoine (étape 3).

5. Enfournez et laissez cuire 15 à 20 mn soit jusqu'à ce que les fruits ramollissent et brunissent légèrement sur le dessus. Servez chaud avec 1 ou 2 cuillerées de yaourt.

Au déjeuner

SANDWICH AU PAIN PITA ET AU TOFU BRAISÉ

Pour 4 personnes

Houmous aux poivrons rouges grillés (voir ci-dessous)
2 tomates de grosseur moyenne coupées en fines rondelles
Du tofu braisé (voir p. 339)
125 g de haricots
125 g de salades vertes mélangées
125 g de carottes coupées en fines lamelles
1/2 avocat coupé en fines tranches
4 petits pains pita de 20 cm coupés en 2

Étalez 1 et 1/2 cuillère à soupe d'houmous sur la moitié de chaque pain pita. Disposez par-dessus des rondelles de tomates, du tofu, des haricots, des feuilles de salades variées, des carottes et quelques tranches d'avocat. Recouvrez avec la seconde moitié des pains et dégustez.

HOUMOUS AUX POIVRONS ROUGES GRILLÉS

Pour 8 personnes (soit environ 1 kg)

250 g de pois chiches
1,2 l de bouillon de légumes ou d'eau

2 feuilles de laurier

1 cuillère à café de graines de cumin ou 1/2 cuillère à café de cumin moulu

1 poivron rouge de grosseur moyenne

100 ml de yaourt nature maigre ou 60 g de tofu mou

50 ml de jus de citron frais

50 ml de jus d'orange

2 cuillères à soupe de tahini

1 cuillère à soupe d'huile d'olive

3 à 5 gousses d'ail émincées

1/2 cuillère à café de sel marin (plus ou moins selon le goût de chacun)

La décoration

2 à 3 oignons verts émincés finement

60 g de persil plat émincé

1 cuillère à soupe de zeste d'orange finement râpé (facultatif)

Des poivrons rouges et jaunes, des carottes, des courgettes et des brocolis

Du pain pita au blé complet coupé en triangles

1. Versez les pois chiches dans un grand saladier et recouvrez-les d'eau froide. Laissez-les tremper 6 à 12 h en changeant l'eau deux ou trois fois. Égouttez.
2. Dans une marmite, mélangez les pois chiches égouttés, le bouillon de légumes ou l'eau, les feuilles de laurier et le cumin. Portez à ébullition à feu vif. Réduisez le feu, couvrez et laissez mijoter doucement pendant 1 h 30 à 2 h jusqu'à ce que les pois chiches soient tendres (attention ! ils ne doivent pas être en morceaux). Égouttez.
3. Préchauffez le four à 180°C.
4. Coupez le poivron rouge en 2. Ôtez le pédoncule, épépinez et disposez les deux moitiés dans une lèchefrite recouverte de papier sulfurisé, la face coupée sur le dessous. Enfournez et laissez cuire jusqu'à ce que la peau commence à se rider et à brunir. Sortez le poivron du four et, avec un couteau à lame lisse, retirez-en la peau et coupez chaque moitié en plusieurs morceaux.

5. Dans le bol-doseur d'un mixer (avec une lame en métal), mélangez les pois chiches, les poivrons, le yaourt, les jus de citron et d'orange, le tahini, l'huile et l'ail jusqu'à obtention d'une préparation lisse. Salez, mélangez et goûtez pour vérifier l'assaisonnement.

6. Versez la préparation dans un plat de service et décorez avec des oignons verts. Saupoudrez de persil et de zeste d'orange (facultatif). Servez avec les légumes crus (poivrons rouges et jaunes, carottes, courgettes et brocolis) coupés en fines lamelles et du pain pita coupé en triangles.

LE TOFU BRAISÉ

Pour environ 500 g

500 g de tofu ferme congelé (voir remarques pour la décongélation)
1 cuillère à café d'huile d'olive extra-vierge (voir remarques)
8 gousses d'ail hachées grossièrement
1 cuillère à soupe de sauce de soja pauvre en sodium
1 cuillère à soupe de jus de citron frais, de vinaigre balsamique ou de sauce Worcestershire

1. Faites décongeler le tofu et coupez-le en dés de 2,5 cm.
2. Dans un poêlon, faites chauffer l'huile d'olive à feu modéré et faites revenir l'ail pendant environ 1 mn. Ajoutez la sauce de soja, le jus de citron et le tofu. Réduisez le feu et laissez cuire en remuant de temps à autre pendant 20 à 30 mn soit jusqu'à ce que le tofu brunisse.

REMARQUES : La congélation modifie la texture du tofu et, lorsqu'on en mange, on a l'impression de consommer de la viande. Égouttez le tofu et coupez-le en 8 morceaux que vous emballerez dans des sacs de congélation. Au congélateur, le tofu peut se conserver plusieurs semaines. Avant de l'utiliser, sortez-le du congélateur et laissez-le décongeler doucement dans le réfrigérateur, ou, si vous êtes pressé(e), plongez le sac de congélation dans une casserole d'eau bouillante. Retirez la casserole du feu et laissez tremper le sac pendant 10 à 15 mn. Retirez le sac de congélation de l'eau et utilisez le tofu comme indiqué dans votre recette.

Pour un goût plus asiatique, remplacez l'huile d'olive par de l'huile de sésame et ajoutez 2 cuillères à soupe de gingembre frais râpé avec de l'ail.

SOUPE AU POTIRON

Pour 8 personnes

2 cuillères à café d'huile d'olive
500 g de blancs de poireaux lavés et coupés en morceaux de 2,5 cm de long
1/2 oignon jaune de grosseur moyenne haché grossièrement
2 carottes de grosseur moyenne coupées en morceaux de 2,5 cm
1 pomme verte de grosseur moyenne pelée, sans le cœur et sans les pépins et coupée en morceaux de 2,5 cm
2 boîtes de conserve de 450 g de purée de potiron
1 brin de thym frais ou 1/2 cuillère à café de thym séché
1 feuille de laurier
2 cuillères à café de sel
1 cuillère à café de poivre noir fraîchement moulu (plus ou moins selon le goût de chacun)
1 cuillère à café de poivre de la Jamaïque moulu
1 cuillère à café de cannelle moulue
1,4 l de bouillon de légumes ou d'eau
50 ml de jus d'orange concentré surgelé (décongelé)
3 cuillères à soupe de yaourt maigre
1 pomme verte de grosseur moyenne pelée, sans le cœur et les pépins et coupée en fines lamelles (pour la décoration)

1. Dans un grand récipient, faites chauffer l'huile à feu modéré. Ajoutez les blancs de poireaux, l'oignon, les carottes, la pomme, le potiron, le thym, la feuille de laurier, le sel, le poivre noir, le poivre de la Jamaïque et la cannelle. Couvrez et laissez cuire environ 10 mn en remuant une ou deux fois et en augmentant ou réduisant le feu si besoin est. Retirez du feu lorsque les légumes sont tendres.

2. Incorporez, en remuant, le bouillon. Portez à ébullition puis réduisez le feu. Laissez mijoter sans couvrir pendant environ 45 mn. Laissez refroidir pendant une quinzaine de minutes. Retirez le brin de thym et la feuille de laurier.

3. Versez la préparation dans un bol-doseur et mixez (le mixer doit avoir une lame en métal) jusqu'à obtention d'une soupe lisse et onctueuse.

4. Versez la soupe dans le grand récipient et faites-la chauffer jusqu'à ce que les différents arômes se mélangent. Resalez et repoivrez si nécessaire et incorporez, en remuant, le jus d'orange concentré. Si la soupe est trop épaisse à votre goût, rajoutez du bouillon.

5. Servez et ajoutez une cuillerée de yaourt et quelques lamelles de pommes (facultatif).

Au dîner

DINDE CUITE AU FOUR AVEC UNE SAUCE ROUGE AU CURRY SUR UN LIT D'ÉPINARDS

Pour 4 personnes

La dinde et la sauce
1,5 kg de blancs de dinde désossés et sans peau
500 g de carottes
1 oignon blanc coupé en 2

2 brins de thym frais
1 feuille de laurier
2 cuillères à café de poivre noir fraîchement moulu
200 ml de bouillon de légumes ou d'eau
1 cuillère à café de Maïzena
1 cuillère à soupe de poudre de curry
180 g de groseilles trempées dans l'eau puis égouttées

Le lit d'épinards
1 cuillère à café d'huile de canola ou de tournesol
2 cuillères à café d'ail émincé
1 kg de feuilles d'épinards fraîches
Du persil plat haché (pour la décoration)
160 g de riz brun long grain cuit
2 cuillères à soupe de farine de lin

1. Préchauffez le four à 180°C.
2. Disposez les blancs de dinde dans un plat allant au four. Autour de la viande, mettez les carottes, l'oignon, le thym et la feuille de laurier. Poivrez. Couvrez avec du papier d'aluminium et enfournez. Laissez cuire pendant environ 1 h 45. Insérez un thermomètre de cuisson à lecture instantanée dans les filets et vérifiez que la température a atteint les 75°C.
3. Sortez le plat du four et laissez reposer pendant 15 mn. Retirez les blancs et coupez-les en fines lamelles. Gardez le jus et les petits morceaux de viande collés au fond du plat.
4. Retirez la feuille de laurier et les brins de thym. À l'aide d'une écumoire, mettez les carottes et l'oignon dans le bol-doseur d'un mixer.
5. Enlevez le plus de graisse possible du jus de cuisson avec une écumoire ou du papier absorbant. Versez le jus dégraissé dans le bol-doseur et ajoutez du bouillon afin d'obtenir l'équivalent de 400 ml. Ajoutez la Maïzena et la poudre de curry et mixez à vitesse maximale afin d'obtenir une préparation lisse et onctueuse.
6. Versez la préparation dans une petite casserole, ajoutez les groseilles égouttées et laissez cuire à feu doux jusqu'à ce

que les fruits commencent à éclater. Repoivrez si nécessaire et gardez au chaud.

7. Dans une grande sauteuse, faites chauffer l'huile à feu relativement vif et faites revenir l'ail en remuant pendant 1 mn jusqu'à ce qu'il soit tendre et légèrement doré. Ajoutez les épinards et laissez cuire jusqu'à ce qu'ils soient desséchés. Retirez du feu puis gardez au chaud.

8. Mélangez le riz cuit et la farine de lin et servez à parts égales dans chacune des assiettes. Ajoutez des épinards et quelques tranches de dinde. Nappez avec 3 cuillères à soupe de sauce et saupoudrez de persil. Servez immédiatement.

TARTE À LA RICOTTA AVEC DES MYRTILLES

Pour 8 personnes

La croûte
3 cuillères à soupe de graines de lin
3 cuillères à soupe d'amandes grillées
2 gros biscuits salés au blé complet
2 cuillères à soupe de cassonade
1/4 de cuillère à café d'extrait d'amande

La garniture
4 gros œufs enrichis en oméga-3
500 g de ricotta maigre
3 cuillères à soupe de farine à pâtisserie ou de farine ménagère au blé complet
80 g de sucre semoule
1 cuillère à café d'extrait de vanille pure
1 cuillère à soupe de zeste de citron finement râpé
750 g de myrtilles fraîches ou congelées (dans ce cas, les faire décongeler quelques heures avant utilisation)
Du sucre glace

1. Préchauffez le four à 160°C. Huilez ou beurrez un moule à soufflé (contenance de 2 l).
2. À l'aide d'un mixer avec une lame en métal, mélangez les graines de lin et les amandes jusqu'à obtention d'une poudre fine. Ajoutez les biscuits salés, la cassonade, l'extrait d'amande et mixez à nouveau. Versez le tout dans le moule à soufflé en répartissant bien dans le fond et sur les bords.
3. Nettoyez le bol-doseur du mixer avant d'y mettre les œufs, la ricotta, la farine, le sucre semoule et la vanille. Mélangez soigneusement (vous pouvez également mélanger le tout à la main avec un fouet). Ajoutez le zeste de citron et versez la préparation dans le moule à soufflé.
4. Enfournez et laissez cuire environ 50 mn. Vérifiez la cuisson avec une lame de couteau (ou un cure-dents) qui doit ressortir sèche. Sortez le moule du four et laissez refroidir sur une grille métallique pendant une vingtaine de minutes.
5. Démoulez et coupez en parts égales. Servez avec des myrtilles et du sucre glace.

7ᵉ JOUR

MENU

Petit déjeuner : Scones aux patates douces, jus de raisin.
En-cas : 30 g de noix, 160 ml de jus de légumes.
Déjeuner : Papayes fourrées au crabe et salade composée (épinards, champignons et œufs durs)
En-cas : 1 carotte de grosseur moyenne, 30 g de noix de soja sans sel ajouté.
Dîner : Poulet à l'orange et au gingembre avec du couscous aux abricots et aux amandes, chou frisé braisé aux noix de sésame, 100 ml de yaourt à la vanille congelé.

Au petit déjeuner

SCONES AUX PATATES DOUCES

Pour 18 scones environ

250 g plus 2 cuillères à soupe de farine à pâtisserie au blé complet
60 g de son d'avoine ou de son de blé
2 cuillères à soupe de graines de lin moulues
2 cuillères à soupe de germe de blé
2 cuillères à café de levure chimique
125 g de bicarbonate de soude
1/4 de cuillère à café de cannelle moulue

1/8 de cuillère à café de macis ou de noix de muscade

2 cuillères à soupe de cassonade

80 g de myrtilles séchées (ou de groseilles, ou de raisins de Corinthe) coupées grossièrement

250 g de patates douces coupées en tranches ou 1 courge d'hiver (par exemple, de la courge musquée, du giraumon ou de la courge hubbard)

70 ml de yaourt maigre ou de babeurre

1 gros œuf enrichi en oméga-3

1 et 1/2 cuillère à soupe d'huile de canola, de carthame ou de tournesol

2 cuillères à café de zeste d'orange finement râpé

Du beurre de cacahouètes (ou tout autre beurre à base de fruits à écale) (facultatif)

De la confiture ou de la marmelade (facultatif)

1. Préchauffez le four à 220°C. Recouvrez une grille métallique de papier sulfurisé huilé.
2. Dans un grand saladier, mélangez la farine, le son d'avoine ou de blé, les graines de lin, le germe de blé, la levure chimique, le bicarbonate de soude, la cannelle, le macis ou la noix de muscade, la cassonade, les fruits secs et les patates douces. Incorporez, en remuant, le yaourt, l'œuf, l'huile et le zeste d'orange. Mélangez soigneusement.
3. Mettez de la farine sur vos mains et pétrissez la pâte pendant plusieurs minutes. Saupoudrez de la farine sur le plan de travail ou une table et étalez la pâte sur environ 5 mm d'épaisseur. Avec une roulette à pâtisserie ou un verre, découpez dans la pâte des ronds d'environ 6,5 cm de diamètre. Mettez le reste de la pâte en boule, étalez-la et découpez à nouveau des ronds.
4. Disposez les ronds sur la grille recouverte de papier sulfurisé en les espaçant d'environ 2,5 cm. Enfournez et laissez cuire 8 à 10 mn jusqu'à ce que la pâte soit dorée. Servez chaud avec ou sans beurre de cacahouètes, confiture ou marmelade.

Au petit déjeuner, les scones se marient très bien avec un verre de jus de raisin frais non sucré mélangé à une eau gazeuse. Selon le goût de chacun, ajoutez une rondelle de citron vert.

Au déjeuner

PAPAYES FOURRÉES AU CRABE

Pour 4 personnes

Le couscous
125 g de semoule au blé complet
1/2 cuillère à café d'huile de canola, de carthame ou de tournesol
30 g de persil plat frais finement haché
1 cuillère à café de jus de citron frais

La garniture des papayes
180 g de céleri coupé en dés
12 pois d'hiver
2 papayes de grosseur moyenne (environ 250 g chacune) coupées en 2 dans le sens de la longueur et épépinées
360 g de crabe émietté
2 cuillères à café de jus de citron frais
2 cuillères à café de poudre de curry
2 cuillères à soupe de ciboulette finement coupée
2 cuillères à soupe de graines de tournesol grillées (voir remarque)
Du sel et du poivre noir fraîchement moulu (selon le goût de chacun)

La décoration
8 grandes feuilles de laitue rouge
4 morceaux d'orange

1. Pour le couscous, mettez la semoule dans un saladier de taille moyenne et versez dessus 100 ml d'eau bouillante. Couvrez et laissez reposer 5 mn. Égrenez à la fourchette. Ajoutez l'huile, le persil et le jus de citron. Mélangez doucement puis laissez reposer.

2. Pour blanchir les légumes, dans une casserole de taille moyenne, portez 600 à 800 ml d'eau à ébullition. Mettez le céleri coupé en dés dans un panier métallique et plongez-le dans l'eau bouillante pendant 1 mn. Retirez le panier et passez le céleri sous l'eau froide pendant environ 30 s. Égouttez, versez le céleri dans un petit récipient et réservez. Procédez de la même façon avec les pois d'hiver.

3. Avec une cuillère à pommes parisiennes, faites des boules de papaye. Laissez suffisamment de chair pour que la peau garde sa forme. Mettez les peaux évidées de côté et mixez les boules de chair avec le crabe, le céleri blanchi, le jus de citron, la poudre de curry, la ciboulette, les graines de tournesol, le sel et le poivre. Ajoutez la semoule et mélangez doucement. Répartissez la préparation dans chacune des peaux de papaye.

4. Mettez 2 feuilles de laitue rouge dans chacune des 4 assiettes sous la papaye fourrée. Décorez avec 3 pois d'hiver et 1 morceau d'orange. Servez immédiatement.

REMARQUE : Pour faire griller les graines de tournesol, étalez-les dans un petit poêlon (ne pas le graisser). Faites chauffer à feu relativement vif 30 à 45 s en secouant régulièrement le poêlon afin que les graines n'attachent pas. Dès que les graines sont grillées, mettez-les dans un plat.

SALADE D'ÉPINARDS, DE CHAMPIGNONS ET D'ŒUFS DURS

3 œufs durs enrichis en oméga-3 (laissez refroidir les œufs avant de les utiliser)
500 g de petites feuilles d'épinards fraîches hachées
180 g de champignons blancs coupés en dés
De la vinaigrette à la framboise (voir p. 303)

1. Enlevez les jaunes des œufs durs et mettez-les de côté. Écrasez 1 jaune d'œuf et les 3 blancs. Gardez les 2 autres jaunes pour une utilisation ultérieure.
2. Dans un grand saladier, mélangez les feuilles d'épinards, les champignons et les œufs. Assaisonnez avec la vinaigrette à la framboise et servez immédiatement.

Au dîner

POULET À L'ORANGE ET AU GINGEMBRE AVEC DU COUSCOUS AUX ABRICOTS ET AUX AMANDES

Pour 4 personnes

150 ml de jus d'orange frais
3 cuillères à soupe de sauce de soja pauvre en sodium
3 cuillères à café de gingembre frais émincé
4 blancs de poulet désossés et sans la peau de 120 à 150 g chacun
2 cuillères à soupe d'huile d'olive
20 haricots verts
8 petites carottes
1 poivron rouge de grosseur moyenne coupé en petits morceaux
Du couscous aux abricots et aux amandes (voir p. 254)
4 brins de persil plat frais

1. Dans un plat peu profond en verre ou en céramique, mélangez le jus d'orange, la sauce de soja et le gingembre. Conservez la moitié de cette marinade dans un récipient hermétique au réfrigérateur et étalez le restant sur les blancs de poulet. Conservez les blancs au réfrigérateur pendant 1 à 6 h en les retournant de temps à autre.
2. Dans une sauteuse antiadhésive, faites chauffer l'huile à feu modéré. Retirez la marinade sur les blancs de poulet et faites-les revenir de chaque côté pendant 2 à 3 mn jusqu'à ce qu'ils soient dorés. Avec une cuillère, étalez sur la viande la marinade que vous aviez mise de côté au réfrigérateur. Couvrez et laissez mijoter 5 à 8 mn à feu doux. Vérifiez la cuisson avec une fourchette ou la lame d'un couteau.
3. Pendant ce temps, mettez les haricots, les carottes et le poivron rouge dans un panier métallique que vous plongerez 3 à 4 mn dans une casserole d'eau bouillante.
4. Dans les assiettes, mettez du couscous et 1 blanc de poulet. Versez le jus de viande récupéré dans la sauteuse et ajoutez les haricots, les carottes et le poivron. Saupoudrez avec du persil. Servez immédiatement.

COUSCOUS AUX ABRICOTS ET AUX AMANDES

Pour environ 500 g

125 g d'abricots secs coupés en dés
50 ml de jus d'orange
150 ml de bouillon de légumes ou d'eau
250 g de semoule au blé complet
1 pincée de poivre de Cayenne
80 g d'amandes effilées grillées
1 cuillère à soupe de zeste d'orange

1. Dans un petit saladier, mélangez les abricots et le jus d'orange. Laissez reposer pendant une quinzaine de minutes jusqu'à ce que les abricots gonflent.

2. Dans une casserole, portez le bouillon de légumes ou l'eau à ébullition à feu vif.

3. Dans un saladier résistant à la chaleur, mélangez la semoule et le poivre de Cayenne. Versez le bouillon ou l'eau dessus et laissez reposer pendant environ 5 mn. Égrenez à la fourchette. Incorporez les abricots, le jus d'orange, les amandes et le zeste d'orange. Mélangez soigneusement et servez immédiatement.

Peut être consommé en dessert avec 100 ml de yaourt congelé maigre.

CHOU FRISÉ BRAISÉ AUX NOIX DE SÉSAME

Pour 8 personnes

1 cuillère à café d'huile de sésame
4 gousses d'ail émincées
1 cuillère à soupe de gingembre frais émincé
2 à 3 cuillères à soupe de bouillon de légumes ou d'eau
2 choux frisés (environ 500 g) cuits à la vapeur et coupés en morceaux
1 cuillère à café de sauce de soja pauvre en sodium
1 cuillère à soupe de graines de sésame

1. Dans un poêlon antiadhésif, faites chauffer l'huile à feu relativement vif. Faites revenir l'ail et le gingembre en remuant régulièrement pendant environ 1 mn.

2. Versez le bouillon et ajoutez le chou frisé. Réduisez le feu, couvrez et laissez cuire 1 à 3 mn jusqu'à ce que le chou ramollisse et se dessèche. Si besoin est, retirez l'excédent de liquide. Ajoutez la sauce de soja et remuez doucement.

Couvrez et laissez reposer pendant 20 à 60 mn pour que tous les arômes se mélangent.

3. Versez le chou frisé dans un plat de service et saupoudrez de graines de sésame. Mélangez et servez.

Informations nutritionnelles

Les menus et les différentes recettes proposés dans cet ouvrage ont été soigneusement analysés par un nutritionniste professionnel qui, à l'aide d'un logiciel informatique perfectionné, a pu vérifier en se référant à des données nutritionnelles précises que les besoins de l'organisme étaient couverts, voire dépassés par les nutriments puisés dans les aliments. Pour chaque menu, nous avons passé au crible la teneur en vitamines, en minéraux, en oligo-éléments, en protéines, en matières grasses et en calories de chaque produit utilisé, avec un intérêt tout particulier pour les 14 super-aliments, objets de cet ouvrage.

Les menus proposés sont basés sur l'un ou l'autre des super-aliments et respectent l'apport nutritionnel recommandé par le Food and Nutrition Board of the Institute of Medicine. La vitamine D s'est avérée en deçà de l'apport journalier recommandé (AJR). C'est pourquoi, si vous suivez ces menus à la lettre, je préconise que vous ayez soit recours à une supplémentation, soit que vous vous exposiez plus longtemps au soleil afin de vous protéger contre une éventuelle carence.

D'autres éléments nutritifs, notamment le calcium, le molybdène, la biotine et le zinc, sont, dans certains cas, également inférieurs à l'apport nutritionnel recommandé et nécessitent une supplémentation multivitaminique.

Pour ce qui est des caroténoïdes, ne vous alarmez pas si un jour l'apport est inférieur à l'apport préconisé car il y a de fortes chances pour qu'il soit supérieur le jour suivant. En ce qui concerne cette classe de phytonutriments, le plus important est que sur une période d'une semaine les besoins de votre organisme soient couverts.

Les éléments nutritionnels propres aux super-aliments sont en caractères gras.

1er JOUR

	Unité	Valeur	Recommandations	Besoins couverts %
Calories	g	2448		
Protéines	g	92		
Glucides	g	332		
Matières grasses (total)	g	91		
Cholestérol	mg	88		
Graisses saturées	g	20		
Graisses mono-insaturées	g	38		
Graisses poly-insaturées	g	21		
Acide linoléique (AL)	**g**	**13,6**	*	*
Acide alpha-linolénique (ALA)	**g**	**3,7**	**voir *oméga-3***	**dépassé**
EPA (acide eicosapentaénoïque)	**g**	**0,0**	**1 g EPA/DHA**	**envisager une supplémentation**
DHA (acide docosahexaénoïque)	**g**	**0 ,0**		**envisager une supplémentation**
Oméga-6 : Oméga-3	**g**	**3,6 :1**	**4 :1 ou moins**	**dépassé**
Sodium	mg	2315		
Potassium	mg	7318		
Vitamines				
Vitamine A	ER	7084		
Vitamine A	UI	70789		
Vitamine C	**mg**	**580**	**350**	**166 %**
Vitamine D	UI	1,4		
Vitamine E	**mg**	**21,5**	**16**	**134 %**

Thiamine	mg	2,0		
Riboflavine	mg	2,0		
Niacine	mg	19,7		
Pyridoxine (Vitamine B6)	mg	3,2		
Folate	**µg**	**849**	**400**	**212 %**
Vitamine B12	µg	3,1		
Biotine	µg	24,9		
Acide pantothénique	mg	5,3		
Vitamine K	µg	342		
Minéraux/Oligoéléments				
Calcium	mg	1145		
Fer	mg	27,3		
Phosphore	mg	1492		
Magnésium	mg	687		
Zinc	mg	14,1		
Cuivre	mg	3,1		
Manganèse	mg	6		
Sélénium	**µg**	**41**	**70**	**59 %**
Chrome	µg	75		
Molybdène	µg	20		
Fibres	**g**	**53**	**voir *fibres***	**dépassé**
Caroténoïdes				
Lycopène	**mg**	**28,9**	**22**	**131 %**
Lutéine/ Zéaxanthine	**mg**	**12,5**	**12**	**104 %**
Alpha- carotène	**mg**	**3,0**	**2,4**	**125 %**
Bêta-carotène	**mg**	**24**	**6**	**400 %**
Bêta- cryptoxanthine	**mg**	**1,5**	**1**	**151 %**
Glutathion	**présence**	**NA**	**NA**	
Resvératrol	**présence**	**NA**	**NA**	
Polyphénols	**présence**	**NA**	**NA**	

• *Pourcentage des calories*

Protéines	15 %
Glucides	53 %
Matières grasses	32 %

* La teneur dépend de l'apport quotidien en oméga-3.

2ᵉ JOUR

	Unité	Valeur	Recommandations	Besoins couverts %
Calories	g	2186		
Protéines	g	99		
Glucides	g	293		
Matières grasses (total)	g	80		
Cholestérol	mg	191		
Graisses saturées	g	13		
Graisses mono-insaturées	g	37		
Graisses poly-insaturées	g	22		
Acide linoléique (AL)	**g**	**13,8**	******	******
Acide alpha-linolénique (ALA)	**g**	**2,8**	**voir *oméga-3***	**dépassé**
EPA (acide eicosapentaénoïque)	**g**	**0,4**	**voir *oméga-3***	**dépassé**
DHA (acide docosahexaénoïque)	**g**	**1,3**	**voir *oméga-3***	**dépassé**
Oméga-6 : Oméga-3	**g**	**3,1 :1**	**4 :1 ou moins**	**dépassé**
Sodium	mg	1916		
Potassium	mg	7259		
Vitamines				
Vitamine A	ER	3607		
Vitamine C	**mg**	**620**	**350**	**177 %**
Vitamine D	UI	103		
Vitamine E	**mg**	**18,2**	**16**	**114 %**
Thiamine	mg	2,5		

Riboflavine	mg	2,9		
Niacine	mg	34,3		
Pyridoxine (Vitamine B6)	mg	3,4		
Folate	**µg**	**684**	**400**	**171 %**
Vitamine B12	µg	4,3		
Biotine	µg	25,7		
Acide pantothénique	mg	7		
Vitamine K	µg	652		
Minéraux/Oligoéléments				
Calcium	mg	957		
Fer	mg	27,3		
Phosphore	mg	1694		
Magnésium	mg	642		
Zinc	mg	11,6		
Cuivre	mg	2,4		
Manganèse	mg	9		
Sélénium	**µg**	**83**	**70-100**	**dépassé**
Chrome	µg	98		
Molybdène	µg	13,5		
Fibres	**g**	**63**	**voir *fibres***	**dépassé**
Caroténoïdes				
Lycopène	**mg**	**19,3**	**22**	**88 %**
Lutéine/ Zéaxanthine	**mg**	**25,7**	**12**	**214 %**
Alpha- carotène	**mg**	**2,14**	**2,4**	**89 %**
Bêta-carotène	**mg**	**12,85**	**6**	**107 %**
Bêta- cryptoxanthine	**mg**	**1,47**	**1**	**147 %**
Glutathion	**présence**	**NA**	**NA**	
Resvératrol	**absence****	**NA**	**NA**	
Polyphénols	**présence**	**NA**	**NA**	

356 / *La super forme en 14 aliments*

• **Pourcentage des calories**

Protéines	17 %
Glucides	51 %
Matières grasses	31 %

** Apport pouvant être atteint avec 160 ml de jus de raisin noir ou de vin rouge.

3ᵉ JOUR

	Unité	Valeur	Recommandations	Besoins couverts %
Calories	g	2040		
Protéines	g	93		
Glucides	g	265		
Matières grasses (total)	g	74		
Cholestérol	mg	96		
Graisses saturées	g	11		
Graisses mono-insaturées	g	35		
Graisses poly-insaturées	g	18		
Acide linoléique (AL)	**g**	**11,3**	*	*
Acide alpha-linolénique (ALA)	**g**	**3,7**	voir *oméga-3*	dépassé
EPA (acide eicosapentaénoïque)	**g**	**0,4**	voir *oméga-3*	dépassé
DHA (acide docosahexaenoïque)	**g**	**1,3**	voir *oméga-3*	dépassé
Oméga-6 : Oméga-3	**g**	**2 :1**	4 :1 ou moins	dépassé
Sodium	mg	2192		
Potassium	mg	5131		
Vitamines				
Vitamine A	ER	4985		
Vitamine C	**mg**	**624**	350	178 %
Vitamine D	UI	3,5		
Vitamine E	**mg**	**23,4**	16	146 %
Thiamine	mg	1,7		

Riboflavine	mg	1,9		
Niacine	mg	23,2		
Pyridoxine (Vitamine B6)	mg	3,6		
Folate	**µg**	**570**	**400**	**143 %**
Vitamine B12	µg	4,4		
Biotine	µg	20,4		
Acide pantothénique	mg	5,7		
Vitamine K	µg	348		
Minéraux/Oligoéléments				
Calcium	mg	1276		
Fer	mg	19,2		
Phosphore	mg	1241		
Magnésium	mg	551		
Zinc	mg	9,8		
Cuivre	mg	2,5		
Manganèse	mg	5,4		
Sélénium	**µg**	**63**	**70-100**	**90 %**
Chrome	µg	47		
Molybdène	µg	23		
Fibres	**g**	**42**	**voir *fibres***	**dépassé**
Caroténoïdes				
Lycopène	**mg**	**23,9**	**22**	**109 %**
Lutéine/ Zéaxanthine	**mg**	**12,1**	**12**	**101 %**
Alpha- carotène	**mg**	**5,3**	**2,4**	**219 %**
Bêta-carotène	**mg**	**25,7**	**6**	**430 %**
Bêta- cryptoxanthine	**mg**	**0,87**	**1**	**87 %**
Glutathion	**présence**	**NA**	**NA**	
Resvératrol	**absence****	**NA**	**NA**	
Polyphénols	**présence**	**NA**	**NA**	

• *Pourcentage des calories*

Protéines	18 %
Glucides	51 %
Matières grasses	31 %

* La teneur dépend de l'apport quotidien en oméga-3.
** Apport pouvant être atteint avec 160 ml de jus de raisin noir ou de vin rouge.

4ᵉ JOUR

	Unité	Valeur	Recommandations	Besoins couverts %
Calories	g	2260		
Protéines	g	128		
Glucides	g	304		
Matières grasses (total)	g	64		
Cholestérol	mg	474		
Graisses saturées	g	12		
Graisses mono-insaturées	g	30		
Graisses poly-insaturées	g	13		
Acide linoléique (AL)	**g**	**7,2**	*	*
Acide alpha-linolénique (ALA)	**g**	**1,2**	voir *oméga-3*	hommes = en deçà femmes = dépassé
EPA (acide eicosapentaénoïque)	**g**	**0,4**	voir *oméga-3*	dépassé
DHA (acide docosahexaénoïque)	**g**	**1,2**	voir *oméga-3*	dépassé
Oméga-6 : Oméga-3	**g**	**2,6 :1**	4 :1 ou moins	dépassé
Sodium	mg	3407		
Potassium	mg	6173		
Vitamines				
Vitamine A	ER	8673		
Vitamine C	**mg**	**590**	**350**	**169 %**
Vitamine D	UI	40		
Vitamine E	**mg**	**16,4**	**16**	**102 %**
Thiamine	mg	1,2		

Riboflavine	mg	2,2		
Niacine	mg	30		
Pyridoxine (Vitamine B6)	mg	3		
Folate	**µg**	**502**	**400**	**126 %**
Vitamine B12	µg	4,2		
Biotine	µg	33		
Acide pantothénique	mg	7,4		
Vitamine K	µg	552		
Minéraux/Oligoéléments				
Calcium	mg	941		
Fer	mg	24,5		
Phosphore	mg	1508		
Magnésium	mg	445		
Zinc	mg	10,6		
Cuivre	mg	1,7		
Manganèse	mg	5,6		
Sélénium	**µg**	**202**	**70-100**	**dépassé**
Chrome	µg	57		
Molybdène	µg	38		
Fibres	**g**	**38**	**voir *fibres***	**dépassé**
Caroténoïdes				
Lycopène	**mg**	**23,8**	**22**	**108 %**
Lutéine/ Zéaxanthine	**mg**	**13,6**	**12**	**113 %**
Alpha- carotène	**mg**	**8,8**	**2,4**	**366 %**
Bêta-carotène	**mg**	**22,7**	**6**	**378 %**
Bêta- cryptoxanthine	**mg**	**1,5**	**1**	**150 %**
Glutathion	**présence**	**NA**	**NA**	
Resvératrol	**présence****	**NA**	**NA**	
Polyphénols	**présence**	**NA**	**NA**	

• **Pourcentage des calories**

Protéines	22 %
Glucides	53 %
Matières grasses	25 %

* La teneur dépend de l'apport quotidien en oméga-3.
** Apport pouvant être atteint avec 160 ml de jus de raisin noir ou de vin rouge.

5ᵉ JOUR

	Unité	Valeur	Recommandations	Besoins couverts %
Calories	g	1820		
Protéines	g	127		
Glucides	g	245		
Matières grasses (total)	g	41		
Cholestérol	mg	340		
Graisses saturées	g	7,8		
Graisses mono-insaturées	g	17,5		
Graisses poly-insaturées	g	8,8		
Acide linoléique (AL)	**g**	**4,4**	*	*
Acide alpha-linolénique (ALA)	**g**	**2,8**	**voir *oméga-3***	**dépassé**
EPA (acide eicosapentaénoïque)	**g**	**0,1**	**voir *oméga-3***	**envisager une supplémentation**
DHA (acide docosahexaénoïque)	**g**	**0,5**	**voir *oméga-3***	**envisager une supplémentation**
Oméga-6 : Oméga-3	**g**	**1,3 :1**	**4 :1 ou moins**	**dépassé**
Sodium	mg	3094		
Potassium	mg	6184		
Vitamines				
Vitamine A	ER	4937		
Vitamine C	**mg**	**419**	**350**	**120 %**
Vitamine D	UI	880		
Vitamine E	**mg**	**16**	**16**	**100 %**
Thiamine	mg	1,8		

Riboflavine	mg	2		
Niacine	mg	30,3		
Pyridoxine (Vitamine B6)	mg	3,8		
Folate	**µg**	**694**	**400**	**173 %**
Vitamine B12	µg	4,2		
Biotine	µg	26,8		
Acide pantothénique	mg	7		
Vitamine K	µg	603		
Minéraux/Oligoéléments				
Calcium	mg	1118		
Fer	mg	27,2		
Phosphore	mg	1747		
Magnésium	mg	644		
Zinc	mg	13,9		
Cuivre	mg	2,2		
Manganèse	mg	4,6		
Sélénium	**µg**	**138**		**dépassé**
Chrome	µg	62		
Molybdène	µg	38,8		
Fibres	**g**	**48**	**voir *fibres***	**dépassé**
Caroténoïdes				
Lycopène	**mg**	**26,6**	**22**	**121 %**
Lutéine/ Zéaxanthine	**mg**	**20,8**	**12**	**173 %**
Alpha- carotène	**mg**	**4,1**	**2,4**	**171 %**
Bêta-carotène	**mg**	**14**	**6**	**233 %**
Bêta- cryptoxanthine	**mg**	**1,2**	**1**	**120 %**
Glutathion	**présence**	**NA**	**NA**	
Resvératrol	**présence****	**NA**	**NA**	
Polyphénols	**présence**	**NA**	**NA**	

- ***Pourcentage des calories***

Protéines	27 %
Glucides	53 %
Matières grasses	20 %

* La teneur dépend de l'apport quotidien en oméga-3.
** Apport pouvant être atteint avec 160 ml de jus de raisin noir ou de vin rouge.

6e JOUR

	Unité	Valeur	Recommandations	Besoins couverts %
Calories	g	1997		
Protéines	g	103		
Glucides	g	288		
Matières grasses (total)	g	57		
Cholestérol	mg	221		
Graisses saturées	g	9,6		
Graisses mono-insaturées	g	20		
Graisses poly-insaturées	g	21,8		
Acide linoléique (AL)	**g**	**12,7**	*	*
Acide alpha-linolénique (ALA)	**g**	**6,2**	voir *oméga-3*	**dépassé**
EPA (acide eicosapentaénoïque)	**g**	**traces**	voir *oméga-3*	**envisager une supplémentation**
DHA (acide docosahexaénoïque)	**g**	**traces**	voir *oméga-3*	**envisager une supplémentation**
Oméga-6 : Oméga-3	**g**	**2,1 :1**	**4 :1 ou moins**	**dépassé**
Sodium	mg	1803		
Potassium	mg	4635		
Vitamines				
Vitamine A	ER	7393		
Vitamine C	**mg**	**355**	**350**	**101 %**
Vitamine D	UI	114		

Vitamine E	**mg**	**15,8**	**16**	**98 %**
Thiamine	mg	1,9		
Riboflavine	mg	2		
Niacine	mg	23,4		
Pyridoxine (Vitamine B6)	mg	3,3		
Folate	**µg**	**587**	**400**	**147 %**
Vitamine B12	µg	1,2		
Biotine	µg	31,8		
Acide pantothénique	mg	6,5		
Minéraux/Oligoéléments				
Calcium	mg	1205		
Fer	mg	21,9		
Phosphore	mg	1828		
Magnésium	mg	630		
Zinc	mg	12,6		
Cuivre	mg	2,6		
Manganèse	mg	8,7		
Sélénium	**µg**	**110**	**70-100**	**dépassé**
Chrome	µg	38		
Molybdène	µg	31,5		
Fibres	**g**	**48**	**voir *fibres***	**dépassé**
Caroténoïdes				
Lycopène	**mg**	**35,9**	**22**	**163 %**
Lutéine/ Zéaxanthine	**mg**	**11,8**	**12**	**98 %**
Alpha- carotène	**mg**	**9,4**	**2,4**	**392 %**
Bêta- carotène	**mg**	**19,8**	**6**	**333 %**
Bêta- cryptoxanthine	**mg**	**1,6**	**1**	**160 %**
Glutathion		**présence**	**NA**	**NA**
Resvératrol		**présence****	**NA**	**NA**
Polyphénols		**présence**	**NA**	**NA**

• *Pourcentage des calories*

Protéines	20 %
Glucides	55 %
Matières grasses	25 %

* La teneur dépend de l'apport quotidien en oméga-3.
** Apport pouvant être atteint avec 160 ml de jus de raisin noir ou de vin rouge.

7ᵉ JOUR

	Unité	Valeur	Recommandations	Besoins couverts %
Calories	g	1909		
Protéines	g	110		
Glucides	g	254		
Matières grasses (total)	g	59		
Cholestérol	mg	226		
Graisses saturées	g	7,9		
Graisses mono-insaturées	g	17,9		
Graisses poly-insaturées	g	21,6		
Acide linoléique (AL)	g	**16,3**	*	*
Acide alpha-linolénique (ALA)	g	**3,9**	**voir *oméga-3***	**dépassé**
EPA (acide eicosapentaénoïque)	g	**traces**	**voir *oméga-3***	**envisager une supplémentation**
DHA (acide docosahexaénoïque)	g	**traces**	**voir *oméga-3***	**envisager une supplémentation**
Oméga-6 : Oméga-3	g	**4,1 :1**	**4 :1 ou moins**	**suffisant supplémentation**
Sodium	mg	2047		
Potassium	mg	4123		
Vitamines				
Vitamine A	ER	3752		
Vitamine C	**mg**	**352**	**350**	**100 %**
Vitamine D	UI	22		
Vitamine E	**mg**	**14,8**	**16**	**87 %**
Thiamine	mg	0,9		

Riboflavine	mg	1,3		
Niacine	mg	26		
Pyridoxine (Vitamine B6)	mg	1,9		
Folate	**µg**	**384**	**400**	**96 %**
Vitamine B12	µg	1,0		
Biotine	µg	22,2		
Acide pantothénique	mg	5,2		
Vitamine K	µg	614		
Minéraux/Oligoéléments				
Calcium	mg	856		
Fer	mg	13,8		
Phosphore	mg	1027		
Magnésium	mg	334		
Zinc	mg	6,5		
Cuivre	mg	1,8		
Manganèse	mg	5,3		
Sélénium	**µg**	**1490**	**70-100**	**dépassé**
Chrome	µg	44		
Molybdène	µg	0,9		
Fibres	**g**	**36**	**voir *fibres***	**dépassé**
Caroténoïdes				
Lycopène	**mg**	**22**	**22**	**100 %**
Lutéine/ Zéaxanthine	**mg**	**30,3**	**12**	**253 %**
Alpha- carotène	**mg**	**3,6**	**2,4**	**150 %**
Bêta-carotène	**mg**	**16,4**	**6**	**273 %**
Bêta- cryptoxanthine	**mg**	**0,25**	**1**	**25 %**
Glutathion		**présence**	**NA**	**NA**
Resvératrol		**présence****	**NA**	**NA**
Polyphénols		**présence**	**NA**	**NA**

• *Pourcentage des calories*

Protéines	22 %
Glucides	51 %
Matières grasses	27 %

* La teneur dépend de l'apport quotidien en oméga-3.
** Apport pouvant être atteint avec 160 ml de jus de raisin noir ou de vin rouge.

Les 14 super-nutriments

Si vous comparez les régimes alimentaires dans le monde qui, *a priori*, ont une influence bénéfique sur le capital-santé, vous retombez systématiquement sur 14 nutriments que j'appellerai « super-nutriments ». À ce jour, nombre d'études scientifiques ont prouvé que plus les aliments que vous consommez sont riches en super-nutriments, plus vous vieillissez lentement et moins vous souffrez de pathologies chroniques. Ci-après, vous trouverez la liste de ces 14 super-nutriments avec les aliments qui en sont les principales sources.

Si vous avez des problèmes circulatoires (hémorragies ou coagulation) ou si vous suivez un traitement anticoagulant, consultez votre médecin traitant afin de vous assurer que les nutriments ci-dessous ne sont pas contre-indiqués.

Nutriment n° 1 : la vitamine C

L'apport quotidien minimum que je préconise est de 350 milligrammes. Pour couvrir vos besoins, consommez plusieurs des aliments suivants :

1 gros poivron jaune = 341 mg
1 gros poivron rouge = 312 mg
1 goyave de grosseur moyenne = 165 mg
1 gros poivron vert = 132 mg

200 ml de jus d'orange frais = 124 mg (contre 97 mg pour 200 ml de jus d'orange concentré surgelé)

250 g de fraises fraîches coupées en fines lamelles = 97 mg

250 g de brocolis frais coupés en morceaux = 79 mg

Nutriment n° 2 : le folate

L'apport quotidien que je préconise est de 400 microgrammes. Pour couvrir vos besoins, consommez plusieurs des aliments suivants :

250 g d'épinards cuits = 263 µg

250 g de haricots rouges bouillis = 230 µg

250 g de graines de soja vertes cuites à l'eau = 200 µg

125 g de noix de soja = 177 µg

200 ml de jus d'orange concentré surgelé = 110 µg

250 g de brocolis surgelés cuits coupés en morceaux = 103 µg

4 pointes d'asperges cuites = 89 µg

Nutriment n° 3 : le sélénium

L'apport quotidien que je préconise est de 70 à 100 microgrammes. Pour couvrir vos besoins, consommez un ou plusieurs des aliments suivants :

90 g d'huîtres du Pacifique cuites = 131 µg

250 g de farine de blé complet = 85 µg

1 noix du Brésil séchée = 68 à 91 µg

1/2 boîte de sardines du Pacifique = 75 µg

90 g de thon blanc en conserve = 56 µg

90 g de praires cuites = 54 µg

6 huîtres de bassin d'ostréiculture = 54 µg

90 g de blancs de dinde rôtis sans peau = 27 µg

Nutriment n° 4 : la vitamine E

L'apport quotidien minimum que je préconise est de 16 milligrammes. Pour couvrir vos besoins, consommez un ou plusieurs des aliments suivants :

2 cuillères à soupe d'huile de germe de blé = 41 mg (toutes formes de tocophérols confondues)

2 cuillères à soupe d'huile de canola = 13,6 mg

2 cuillères à soupe d'huile d'arachide = 9,2 mg
2 cuillères à soupe d'huile de graine de lin = 4,8 mg
2 cuillères à soupe d'huile d'olive = 4 mg
2 cuillères à soupe d'huile de soja = 2,6 mg
30 g d'amandes (soit 23 ou 24 amandes) = 7,7 mg
60 g de graines de tournesol séchées décortiquées = 6,8 mg
2 cuillères à soupe de germe de blé (non grillé) = 5 mg
1 poivron orange de grosseur moyenne = 4,3 mg
30 g de noisettes (soit 20 ou 21 noisettes) = 4,3 mg
2 cuillères à soupe de beurre de cacahouètes = 3,2 mg
250 g de myrtilles = 2,8 mg

Nutriment n° 5 : le lycopène
L'apport quotidien que je préconise est de 22 milligrammes. Pour couvrir vos besoins, consommez un ou plusieurs des aliments suivants :
200 ml de sauce tomate (en conserve) = 37 mg
200 ml de jus de légumes concentré = 22 mg
200 ml de jus de tomate = 22 mg
1 tranche de pastèque (ou de melon) = 13 mg
250 g de tomates concassées (en conserve) = 10,3 mg
1 cuillère à soupe de concentré de tomates = 4,6 mg
1 cuillère à soupe de ketchup = 2,9 mg
1/2 pamplemousse rose = 1,8 mg

Je vous rappelle que les tomates et les produits dérivés cuits sont plus riches en lycopène que les tomates crues.

Le lycopène présent dans les pastèques est particulièrement biodisponible. (À ce jour, aucune étude sur la biodisponibilité des autres aliments sources de lycopène n'a été rendue publique. Les chercheurs supposent qu'il n'y a pas de différence entre ces aliments et les pastèques.)

Nutriment n° 6 : la lutéine/zéaxanthine
L'apport quotidien que je préconise est de 12 milligrammes. Pour couvrir vos besoins, consommez un ou plusieurs des aliments suivants :
250 g de chou frisé cuit coupé en morceaux = 23,7 mg
250 g d'épinards cuits = 20,4 mg

250 g de chou collard cuit coupé en morceaux = 14,6 mg
250 g de chou champêtre = 12,1 mg
1 gros poivron orange = 9,2 mg
250 g de petits pois cuits = 4,2 mg
250 g de brocolis cuits = 2,4 mg

Nutriment n° 7 : l'alpha-carotène

L'apport quotidien que je préconise est de 2,4 milligrammes. Pour couvrir vos besoins, consommez un ou plusieurs des aliments suivants :

250 g de potiron (en conserve) = 11,7 mg
250 g de carottes cuites coupées en rondelles = 6,6 mg
10 petites carottes crues = 3,8 mg
250 g de courge musquée coupée en dés = 2,3 mg
1 gros poivron orange = 0,3 mg
250 g de chou collard cuit coupé en morceaux = 0,2 mg

Nutriment n° 8 : le bêta-carotène

L'apport quotidien que je préconise est de 6 milligrammes. Pour couvrir vos besoins, consommez un ou plusieurs des aliments suivants :

250 g de patates douces cuites = 23 mg
250 g de potiron (en conserve) = 17 mg
250 g de carottes cuites coupées en rondelles = 13 mg
250 g d'épinards cuits = 11,3 mg
250 g de chou frisé cuit = 10,6 mg
250 g de courge musquée coupée en dés = 9,4 mg
250 g de chou collard cuit coupé en morceaux = 9,2 mg

Nutriment n° 9 : la bêta-cryptoxanthine

L'apport quotidien minimum que je préconise est de 1 milligramme. Pour couvrir vos besoins, consommez un ou plusieurs des aliments suivants :

250 g de courge musquée coupée en dés = 6,4 mg
250 g de poivron rouge cuit coupé en lanières = 2,8 mg
1 kaki du Japon (de 6 cm de diamètre) = 2,4 mg
250 g de papaye écrasée = 1,8 mg
1 gros poivron rouge cru = 0,8 mg

200 ml de jus de tangerine = 0,5 mg
1 tangerine de grosseur moyenne = 0,3 mg

Nutriment n° 10 : le glutathion

Nul ne peut dire quel est l'apport quotidien idéal. Sont particulièrement riches en glutathion :

Les asperges
Les pastèques
Les avocats
Les noix
Les pamplemousses
Le beurre de cacahouètes
Les flocons d'avoine
Les brocolis
Les oranges
Les épinards

Nutriment n° 11 : le resvératrol

Nul ne peut dire quel est l'apport quotidien idéal. Selon plusieurs données scientifiques, ce phytonutriment a des propriétés anti-inflammatoires et joue un rôle crucial dans la prévention du cancer. Il semblerait également avoir des effets bénéfiques sur le système cardiovasculaire. Sont particulièrement riches en resvératrol :

Les cacahouètes
La peau des raisins noirs
Le vin rouge
Le jus de raisin noir
Les canneberges et le jus de canneberge

Nutriment n° 12 : les fibres

Selon le Food and Nutrition Board of the Institute of Medicine, l'apport recommandé quotidien en fibres serait de :

25 g pour les femmes entre 19 et 50 ans et 21 g pour les femmes entre 51 et 70 ans

38 g pour les hommes entre 19 et 50 ans et 30 g pour les hommes entre 51 et 70 ans

Selon moi, ces recommandations sont minimales et je pense que plus l'apport en fibres est élevé, meilleurs seront les bienfaits sur l'organisme. Pour couvrir vos besoins, consommez plusieurs des aliments suivants :

250 g de haricots noirs cuits = 15 g
60 g de haricots « Pinto » séchés = 14 g
250 g de pois chiches cuits = 13 g
60 g de lentilles séchées = 9 g
250 g de framboises fraîches = 8 g

Nutriment n° 13 : les acides gras essentiels oméga-3

Selon les recommandations du Food and Nutrition Board of the Institute of Medicine et du National Academies, l'apport quotidien en acides gras oméga-3 d'origine végétale (acide alpha-linolénique ou AAL) devrait être de 1,6 g pour les hommes adultes et de 1,1 g pour les femmes adultes, alors que l'apport journalier en acides gras oméga-3 d'origine marine (EPA/DHA) devrait être de 160 mg pour les hommes adultes et de 110 mg pour les femmes adultes.

Si je suis d'accord avec ces organismes en ce qui concerne les acides gras oméga-3 d'origine végétale (qui, à mon sens, sont des apports minima que vous ne devez pas hésiter à dépasser en consommant des super-aliments riches en acide alpha-linolénique), je pense que l'apport préconisé pour les acides gras essentiels d'origine marine est insuffisant et devrait être de 1 g pour les hommes adultes et de 0,7 g pour les femmes adultes.

Pour couvrir vos besoins, consommez un ou plusieurs des aliments suivants :

EPA/DHA = aliments riches en acides gras essentiels oméga-3 d'origine marine

90 g de saumon Chinook (espèce vivant dans les eaux de la Colombie britannique) cuit = 1,5 g
90 g de saumon rouge = 1 g
90 g de truite arc-en-ciel élevée en bassin = 1 g
Des sardines en conserve (1 boîte) = 0,9 g
90 g de thon blanc conditionné dans de l'eau = 0,7 g

Les jours où vous ne consommez pas d'aliments riches en acides gras essentiels oméga-3 d'origine marine, une supplémentation en EPA/DHA est fortement recommandée.

Acide alpha-linolénique (AAL) = aliments riches en acides gras essentiels oméga-3 d'origine végétale

Les huiles
1 cuillère à soupe d'huile de canola = 1,3 g
1 cuillère à soupe d'huile de soja = 0,7 g
1 cuillère à soupe d'huile de noix = 1,4 g
1 cuillère à soupe d'huile de graine de lin = 7,3 g

Les légumes verts à feuilles
250 g d'épinards cuits = 0,2 g
250 g de chou collard cuit = 0,2 g

Autres aliments
125 g de noix de soja grillées = 1,2 g
1 cuillère à soupe de graines de lin = 2,2 g
125 g de germe de blé = 0,5 g
30 g de noix (soit 14 cerneaux) = 2,6 g
1 œuf de poule nourrie au grain enrichi en oméga-3 = teneur variable (à vérifier sur l'emballage)

Nutriment n° 14 : les polyphénols

Nul ne peut dire quel est l'apport quotidien idéal pour ce type de phytonutriments. Sont particulièrement riches en polyphénols les aliments et les boissons ci-après :

Les fruits et les légumes
Les baies
Les dattes et les figues
Les pruneaux
Le chou frisé et les épinards
Le persil (le persil séché est également source de polyphénols)
Les pommes (non épluchées)
Les agrumes
Les raisins

Les confitures
La confiture à la myrtille bio
La confiture de mûres de Boysen
La confiture de mûres bio
Les boissons
Les thés noir, vert et oolong
Le lait de soja
Les jus de fruits 100 % naturels (baies, grenade, raisin, cerise, pomme, agrumes et pruneau)

Bibliographie

Comment votre alimentation peut vous tuer

Adlercreutz, H. Western diet and Western diseases : some hormonal and biochemical mechanisms and associations. *Scand J Clin Lab Invest* 1990 ; 201 (suppl) : 3-23.

Bazzano, L.A., et al. Fruit and vegetable intake and risk of cardiovascular disease in US adults : the first National Health and Nutrition Examination Survey Epidemiologic Follow-up Study. *Am J Clin Nutr* 2002 ; 76 (I) : 93-3.

Davis, C.D. Diet and carcinogenesis. In : *Vegetables, Fruits, and Herbs in Health Promotion*. Watson, R.R., ed. CRC Press ; 2001 : 273-92.

* Fraser, G.E., et al. Effect of risk factor values on lifetime risk of and age at first coronary event. The Adventist Health Study. *Am J Epidemiol* 1995 ; 142 : 746-58.

* Fraser, G.E., et al. Risk factors for all-cause and coronary heart disease mortality in the oldest-old. The Adventist Health Study. *Arch Intern Med* 1997 ; 157 : 2249-58.

* Fraser, G.E. Associations between diet and cancer, ischemic heart disease, and all-cause mortality in non-Hispanic white California Seventh-Day Adventists. *Am J Clin Nutr* 1999 ; 70 (suppl) : 532S-8S.

Ramakrishnan, U. Prevalence of micronutrient malnutrition worldwide. *Nutr Rev* 2002 ; 60 (5, Part II) : S46-S52.

Rutledge, J.C. Links between food and vascular disease. *Am J Clin Nutr* 2002 ; 75 (I) : 4.

Les micronutriments : la clef pour être en bonne santé

Rimm, E.B., et al. Vegetable, fruit, and cereal fiber intake and risk of coronary heart disease among men. JAMA 1996 ; 275 : 447-51.

Simopoulos, A.P. The Mediterranean Diet : what is so special about the diet of Greece ? The scientific evidence. *J Nutr* 2001 ; 131 : 3065S-73S.

Wise, J.A. Health benefits of fruits and vegetables : the protective role of phytonutrients. In : *Vegetables, Fruits, and Herbs in Health Promotion*. Watson, R.R., ed. CRC Press 2001 ; 147-76.

Les quatre principes de base des *14 super-aliments* – *14 aliments qui vont changer votre vie*

Cordian, L. The nutritional characteristics of a contemporary diet based upon Paleolithic food groups. JANA 2002 ; 5 (3) : 15-24.

De Lorgeril, M., et al. Mediterranean dietary pattern in a randomized trial. Prolonged survival and possible reduced cancer rate. *Arch Intern Med* 1998 ; 158 : 1181-7.

De Lorgeril, M., et al. Modified Cretan Mediterranean diet in the prevention of coronary heart disease and cancer. In : *Mediterranean Diets*. Simopoulos, A.P., Visioli, F., eds. Karger Basel, Switzerland 2000 ; 87 : 1-23.

Pratt, S., et al. Nutrition and Skin Cancer Risk Prevention. In : *Functional Foods and Neutraceuticals in Cancer Prevention*, Ronald R. Watson, editor, Iowa State Press 2003 ; 105-20.

White, I.R. The level of alcohol consumption at which all-cause mortality is least. *J Clin Epidemiol* 1999 ; 52 : 967-75.

Willcox, B.J. *The Okinawa Program*. Willcox, B.J., Willcox, D.C., Suzuki, M., eds. New York : Three Rivers Press, 2001.

Willett, W.C., et al. Mediterranean diet pyramid : a cultural model for healthy eating. *Am J Clin Nutr* 1995 ; 61 (suppl) : 1402S-6S.

Willett, W.C. *Eat, Drink and Be Healthy – The Harvard Medical School Guide to Healthy Eating.* New York : Simon & Schuster Source, 2001.

Les super-aliments dans votre cuisine

Hu, F.B., et al. Optimal diets for prevention of coronary heart disease. JAMA 2002 ; 299 (20) : 2569-78.
Kant, A.K., et al. A prospective study of diet quality and mortality in women. JAMA 2000 ; 283 : 2109-15.

Les haricots

Anderson, J.W., et al. Cardiovascular and renal benefits of dry bean and soybean intake. *Am J Clin Nutr* 1999 ; 70 (3 suppl) : 464S-74S.
Bazzano, L.A., et al. Legume consumption and risk of coronary heart disease in US men and women : NHANES I Epidemiologic Follow-up Study. *Arch Int Med* 2001 ; 161 (21) : 2573-8.
Deshpande, S.S. Food legumes in human nutrition : a personal perspective. *CRC Crit Rev Food Sci Nutr* 1992 ; 32 : 333-63.
Kushi, L.H., et al. Cereals, legumes, and chronic disease risk reduction : evidence from epidemiologic studies. *Am J Clin Nutr* 1999 ; 70 (suppl) : 451S-8S.
Shutler, S.M., et al. The effect of daily baked bean (*Phaseolus vulgaris*) consumption on the plasma lipid levels of young, normo-cholesterolemic men. *Br J Nutr* 1989 ; 61 : 257-63.

Les myrtilles

Hertog, M.G.L., et al. Dietary antioxidant flavonoids and risk of coronary heart disease : the Zutphen elderly study. *Lancet* 1993 ; 342 : 1007-II.

Hertog, M.G.L., et al. Dietary flavonoids and cancer risk in the Zutphen Elderly Study. *Nutr Cancer* 1994 ; 22 : 175-84.

Joseph, J.A., et al. Long-term dietary strawberry, spinach, or vitamin E supplementation retards the onset of age-related neuronal signal-transduction and cognitive behavioral deficits. *J Neurosci* 1998 ; 18 (19) : 8047-55.

Joseph, J.A., et al. Oxidative stress protection and vulnerability in ageing : putative nutritional implications for intervention. *Mech Ageing Dev* 2003 ; 31 ; 116 (2-3) : 141-53.

Joseph, J.A., et al. Reversals of age-related declines in neuronal signal transduction, cognitive, and motor behavioral deficits with blueberry, spinach, or strawberry dietary supplementation. *J Neurosci* 1999 ; 19 (18) : 8114-21.

Kay, C.D., et al. The effect of wild blueberry (*Vaccinium angustifolium*) consumption on postprandial serum antioxidant status in human subjects. *Br J Nutr* 2002 ; 88 (4) : 389-98.

Mazza G., et al. Absorption of anthocyanins from blueberries and serum antioxidant status in human subjects. *J Agric Food Chem* 2002 ; 50 (26) : 7731-7.

Les brocolis

Jeffrey, E.H., et al. Cruciferous Vegetables and Cancer Prevention. In : *Handbook of Nutraceuticals and Functional Foods.* Wildman, R.E.C., ed. Boca Raton, FL 2001, 169-92 ; CRCS Press LLC.

Verhoeven, D.E., et al. A review of mechanisms underlying anticarcinogenicity by brassica vegetables. *Chem Biol Interact* 1997 ; 103 (2) : 79-129.

Verhoeven, D.T.H., et al. Epidemiological studies on brassica vegetables and cancer risk. *Cancer Epidemiol Bio Prev* 1996 ; 5 (9) : 733-48.

L'avoine

De Lorgeril, M., et al. Mediterranean alpha-linolenic acid-rich diet in secondary prevention of coronary heart disease. *Lancet* 1994 ; 343 (89II) : 1454-9.

Jacobs, D.R., et al. Is whole grain intake associated with reduced total and cause-specific death rates in older women ? The Iowa Women's Health Study. *Am J Public Health* 1999 ; 89 : 322-9.

Jacobs, D.R., et al. Whole grain intake and cancer : an expanded review and meta-analysis. *Nutr Cancer* 1998 ; 30 (2) : 85-96.

Jacobs, D.R., et al. Whole-grain intake may reduce the risk of ischemic heart disease death in postmenopausal : the Iowa Women's Health Study. *Am J Clin Nutr* 1998 ; 68 (2) : 248-57.

Trusswell, A.S. Cereal grains and coronary heart disease. *Eur J Clin Nutr* 2002 ; 56 (I) : 1-14.

Les oranges

Block, G., et al. Ascorbic acid status and subsequent diastolic and systolic blood pressure. *Hypertension* 2001 ; 37 : 261-67.

Hakim, I.A., et al. Citrus peel use is associated with reduced risk of squamous cell carcinoma of the skin. *Nutr Cancer* 2000 ; 37 (2) : 161-8.

Loria, C.M., et al. Vitamin C status and mortality in US adults. *Am J Clin Nutr* 2000 ; 72 (I) : 139-45.

Tangpricha, V., et al. Fortification of orange juice with vitamin D : an novel approach for enhancing vitamin D nutritional health. *Am J Clin Nutr* 2003 ; 77 (6) : 1478-83.

Vinson, J.A., et al. In vitro and in vivo lipoprotein antioxidant effect of a citrus extract and ascorbic acid on normal and hypercholesterolemic human subjects. *J Med Food* 2001 ; 4 (4) : 187-92.

Les potirons

Ascherio, A., et al. Relation of consumption of vitamin E, vitamin C, and carotenoids to risk for stroke among men in the United States. *Ann Intern Med* 1999 ; 130 (12) : 963-70.

Cooper, D.A., et al. Dietary carotenoids and certain cancers, heart disease, and age-related macular degeneration : a review of recent research. *Nutr Rev* 1999 ; 57 : 201-14.

Stahl, W., et al. Carotenoids and carotenoids plus vitamin E protect against ultraviolet light-induced erythema in humans. *Am J Clin Nutr* 2000 ; 71 (3) : 795-8.

Yeum, K.J., et al. Carotenoid bioavailability and bioconversion. In : *Annual Review of Nutrition*, vol. 22, 2002. McCormick, D.B., Bier, D.M., Cousins, R.J., eds. 2002 ; 483-504.

Le saumon sauvage

Albert, C.M., et al. Fish consumption and risk of sudden cardiac death. JAMA 1998 ; 279 : 23-8.

Conquer, J., et al. Human health effects of docosahexaenoic acid. In : *Functional Foods : Biochemical and Processing Aspects*, vol. 2. Shi, J., Mazza, G., Le Maguer, M., eds. CRC Press LLC 2002 : 311-30.

* **Dewailly, E., et al.** Cardiovascular disease risk factors and n-3 fatty acid status in the adult population of James Bay Cree. *Am J Clin Nutr* 2002 ; 76 (I) : 85-92.

* **Dewailly, E., et al.** n-3 Fatty acids and cardiovascular disease risk factors among the Inuit of Nunavik. *Am J Clin Nutr* 2001 ; 74 (4) : 464-73.

Freeman, M.P. Omega-3 fatty acids in psychiatry : a review. *Ann Clin Psychiat* 2002 ; 2 (3) : 159-65.

Vanschoonbeek, K., et al. Fish oil consumption and reduction of arterial disease. *J Nutr* 2003 ; 133 (3) : 657-60.

Le soja

Anderson, J.W., et al. Soy foods and health promotion. In : *Vegetables, Fruits, and Herbs in Health Promotion.* Watson, R.R., ed. CRC Press 2001 ; 117-34.

Anderson, J.W. Meta-analysis of the effects of soy protein intake on serum lipids. *N Engl J Med* 1995 ; 333 (5) : 276-82.

Messina, M. Legumes and soybeans : overview of their nutritional profiles and health effects. *Am J Clin Nutr* 1999 ; 70 (3 suppl) : 439S-50S.

Munro, I.C., et al. Soy isoflavones : a safety review. *Nutr Rev* 2003 ; 61 (I) : 1-33.

Les épinards

Chasan-Taber, L., et al. A prospective study of carotenoids and vitamin A intakes and risk of cataract extraction in US women. *Am J Clin Nutr* 1999 ; 70 (4) : 431-2.

Colditz, G.A., et al. Increased green and yellow vegetable intake and lowered cancer deaths in an elderly population. *Am J Clin Nutr* 1985 ; 41 : 32-6.

John, J.H., et al. Effects of fruit and vegetable consumption on plasma antioxidant concentrations and blood pressure : a randomized controlled trial. *Lancet* 2002 ; 359 (9322) : 1969-74.

Pratt, S. Dietary prevention of age-related macular degeneration. *J Am Optom Assoc* 1999 ; 70 (I) : 39-47.

Le thé

Ahmad, N., et al. Antioxidants in chemioprevention of skin cancer. *Curr Probl Dermatol* 2001 ; 29 : 128-39.

Ahmad, N., et al. Green tea polyphenols and cancer : biologic mechanisms and practical implications. *Nutr Rev* 1999 ; 57 (3) : 78-83.

Arab, L. Tea and prevention of prostate, colon and rectal cancer. Third international scientific symposium on tea and human health : role of flavonoids in the diet. Washington, DC : United States Department of Agriculture, September 23, 2002.

Serafini, M., et al. In vivo antioxidant effect of green and black tea in man. *Eur J Clin Nutr* 1996 ; 50 : 28-32.

Yang, C.S., et al. Effects of tea consumption on nutrition and health. *J Nutr* 2000 ; 130 (10) : 2409-12.

Les tomates

Giovannucci, E. Tomatoes, tomato-based products, lycopene, and cancer : review of the epidemiologic literature. *J Natl Cancer Inst* 1999 ; 91 (4) : 317-31.

Riso, P., et al. Tomatoes and health promotion. In : *Vegetables, Fruits, and Herbs in Health Promotion*. Watson, R.R., ed. CRC Press 2001 ; 45-70.

Stahl, W., et al. Dietary tomato paste protects against ultraviolet light-induced erythema in humans. *J Nutr* 2001 ; 131 (5) : 1449-51.

La dinde (blanc de dinde sans peau)

Bingam, S.A. High meat diets and cancer risk. *Proc Nutr Soc* 1999 ; 58 (2) : 243-8.

Eisenstein, J., et al. High-protein weight-loss diets : are they safe and do they work ? A review of the experimental and epidemiological data. *Nutr Rev* 2002 ; 60 (7) : 189-200.

Morris, M.C., et al. Dietary fats and the risk of incident Alzheimer disease. *Arch Neurol* 2003 ; 60 (2) : 194-200.

Thorogood, M., et al. Risk of death from cancer and ischemic heart disease in meat and non-meat eaters. BMJ 1994 ; 308 : 1667-70.

Les noix

* **Albert, C.M., et al.** Nut consumption and decreased risk of sudden cardiac death in the Physicians Health Study. *Arch Intern Med* 2002 ; 162 (12) : 1382-7.

* **Albert, C.M., et al.** Nut consumption and the risk of sudden and total cardiac death in the Physicians Health Study. *Circulation* 1999 ; 98 (suppl 1) : 1-582.

Devaraj, S., et al. Y-Tocopherol, the new vitamin E ? *Am J Clin Nutr* 2003 ; 77 (3) : 530-1.

Feldman, E.B. The scientific evidence for a beneficial health relationship between walnuts and coronary heart disease. *J Nutr* 2002 ; 132 (5) : 1062S-1101S.

Jiang, R., et al. Nut and peanut butter consumption and risk of type 2 diabetes in women. *JAMA* 2002 ; 288 (20) : 2554-60.

Sabaté, J. Nut consumption, vegetarian diets, ischemic heart disease risk, and all-cause mortality : evidence from epidemiologic studies. *Am J Clin Nutr* 1999 ; 70 (suppl) : 500S-3S.

Le yaourt

Bornet, F.R.J., et al. Immune-stimulating and gut health-promoting properties of short-chain fructo-oligosaccharides. *Nutr Rev* 2002 ; 60 (10, part I) : 326-34.

Chang, J.M., et al. Dairy products, calcium, and prostate cancer risk in the Physicians » Health Study. *Am Clin Nutr* 2001 ; 74 (4) : 549-54.

Gill, H.S., et al. Enhancement of immunity in the elderly by dietary supplementation with the probiotic. *Bifidobacterium lactis* HN019. *Am J Clin Nutr* 2001 ; 74 (6) : 833-9.

Isolauri, E. Probiotics in human disease. *Am J Clin Nutr* 2001 ; 13 (6, suppl) : 1142S-6S.

Teitelbaum, J.E., et al. Nutritional impact of pre-and probiotics as protective gastrointestinal organisms. In : *Annual Review of Nutrition*, vol. 22, 2002. McCormick, D.B., Bier, D., Cousins, R.J., eds., Palo Alto, CA : *Annual Reviews*, 107-38.

Liste non exhaustive. Pour la bibliographie complète, se référer à l'ouvrage en anglais dont le titre original est *Superfoods Rx — Fourteen Foods That Will Change Your Life*.

Index

C

D

Q

R

S

T